Travessuras da menina má

MARIO VARGAS LLOSA

Travessuras da menina má

TRADUÇÃO
Ari Roitman e Paulina Wacht

22ª reimpressão

Copyright © 2006 by Mario Vargas Llosa

Grafia atualizada segundo o Acordo Ortográfico da Língua Portuguesa de 1990, que entrou em vigor no Brasil em 2009.

Título original
Travesuras de la niña mala

Pesquisa de Imagem de Capa
warrakloureiro

Foto de Capa
Ferdinando Scianna / Magnum Photos

Revisão
Ana Kronemberger
Damião Nascimento
Elisabeth Lissovsk

Atualização Ortográfica
Marise Leal

cip-Brasil. Catalogação na fonte
Sindicato Nacional dos Editores de Livros, rj

V426t
   Vargas Llosa, Mario
      Travessuras da menina má / Mario Vargas Llosa ; tradução de Ari Roitman e Paulina Wacht. – 1ª ed. – Rio de Janeiro : Objetiva, 2006.
      304 p.

      isbn 978-85-7302-808-9
      Tradução de: Travesuras de la niña mala.

      1. Romance peruano. i. Roitman, Ari. ii. Wacht, Paulina. iii. Título.

06-2510
                                  CDD 868.99353
                                  CDU 821.134.2(85)-3

Todos os direitos desta edição reservados à
EDITORA SCHWARCZ S.A.
Praça Floriano, 19, sala 3001 — Cinelândia
20031-050 — Rio de Janeiro — rj
Telefone: (21) 3993-7510
www.companhiadasletras.com.br
www.blogdacompanhia.com.br
facebook.com/editora.alfaguara
instagram.com/editora_alfaguara
twitter.com/alfaguara_br

A X, em memória dos tempos heroicos

I. As chilenitas

Foi um verão fabuloso. Pérez Prado e sua orquestra de doze professores vieram animar os bailes de carnaval do Clube Terrazas de Miraflores e do Lawn Tênis de Lima, houve um campeonato nacional de mambo, na Praça de Acho, com grande sucesso apesar da ameaça do cardeal Juan Gualberto Guevara, o arcebispo de Lima, de excomungar todos os casais participantes, e meu bairro, o Bairro Alegre das ruas miraflorenses Diego Ferré, Juan Fanning e Colón, disputou um torneio de futsal, ciclismo, atletismo e natação contra o bairro da rua San Martín e, naturalmente, ganhamos.

Coisas extraordinárias aconteceram naquele verão de 1950. Cojinoba Lañas se declarou pela primeira vez a uma garota — a ruiva Seminauel — e ela, para surpresa de todo Miraflores, disse que sim. Cojinoba esqueceu que era manco e a partir de então andava pelas ruas estufando o peito feito um Charles Atlas. Tico Tiravante desmanchou com a Ilse e se declarou à Laurita, Víctor Ojeda se declarou à Ilse e desmanchou com a Inge, Juan Barreto se declarou à Inge e desmanchou com a Ilse. Houve tanta recomposição sentimental no bairro que estávamos todos meio zonzos, os namoros se desfaziam e refaziam e, aos sábados, os casais que saíam das festas nem sempre eram os mesmos que tinham entrado. "Que sem-vergonhice!", dizia escandalizada minha tia Alberta, com quem eu morava desde a morte dos meus pais.

As ondas nas praias de Miraflores rebentavam duas vezes, a primeira bem longe, a duzentos metros da praia, e os mais valentes de nós iam até lá para descê-las de peito, e deslizávamos uns cem metros até onde as ondas morriam e se reconstituíam em garbosos movimentos e então estouravam de novo, numa segunda arrebatação que nos empurrava, como navegantes de ondas que éramos, até as pedrinhas da praia.

Naquele verão extraordinário, nas festas de Miraflores todo mundo parou de dançar valsas, corridos, *blues*, boleros e *huarachas*, porque o mambo arrasou. O mambo, um terremoto que fazia todos os casais infantis, adolescentes e maduros se sacudirem, balançando, pulando e fazendo firulas nas festas do bairro. E certamente acontecia o mesmo fora de Miraflores, para além do mundo e da vida, em Lince, Breña, Chorrillos, ou nos ainda mais exóticos bairros de La Victoria, o centro de Lima, o Rímac e o Porvenir, onde nós, miraflorenses, nunca tínhamos pisado nem pensávamos pisar jamais.

E assim como havíamos passado das valsinhas e *huarachas*, das *sambas* e das polcas para o mambo, também passamos dos patins e patinetes para a bicicleta, e alguns, Tato Monje e Tony Espejo por exemplo, para a moto e até mesmo, um ou dois rapazes, para o automóvel, como o grandalhão do bairro, Luchín, que às vezes roubava o Chevrolet conversível do pai e nos levava para dar uma volta pelo cais, de Terrazas até a quebrada de Armendáriz, a cem por hora.

Mas o fato mais notável daquele verão foi a chegada a Miraflores, diretamente do Chile, seu distante país, de duas irmãs cuja presença marcante e inconfundível jeito de falar, rapidinho, esquecendo as últimas sílabas das palavras e arrematando as frases com uma exclamação aspirada que soava como um "*pueh*", deixaram abobalhados todos os miraflorenses que acabavam de trocar as calças curtas pelas compridas. E eu, mais do que qualquer outro.

A mais alta parecia ser mais nova e vice-versa. A mais velha chamava-se Lily e era um pouco mais baixinha que Lucy, que tinha um ano menos. Lily devia estar com catorze ou quinze anos, no máximo, e Lucy, com treze ou catorze. O adjetivo marcante parecia ter sido inventado para elas, mas, sem deixar de sê-lo, Lucy era menos marcante que a irmã, não só porque seu cabelo era menos louro e mais curto e se vestia com menos atrevimento que Lily, mas também porque era mais calada e, na hora de dançar, apesar de também fazer firulas e requebrar a cintura com uma audácia que nenhuma miraflorense se atreveria a assumir, parecia uma garota recatada, inibida e quase insípida em comparação com aquele pião, aquela labareda ao vento, aquele fogo-fátuo que era Lily quando, colocados os discos na vitrola, o mambo explodia e começávamos todos a dançar.

Lily dançava num ritmo saboroso e cheio de graça, sorrindo e cantarolando a letra da canção, erguendo os braços, mostrando os joelhos e balançando a cintura e os ombros de tal maneira que todo o seu corpinho, modelado com tanta malícia e tantas curvas pelas saias e blusas que usava, parecia se encrespar, vibrar e participar do baile dos pés à cabeça. Quem dançava um mambo com ela sempre se saía mal porque, como acompanhá-la sem se atrapalhar no turbilhão endiabrado daquelas pernas e pezinhos saltitantes? Impossível! Você ficava constrangido desde o início, e totalmente consciente de que os olhos de todos os casais estavam concentrados nas façanhas mambeiras de Lily. "Que menina!", indignava-se a tia Alberta, "dança como uma Tongolele, parece uma rumbeira de filme mexicano." "Bem, não vamos esquecer que é chilena", insistia, "e o forte das mulheres desse país não é a virtude."

Eu me apaixonei por Lily feito um bezerro, a forma mais romântica de se apaixonar — também se dizia queimar feito um tição —, e naquele verão inesquecível me declarei três vezes a ela. A primeira, depois da matinê de domingo, no balcão do Ricardo Palma, aquele cinema que ficava no Parque Central de Miraflores, e ela me disse que não, porque ainda era muito nova para ter namorado. A segunda, na pista de patinação inaugurada justamente naquele verão perto do Parque Salazar, e ela também não me aceitou, precisava pensar, porque, por mais que gostasse um pouquinho de mim, seus pais lhe pediram para não arrumar namorado antes de terminar o quarto ano e ela ainda estava no terceiro. E a última, poucos dias antes da grande confusão, no Cream Rica da avenida Larco, enquanto tomávamos um *milk-shake* de baunilha, e ela, é claro, disse outra vez que não, para que ia dizer que sim se já parecíamos namorados do jeito que estávamos. Não nos colocavam sempre juntos na casa da Marta, quando jogávamos verdade ou consequência? Não nos sentávamos juntos na praia de Miraflores? Ela não dançava comigo mais do que com qualquer outro garoto, nas festas? Para que, então, ia dar formalmente um sim se todo Miraflores já nos considerava namorados? Com sua pinta de modelo, olhos escuros e marotos e uma boquinha de lábios carnudos, Lily era a coqueteria em forma de mulher.

"Em você, gosto de tudo", dizia eu. "Mas o melhor é o seu jeitinho de falar". Era engraçada e original, por seu sotaque e sua musicalidade, tão diferentes dos peruanos, e também por certas expressões, palavrinhas e ditados que deixavam nas nuvens os garotos do bairro, tentando adivinhar o que queriam dizer e se não haveria neles algum deboche. Lily ficava o tempo todo falando coisas de duplo sentido, fazendo adivinhas ou contando piadas tão pesadas que deixavam as garotas do bairro vermelhas. "Essas chilenitas são *terríveis*", sentenciava tia Alberta, tirando e repondo os óculos com seu ar de professora primária, temerosa de que aquelas duas forasteiras desintegrassem a moral miraflorense.

No começo dos anos 1950 ainda não havia edifícios em Miraflores, que era um bairro de casinhas de um andar ou às vezes dois, jardins com os infalíveis gerânios, as cidreiras, os louros, as buganvílias, o gramado e as varandas, até onde subiam as madressilvas ou a hera, com cadeiras de balanço onde os moradores esperavam a noite contando fofocas e sentindo o perfume do jasmim. Em alguns jardins havia ceibos espinhosos com flores vermelhas e rosadas, e as limpas e retilíneas calçadas tinham pés de magnólia, jacarandás, amoras, e o toque de cor vinha tanto das flores nos jardins como das carrocinhas amarelas dos sorveteiros da D'Onofrio, uniformizados de aventais brancos e bonés pretos, que percorriam as ruas dia e noite anunciando sua presença com uma buzina cujo lento ulular me dava a sensação de um corno bárbaro, uma reminiscência pré-histórica. Ainda se ouviam os pássaros cantando nesse Miraflores em que as famílias cortavam os pinheiros quando as moças chegavam à idade de casar porque, se não o fizessem, as coitadas ficariam solteironas como a minha tia Alberta.

Lily nunca me aceitava, mas o fato é que, tirando essa formalidade, em todo o resto parecíamos namorados. Ficávamos de mãos dadas nas matinês do Ricardo Palma, do Leuro, do Montecarlo e do Colina e, embora não se pudesse dizer que tirávamos sarro na penumbra das plateias, como outros casais mais antigos — tirar sarro era uma fórmula em que cabiam desde beijos anódinos até os chupões linguísticos e toques impróprios que depois era preciso confessar ao padre, nas primeiras sextas-feiras, como pecados mortais —, Lily me deixava beijá-la, nas bochechas, na beirada das orelhinhas, no canto da boca e, às vezes, por um segundo, juntava seus lábios aos meus e os afastava logo com uma careta melodramática: "Não, não, isso é que não, magrinho". "Você parece um bezerro, magro, você está azul, magro, está derretendo de tanta paixão, magro", caçoavam meus amigos do bairro. Nunca me chamavam pelo meu nome — Ricardo Somocurcio —, era sempre pelo apelido. E não exageravam nem um pouco: eu estava caidinho pela Lily.

Por sua causa, nesse verão troquei socos com Luquen, um dos meus melhores amigos. Num daqueles encontros de garotos e garotas do bairro na esquina de Colón e Diego Ferré, no jardim dos Chacaltana, Luquen, bancando o engraçadinho, disse de repente que as chilenitas eram umas cafonas, porque não eram louras de verdade mas sim oxigenadas, e que, pelas minhas costas, tinham começado a chamá-las em Miraflores de *As Cucarachas*. Dei-lhe um direto no queixo, do qual ele se esquivou, e fomos resolver o problema a socos na esquina do cais da Reserva, ao lado do barranco. Ficamos sem nos falar uma semana inteira, até que, na festa seguinte, as garotas e garotos do bairro nos fizeram reatar a amizade.

Lily gostava de ir, todos os fins de tarde, a um canto do Parque Salazar fervilhante de palmeiras, copos-de-leite e campainhas, de cujo murinho de tijolos vermelhos contemplávamos toda a baía de Lima como o capitão de um navio contempla o mar na sua torre de comando. Quando o céu estava claro, e juro que nesse verão o céu ficou o tempo todo sem uma nuvem e o sol brilhou em Miraflores sem falhar um dia, divisava-se lá no fundo, nos limites do oceano, o disco vermelho, flamejante, despedindo-se com raios e fogos de artifício enquanto se afogava nas águas do Pacífico. O rostinho de Lily se concentrava com o mesmo fervor com que comungava na missa do meio-dia na igreja do Parque Central, a vista fixa naquela bola ígnea, esperando o instante em que o mar engolisse o último raio para formular o desejo que o astro, ou Deus, materializaria. Eu também pensava num desejo, acreditando mais ou menos que se tornaria realidade. Sempre o mesmo, é claro: que ela finalmente me aceitasse, que nós começássemos a namorar, a tirar sarro, e afinal nos apaixonássemos, ficássemos noivos, casássemos e fôssemos viver em Paris, ricos e felizes.

Desde que me entendo por gente eu sonhava morar em Paris. Provavelmente por culpa do meu pai, daqueles livros de Paul Féval, Júlio Verne, Alexandre Dumas e tantos outros que ele me fez ler antes de morrer no acidente que me deixou órfão. Esses romances encheram a minha cabeça de aventuras e me convenceram de que a vida na França era mais rica, mais alegre, mais bela e mais tudo que em qualquer outro lugar. Por isso, além das minhas aulas de inglês no Instituto Peru-Estados Unidos, consegui que minha tia Alberta me matriculasse na Aliança Francesa da avenida Wilson, onde ia três vezes por semana aprender a língua dos franceses. Apesar de gostar de me divertir com os meus chapas do bairro, eu era bastante caxias, tirava boas notas e adorava idiomas.

Quando meus trocados permitiam, eu convidava Lily para tomar um chá — ainda não estava na moda dizer *fazer um lanche* — no La Tiendecita Blanca, com sua fachada cor de neve, suas mesinhas e seus toldos nas calçadas, e seus mileumanoitescos doces — os biscoitinhos, os alfajores recheados de manjar branco, os rocamboles! — no cruzamento entre a avenida Larco, a avenida Arequipa e a alameda Ricardo Palma sombreada pelas copas dos altíssimos fícus.

Ir com Lily ao La Tiendecita Blanca tomar um sorvete e comer um pedaço de bolo era uma felicidade quase sempre ofuscada, infelizmente, pela presença de sua irmã Lucy, que eu tinha de carregar também em todas as saídas. Ela ficava segurando vela sem se incomodar, mas com isso estragava os meus planos e me impedia de conversar a sós com Lily e dizer todas as coisas bonitas que queria murmurar no seu ouvido. Mas, embora nossa conversa, devido à presença de Lucy, precisasse evitar certos assuntos, estar com ela não tinha preço, ver sua cabeleira dançando toda vez que mexia a cabeça, a malícia de seus olhos cor de mel escuro, ouvir seu jeitinho tão diferente de falar, e às vezes espreitar, sem querer, no decote de sua blusa ajustada, o começo dos peitinhos que já despontavam, redondos, com tenros botões e, sem dúvida, firmes e suaves como frutas jovens.

"Não sei o que faço aqui com vocês, segurando vela", se desculpava Lucy, às vezes. Eu mentia: "Que ideia, ficamos felizes com a sua companhia, não é mesmo, Lily?" Lily ria, com um diabinho zombeteiro nas pupilas, e aquela exclamação: "É, *puuueh...*".

Era um ritual naquele verão dar um passeio pela avenida Pardo, sob a alameda de fícus invadidos por pássaros cantores, entre as casinhas de ambos os lados em cujos jardins e varandas corriam meninos e meninas vigiados por babás de uniforme branco bem engomado. Como era impossível, na presença de Lucy, falar com Lily de tudo o que eu gostaria, levava a conversa para assuntos anódinos: os planos para o futuro, por exemplo, quando, já formado em direito, eu fosse para Paris com um posto diplomático — porque lá, em Paris, é que se vivia, a França era o país da cultura —, ou talvez me dedicasse à política, para ajudar um pouco este pobre Peru a ser grande e próspero de novo, e nesse caso teria de adiar um pouco a viagem à Europa. E elas, o que gostariam de ser, ou de fazer, quando crescessem? Lucy, sensata, tinha objetivos bem precisos: "Antes de mais nada, terminar o colégio. Depois, conseguir um bom emprego, talvez numa loja de discos, deve ser um bocado divertido". Lily pensava numa agência de turismo ou numa companhia de aviação, como aeromoça, se conseguisse convencer os pais, porque assim viajaria de graça pelo mundo inteiro. Ou então, artista de cinema, talvez, mas nunca permitiria que a filmassem de biquíni. Viajar, viajar, conhecer todos os países era o que ela mais queria. "Bem, pelo menos já conhece dois, o Chile e o Peru, o que quer mais", dizia eu. "Compare comigo, que nunca saí de Miraflores".

As coisas que Lily contava de Santiago eram para mim uma antecipação do céu parisiense. Com que inveja eu a ouvia! Lá, ao contrário daqui, não havia pobres nem mendigos nas ruas, os pais deixavam os garotos e garotas ficarem até de manhã em festas onde dançavam *cheek to cheek*, e nunca se via, como aqui, os velhos, as mães, as tias, espiando os jovens dançarem para dar bronca se passassem dos limites. No Chile, os garotos e garotas podiam entrar em filmes para adulto e, desde os quinze anos, fumavam sem precisar se esconder. Lá a vida era mais divertida que em Lima porque havia mais cinemas, circos, teatros, espetáculos e festas com orquestras, e em Santiago sempre se apresentavam companhias de patinação, de balé e musicais americanos, e os chilenos, em qualquer trabalho que fizessem, ganhavam o dobro ou o triplo do que os peruanos recebiam aqui.

Mas, se era assim, por que então os pais das chilenitas tinham deixado para trás aquele país maravilhoso e vieram para o Peru? Eles não eram ricos, e sim visivelmente pobretões. Para começar, não viviam como nós, garotas e garotos do Bairro Alegre, em casas com mordomos, cozinheiras, faxineiras e jardineiros. Moravam num apartamentinho, de um edifício estreito de três andares, na rua La Esperanza, à altura do restaurante Gambrinus. E em Miraflores daquele tempo, ao contrário do que ocorreria mais tarde, quando começaram a surgir os edifícios e desaparecer as casas, só moravam em apartamentos as pessoas pobres, essa espécie humana diminuída a que — uma verdadeira lástima — as chilenitas pareciam pertencer.

Nunca vi a cara dos seus pais. Elas nunca me levaram, nem a qualquer outro garoto ou garota do bairro, à sua casa. Nunca comemoraram um aniversário, nem deram uma festa, nem nos convidaram para lanchar e brincar, como se tivessem vergonha de mostrar como era modesto o lugar em que viviam. O fato de serem pobres e se envergonharem de tudo o que não tinham me enchia de compaixão, aumentava o meu amor pela chilenita e me infundia propósitos altruístas: "Quando Lily e eu nos casarmos, vamos levar toda a família dela para morar conosco".

Mas meus amigos, e principalmente minhas amigas miraflorenses, suspeitavam do fato de Lucy e Lily não abrirem as portas da sua casa. "Serão tão mortas de fome que não podem sequer dar uma festa?", perguntavam. "Vai ver que não são pobres, e sim pão-duras", tentava explicar Tico Tiravante, piorando as coisas.

De repente os meninos do bairro começaram a falar mal das chilenitas pela maneira como se maquiavam e se vestiam, a caçoar do seu escasso vestuário — todos nós já conhecíamos de cor aquelas sainhas, blusinhas e sandálias que, para disfarçar, combinavam de todas as maneiras possíveis —, e eu as defendia, cheio de santa indignação, aquelas maledicências eram pura inveja, inveja obscena, inveja venenosa, porque as chilenitas nunca tomavam chá de cadeira nas festas, todos os meninos faziam fila para dançar com elas — "elas deixam encostar, assim ninguém toma chá de cadeira", replicava Laura —, ou porque, nas reuniões no bairro, nos jogos, na praia ou no Parque Salazar, eram sempre o centro das atenções, todos os garotos ficavam à sua volta, ao passo que elas... "Porque são metidas e descaradas e porque com elas vocês se atrevem a contar umas piadas sujas que a gente não deixaria!", contra-atacava Teresita —, e, por último, porque as chilenitas eram bárbaras, modernas, sagazes, e elas, ao contrário, umas frescas, atrasadas, conservadoras, beatas e preconceituosas. "Com muita honra!" respondia Ilse, para provocar.

Mas, apesar de falarem mal delas, as garotas do Bairro Alegre continuavam convidando as duas para as festas e indo em turma com elas às praias de Miraflores, à missa de meio-dia aos domingos, às matinês e às obrigatórias voltas pelo Parque Salazar, do entardecer até a aparição das primeiras estrelas que, naquele verão, brilharam no céu de Lima de janeiro a março sem serem cobertas uma única noite pelas nuvens, tenho absoluta certeza, como acontece nesta cidade em quatro quintos do ano. Andavam com elas porque nós, garotos, pedíamos, e porque, no fundo, as garotas de Miraflores sentiam uma fascinação pelas chilenitas igual à que a cobra tem pelo passarinho ao hipnotizá-lo antes de engoli-lo, o pecador pela santa, o diabo pelo anjo. Invejavam nas forasteiras, vindas daquele país remoto que era o Chile, a liberdade que não tinham de ir a todo e qualquer lugar, e ficar passeando ou dançando até tarde sem precisar pedir para ficar mais um pouquinho sem que o pai, a mãe ou alguma irmã mais velha, ou uma tia, ficasse espionando pelas janelas da festa como e com quem dançavam, ou as levasse para casa porque já era meia-noite, hora em que moça direita não fica dançando nem conversando na rua com homens — isso só faziam as mais marmanjas, as oferecidas e as índias —, têm de estar nas suas casas, deitadas nas suas caminhas, sonhando com os anjinhos. Invejavam as chilenitas por serem tão soltas, dançarem com tanto molejo sem se importar que seus joelhos aparecessem, mexendo os ombros, os peitinhos e a bundinha como nenhuma garota de Miraflores fazia, e também, provavelmente, permitindo liberdades aos meninos que elas nem ousavam imaginar. Mas, se eram assim tão livres, por que Lily e Lucy não queriam ter namorado? Por que rejeitavam todos os que lhes pediam para namorar? Lily não havia recusado só a mim; fez o mesmo com Lalo Molfino e Lucho Claux, e Lucy não aceitou Loyer, Pepe Cánepa e o bonitinho do Julio Bienvenida, o primeiro miraflorense que, antes mesmo de terminar o colégio, ganhou um Volkswagen dos pais quando fez quinze anos. Por que as chilenitas, que eram tão livres, não queriam ter namorado?

Este e outros mistérios relacionados com Lily e Lucy foram inesperadamente esclarecidos no dia 30 de março de 1950, o último daquele verão memorável, durante a festa de Marirosa Álvarez-Calderón, a gordinha fofa. Uma festa que marcaria época e ficaria para sempre na memória de todos os presentes. A casa dos Álvarez-Calderón, na esquina de 28 de Julio e La Paz, era a mais bonita de Miraflores, e talvez do Peru, com seus jardins de árvores altas, suas tipuanas de flores amarelas, suas campainhas, suas roseiras e sua piscina de azulejos. As festas de Marirosa sempre tinham orquestra e um enxame de garçons servindo salgados, canapés, sanduíches, sucos e todo tipo de bebidas não alcoólicas a noite inteira, festas para as quais os convidados se preparavam para entrar no céu. Tudo ia às mil maravilhas até que, com as luzes apagadas, uma centena de garotas e garotos cercou Marirosa e todos cantamos *Parabéns pra você* e ela soprou e apagou as quinze velinhas do bolo e fizemos fila para lhe dar o indefectível abraço.

Quando chegou a vez de Lily e Lucy abraçá-la, Marirosa, uma gorducha feliz cujos pneus laterais estufavam seu vestido rosa com um grande laço nas costas, depois de beijá-las no rosto arregalou os olhos:

— Vocês são chilenas, certo? Vou apresentá-las à minha tia Adriana. É chilena também, acabou de chegar de Santiago. Venham, venham.

Pegou-as pela mão e as arrastou para dentro da casa, gritando: "Tia Adriana, tia Adriana, tenho uma surpresa para você".

Pela ampla vidraça da janela, um retângulo iluminado que emoldurava um grande salão com uma lareira apagada, paredes com paisagens e retratos a óleo, poltronas, sofás, tapetes e uma dúzia de senhoras e senhores com taças nas mãos, vi Marirosa irromper instantes depois com as chilenitas, e cheguei a divisar, borrada e fugaz, a silhueta de uma senhora muito alta, muito bem-arrumada, muito bonita, com um cigarro fumegante na ponta de uma piteira comprida, avançando para cumprimentar suas jovens compatriotas com um sorriso condescendente.

Fui tomar um suco de manga e fumar escondido um Viceroy nas cabines do vestiário da piscina. Lá encontrei Juan Barreto, meu amigo e colega do Colégio Champagnat, que também viera se refugiar naquela solidão para fumar um cigarro. De repente me perguntou:

— Você se incomoda se eu me declarar a Lily, magro?

Ele sabia que, apesar das aparências, não éramos namorados, e também — como todo mundo, esclareceu — que eu tinha me declarado três vezes e nas três me dera mal. Respondi que me incomodava sim, e muito, porque, se Lily me rejeitou, foi para fazer um joguinho — no Chile as garotas são assim —, mas na realidade gostava de mim, era como se fôssemos namorados, e além do mais naquela noite mesmo eu já tinha começado a me declarar pela quarta e definitiva vez, e ela estava quase me aceitando quando a entrada do bolo com as quinze velinhas da gorducha fofa nos interrompeu. Mas agora, assim que ela parasse de conversar com a tia da Marirosa, ia finalmente me aceitar e a partir dessa noite seria minha namorada como Deus manda.

— Neste caso, vou ter de me declarar a Lucy — Juan Barreto se resignou. — O problema é que gosto mesmo é da Lily, compadre.

Eu o incentivei a se declarar a Lucy e prometi que faria tudo para ajudar. Ele com Lucy e eu com Lily formaríamos um quarteto genial.

Conversando com Juan Barreto ao lado da piscina, e vendo os casais evoluindo na pista ao som da orquestra dos Irmãos Ormeño — não chegava a ser a de Pérez Prado, mas era muito boa, que trompetes, que tambores —, fumei dois ou três Viceroys. Por que Marirosa tivera a ideia, bem naquele momento, de apresentar sua tia a Lucy e Lily? O que tanto fofocavam? Aquilo estava atrasando o meu plano, diacho. Porque, era mesmo verdade, quando surgiu o bolo com as quinze velinhas, eu estava começando minha quarta — e, tinha certeza, dessa vez bem-sucedida — declaração de amor a Lily, depois de ter convencido a orquestra a tocar "*Me gustas*", o bolero mais adequado para se declarar às garotas.

Demoraram uma eternidade para voltar. E voltaram transfiguradas: Lucy, muito pálida e com olheiras, parecendo ter visto um fantasma e ainda não ter se recuperado da impressão do outro mundo, e Lily, emburrada, com uma expressão azeda, soltando faíscas pelos olhos, como se aquelas senhoras e senhores grã-finos as tivessem feito passar um mau pedaço lá dentro. Na mesma hora tirei-a para dançar, um daqueles mambos que eram sua especialidade — o *Mambo número 5* —, e Lily, eu não podia acreditar, não acertava uma, perdia o ritmo, se distraía, errava, tropeçava, e até mesmo seu gorrinho de marinheiro escorregou, dando-lhe um aspecto um pouco ridículo. Ela nem se preocupou em endireitá-lo. O que havia acontecido?

Quando o *Mambo número 5* terminou, sem dúvida toda a festa já sabia, porque a gordinha fofa se encarregara de espalhar. Que satisfação devia ter aquela fofoqueira contando a história, com todos os detalhes, colorindo e exagerando o caso, arregalando os olhos de curiosidade e espanto e felicidade! Que alegria doentia devem ter sentido — que desagravo, que vingança — todas as garotas do bairro, que tanto invejavam aquelas chilenitas recém-chegadas a Miraflores para revolucionar os nossos costumes de garotos que, nesse verão, estávamos recebendo o certificado de adolescentes!

Eu fui o último a saber, quando Lily e Lucy já haviam desaparecido misteriosamente, sem se despedir de Marirosa nem de ninguém — "mordendo o freio de tanta vergonha", sentenciaria a tia Alberta —, e o boato sibilino se espalhara por toda a pista de dança deixando em alvoroço a centena de garotos e garotas que, esquecidos da orquestra, de seus namorados e namoradas, dos sarros e amassos, cochichavam, repetiam, alarmados e exaltados, abrindo uns olhos enormes que fervilhavam cheios de maledicência: "Viu só? Já soube? Escutou? Que coisa! Percebe? Imagina, imagina!". "Não são chilenas! Não, não eram! Pura lorota! Nem eram chilenas nem sabiam nada do Chile! Mentiram! Enganaram! Inventaram tudo! A tia da Marirosa acabou com a festa delas! Que bandidas, que bandidas!"

Eram peruanitas, pronto. Coitadas! Coitadinhas! A tia Adriana, recém-chegada de Santiago, deve ter tido a maior surpresa da vida ao ouvi-las falar com aquele sotaque que nos enganava tão bem mas que ela identificou imediatamente como uma impostura. Como devem ter-se sentido mal as chilenitas quando a tia da gordinha fofa, adivinhando a farsa, começou a perguntar sobre sua família santiaguina, o bairro onde moravam em Santiago, o colégio em que tinham estudado, sobre seus parentes e as amizades de sua família em Santiago, fazendo Lucy e Lily passarem o momento mais amargo de suas curtas vidas, encarniçando-se com elas até que, expulsas da sala, destruídas, espiritual e fisicamente demolidas, proclamou diante de seus parentes e amizades e da atônita Marirosa: "Que chilenitas que nada! Essas meninas jamais puseram os pés em Santiago e são tão chilenas como eu sou tibetana!".

Naquele último dia do verão de 1950 — eu também acabava de fazer quinze anos —, começou para mim a vida real, aquela que discrimina os castelos no ar, miragens e fábulas da crua realidade.

Eu nunca soube muito bem a história completa das falsas chilenitas, nem ninguém mais soube, exceto as próprias, mas ouvi as conjeturas, intrigas, fantasias e supostas revelações que perseguiram por muito tempo, como um rastro de rumores, aquelas chilenitas de mentira, quando elas já tinham deixado de existir — uma maneira de dizer —, porque nunca mais foram convidadas para as festas, nem para os jogos, nem para os chás, nem para as reuniões no bairro. As más línguas diziam que, embora as garotas decentes do Bairro Alegre e de Miraflores não as frequentassem mais, e virassem a cara quando cruzavam com elas na rua, os meninos, rapazes e homens as procuravam às escondidas, como se procuram as piranhas — e o que eram Lily e Lucy, senão duas piranhas de algum bairro como Breña ou El Porvenir que, para ocultar sua origem, tinham passado por estrangeiras para se infiltrar entre as pessoas decentes de Miraflores? — para tirar um sarro, para fazer com elas essas coisas que só as índias e as piranhas deixam fazer.

Depois, imagino, todos foram se esquecendo de Lily e Lucy, porque outras pessoas, outros assuntos vieram substituir essa aventura do último verão da nossa infância. Mas eu não. Não me esqueci, principalmente da Lily. E, embora tenham se passado tantos anos, e Miraflores tenha mudado tanto, assim como também os costumes, e se eclipsaram as barreiras e os preconceitos que antes se manifestavam com insolência, e agora são disfarçados, eu a guardei na memória e às vezes a evoco, para ouvir a risada travessa e o olhar zombeteiro de seus olhos cor de mel escuro, e vê-la se arqueando feito um bambu ao compasso dos mambos. E continuo achando que, apesar de já ter vivido tantos verões, aquele foi o mais fabuloso de todos.

II. O guerrilheiro

O México Lindo ficava na esquina da rue des Canettes com a rue Guisarde, a um passo da *place* Saint Sulpice, e no meu primeiro ano em Paris, quando passava apertos financeiros, muitas noites ficava na porta dos fundos desse restaurante esperando que Paúl aparecesse com um pacotinho de *tamales*, tortilhas, carninhas ou *enchiladas*, que eu ia saborear no meu sótão do Hotel du Sénat antes que esfriassem. Paúl havia começado a trabalhar no México Lindo como ajudante de cozinha, e pouco tempo depois, graças às suas habilidades culinárias, foi promovido a ajudante do *chef*, e quando abandonou tudo, para se dedicar de corpo e alma à revolução, já era o cozinheiro principal do estabelecimento.

Naquele início dos anos 1960, Paris vivia a febre da Revolução Cubana e fervilhava de jovens dos cinco continentes que, como Paúl, sonhavam repetir em seus países a saga de Fidel Castro e seus barbudos, e para isso se preparavam, a sério ou nem tanto, em conspirações de mesa de bar. Quando eu o conheci, poucos dias depois da minha chegada a Paris, além de ganhar a vida no México Lindo, Paúl fazia cursos de biologia na Sorbonne, que também trocou pela revolução.

Ficamos amigos num barzinho do Quartier Latin, onde se reunia um grupo de sul-americanos desses que Sebastián Salazar Bondy chamou, num livro de contos, de *Pobre gente de Paris*. Paúl, ao saber das minhas dificuldades, quis me dar uma força com a comida, pois no México Lindo era o que sobrava. Que eu passasse em frente à porta dos fundos, por volta das dez da noite, e ele me ofereceria "um banquete grátis e quente", coisa que já fizera com outros compatriotas carentes.

Devia ter uns vinte e quatro ou vinte e cinco anos, no máximo, e era um barrilzinho com pés — muito, muito gordo —, simpático, amistoso e conversador. Estava sempre com um grande sorriso na boca, que inflava suas bochechas. No Peru havia cursado vários anos de Medicina e passou algum tempo preso, por ser um dos organizadores da célebre greve da Universidade de San Marcos, em 1952, durante a ditadura do general Odría. Antes de chegar a Paris tinha passado um par de anos em Madri, onde se casou com uma garota de Burgos. Acabavam de ter um filho.

Eu morava no Marais que, na época, antes que André Malraux, ministro da Cultura do general De Gaulle, comandasse a grande limpeza e a recuperação das antigas mansões desmanteladas e cobertas de sujeira dos séculos XVII e XVIII, era um bairro de artesãos, marceneiros, sapateiros, alfaiates, judeus pobres e um grande número de estudantes e artistas insolventes. Além desses rápidos contatos na porta de serviço do México Lindo, também costumávamos nos reunir, ao meio-dia, no La Petite Source do Carrefour do Odeón ou na varanda do Le Cluny, na esquina de Saint-Michel com Saint-Germain, para tomar um café e contar nossas aventuras. As minhas consistiam exclusivamente em múltiplas tentativas de arrumar trabalho, coisa nada fácil, pois meu diploma de advogado por uma universidade peruana não impressionava ninguém em Paris, como tampouco minha desenvoltura em inglês e francês. E as dele, nos preparativos da revolução que transformaria o Peru na segunda República Socialista da América Latina. Um dia me perguntou, de supetão, se eu estaria interessado numa bolsa para receber treinamento militar em Cuba e eu lhe disse que, embora tivesse toda a simpatia do mundo por ele, a política não me interessava nem um pouco; mais que isso, eu a detestava, e todas as minhas aspirações se resumiam — desculpe a mediocridade pequeno-burguesa, compadre — em conseguir um empreguinho estável que me permitisse passar o resto dos meus dias sem sobressaltos em Paris. Pedi também que não me contasse nada das suas conspirações, porque eu não queria viver com a angústia de que pudesse me escapar alguma informação que prejudicasse a ele e seus companheiros.

— Não se preocupe. Tenho confiança em você, Ricardo.

Tinha sim, de fato. Tanta, que não me deu ouvidos. Contava tudo o que fazia, até os problemas mais íntimos dos preparativos revolucionários. Paúl pertencia ao *Movimiento de Izquierda Revolucionaria* — MIR, fundado por Luis de la Puente Uceda, um dissidente do Partido Aprista. O governo cubano tinha oferecido cem bolsas ao MIR para que rapazes e moças peruanos recebessem treinamento guerrilheiro. Eram os anos de confronto entre Pequim e Moscou e naquele momento parecia que Cuba ia se inclinar pela linha maoista, mas depois, por razões práticas, acabou se aliando com os soviéticos. Os bolsistas, devido ao estrito bloqueio imposto pelos Estados Unidos à ilha, tinham de passar por Paris rumo ao seu destino e Paúl estava em apuros para alojá-los na escala parisiense.

Eu lhe dava uma mãozinha nessas fainas logísticas, ajudando-o a reservar quartos em hotéis miseráveis — "de árabes", dizia Paúl — onde encaixávamos os futuros guerrilheiros de dois em dois, e às vezes até de três em três, num quartinho ínfimo ou numa *chambre de bonne* de algum latino-americano ou francês disposto a dar sua contribuição à causa da revolução mundial. No meu sótão do Hotel du Sénat, na rue Saint Sulpice, hospedei mais de uma vez, à revelia de madame Auclair, a administradora, alguns desses bolsistas.

Eles constituíam uma fauna muito variada. Muitos eram estudantes de Letras, Direito, Economia, Ciências e Educação da Universidade de San Marcos, que haviam militado na Juventude Comunista ou em outras organizações da esquerda. Além de limenhos, apareciam rapazes das províncias, e mesmo alguns camponeses, índios de Puno, Cuzco e Ayacucho, aturdidos pelo salto de suas aldeias e comunidades andinas, onde foram recrutados quem sabe como, até Paris. Olhavam em volta um pouco zonzos. Pelas poucas frases que troquei com eles no trajeto de Orly ao hotel, às vezes me davam a impressão de não entenderem muito bem o tipo de bolsa que ganharam nem saberem claramente em que consistia o treinamento que iriam receber. Nem todos tinham conseguido a bolsa no Peru. Alguns a obtiveram em Paris, no meio da heterogênea massa de peruanos — estudantes, artistas, aventureiros, boêmios — que circulava pelo Quartier Latin. Entre eles, o mais original era meu amigo Alfonso, o Espírita, enviado à França por uma seita teosófica de Lima para fazer estudos de parapsicologia e teosofia, que a eloquência de Paúl arrancou dos espíritos e instalou no mundo da revolução. Era um rapaz branquela e tímido, que quase não abria a boca, e nele havia um quê de aéreo, desligado, de espírito precoce. Nas nossas conversas ao meio-dia no Le Cluny ou La

Petite Source, eu insinuava às vezes que muitos daqueles bolsistas que o MIR mandava para Cuba, e volta e meia para a Coreia do Norte ou China Popular, estavam era aproveitando a oportunidade de fazer um pouco de turismo, e jamais subiriam os Andes ou se embrenhariam na Amazônia com um fuzil no ombro e uma mochila nas costas.

— Está tudo calculado, meu chapa — respondia Paúl, fazendo pose de quem está com as leis da história do seu lado. — Se a metade deles corresponder às expectativas, a Revolução é fato consumado.

Certo, o MIR fazia as coisas com um pouco de pressa, mas como ia se dar ao luxo de dormir? A história, depois de transcorrer tantos anos a passo de tartaruga, de repente, graças a Cuba, avançava como uma bólide. Era preciso agir, aprendendo, tropeçando, levantando-se. Os tempos não permitiam fazer provas de conhecimento, testes físicos e exames psicológicos para recrutar jovens guerrilheiros. O importante era aproveitar aquelas cem bolsas antes que Cuba as oferecesse a outros grupos — o Partido Comunista, a Frente de Libertação, os trotskistas — que competiam para ser os primeiros a desencadear a revolução peruana.

A maioria dos bolsistas que fui buscar em Orly e levei para os hotéis e pensões onde ficariam isolados durante a escala em Paris eram rapazes, e bastante jovens, alguns até adolescentes. Um dia descobri que entre eles também havia mulheres.

— Vá buscá-las e leve-as para aquele hotelzinho da rue Gay-Lussac — pediu Paúl. — Camarada Ana, camarada Arlette e camarada Eufrasia. Trate-as bem.

Uma regra sobre a qual os bolsistas estavam bem instruídos era a de não revelar seus verdadeiros nomes. Mesmo entre si, só usavam apelidos ou nomes de guerra. Assim que as três garotas apareceram, tive a impressão de que já vira a camarada Arlette em algum lugar.

A camarada Ana era uma moreninha de gestos vivazes, um pouco mais velha que as outras, e pelas coisas que disse, naquela manhã e nas outras duas ou três vezes que a vi, devia ser dirigente do sindicato de professores. A camarada Eufrasia, uma chinesinha de ossos frágeis, parecia ter quinze anos. Estava morta de cansaço porque na longa viagem não havia pregado os olhos e vomitou algumas vezes por causa das turbulências. A camarada

Arlette tinha uma silhueta graciosa, uma cintura fininha, uma pele pálida, e embora se vestisse, como as outras, com grande simplicidade — saias e casacos toscos, blusas de percal e aqueles sapatões sem salto e com fivela que se vendem nos mercados —, havia nela um jeito muito feminino na maneira de caminhar e de se mover e, principalmente, no modo de franzir os lábios carnudos quando fazia perguntas sobre as ruas que o táxi percorria. Em seus olhos escuros, expressivos, cintilava algo de ansioso ao contemplar os bulevares arborizados, os edifícios simétricos e a multidão de jovens de ambos os sexos com bolsas, livros e cadernos circulando pelas ruas e bistrôs dos arredores da Sorbonne, enquanto nos aproximávamos do seu hotel na rue Gay-Lussac. Elas ficaram num quarto sem banheiro nem janelas, com duas camas para as três. Quando me despedi, repeti as instruções de Paúl: não sair de lá até que ele, em algum momento da tarde, fosse explicar seu plano de trabalho em Paris.

Já estava na porta do hotel, acendendo um cigarro antes de sair, quando bateram no meu ombro:

— Esse quartinho me dá claustrofobia — sorriu a camarada Arlette. — E além do mais, não é todo dia que se chega a Paris, caramba.

Então a reconheci. Tinha mudado muito, naturalmente, sobretudo na maneira de falar, mas continuava emanando toda aquela malícia que eu recordava muito bem, uma coisa atrevida, espontânea e provocadora que se manifestava na sua postura desafiante, o peitinho e o rosto adiantados, um pé um pouco atrás, a bundinha empinada, e um olhar zombeteiro que não deixava o interlocutor saber se estava falando sério ou brincando. Era miúda, tinha pés e mãos pequenos e uma cabeleira, agora negra em vez de clara, presa com uma fita, que lhe chegava até os ombros. E aquele mel escuro em suas pupilas.

Avisando que o que íamos fazer era terminantemente proibido e que o camarada Jean (Paúl) nos criticaria por isso, levei-a para dar uma volta pelo Panteón, a Sorbonne, o Odeón e o Jardim de Luxemburgo, e por fim — um abalo nas minhas economias! — fomos almoçar no L'Acropole, um restaurantezinho grego da rue l'Ancienne Comédie. Nessas três horas de conversa ela me contou, violando as regras do segredo revolucionário, que havia estudado Letras e Direito na Universidade Católica, que militara anos na clandestina Juventude Comunista e que, junto com outros camaradas, tinha passado para o MIR porque este era um movimento realmente revolucionário e, aquele, um partido esclerosado e anacrônico nos tempos que corriam. Dizia essas coisas de maneira um tanto mecânica, sem muita convicção. Eu lhe contei dos meus esforços em busca de trabalho para poder ficar em Paris e disse que minha esperança agora era o concurso para tradutores de espanhol, promovido pela Unesco, que faria no dia seguinte.

— Cruze os dedos e bata três vezes na mesa, para dar certo — disse a camarada Arlette, muito séria, olhando fixamente para mim.

Aquelas superstições eram compatíveis com a doutrina científica do marxismo-leninismo?, provoquei.

— Para conseguir o que se quer, vale tudo — replicou no ato, muito decidida. Mas logo a seguir, encolhendo os ombros, sorriu: — Também posso rezar um rosário para você passar na prova, apesar de não ser religiosa. Vai me denunciar ao partido como supersticiosa? Acho que não. Você tem uma carinha de boa gente...

Deu uma risada e, quando riu, surgiram nas suas bochechas as mesmas covinhas de quando era menina. Levei-a de volta para o hotel. Se ela quisesse, eu pediria autorização ao camarada Jean para mostrar-lhe outros lugares de Paris antes de prosseguir sua viagem revolucionária. "Ótimo", respondeu, estendendo uma mão lânguida que demorou a se separar da minha. Era muito bonita e muito brejeira a guerrilheira.

Na manhã seguinte passei no concurso para tradutores na Unesco, junto com outros vinte candidatos. Fizeram-nos traduzir meia dúzia de textos do inglês e do francês, bastante fáceis. Tive dúvida com a expressão "*art roman*" que primeiro traduzi como "arte romana", mas depois, na revisão, percebi que se tratava de "arte românica". Ao meio-dia fui comer com Paúl uma salsicha com batatas fritas no La Petite Source e, sem qualquer preâmbulo, pedi autorização para passear com a camarada Arlette enquanto ela estivesse em Paris. Ele me olhou de maneira maliciosa e fingiu dar um sermão:

— É terminantemente proibido transar com as camaradas. Em Cuba e na China Popular, durante a revolução, uma trepada com uma guerrilheira podia levar ao *paredón*. Por que quer sair com ela? Você gosta da moça?

— Acho que sim — confessei, um pouco envergonhado. — Mas se isso for criar problemas...

— Você ficaria só na vontade? — riu Paúl. — Não seja hipócrita, Ricardo! Passeie com ela, sem eu saber. Mas depois me conte tudo. E não se esqueça de usar camisinha.

Naquela mesma tarde fui buscar a camarada Arlette no hotelzinho da rue Gay-Lussac e levei-a para comer um *steak frites* na La Petite Hostellerie, da rue de l'Harpe. E depois fomos a uma pequena *boîte de nuit* na rue Monsieur Le Prince, L'Escale, onde nessa temporada uma garota espanhola, Carmencita, vestida de preto à moda de Juliette Gréco, cantava, ou melhor, dizia, acompanhando ao violão, poemas antigos e canções republicanas da época da guerra civil. Tomamos uns copos de rum com coca-cola, uma bebida que na época já começava a ser chamada de cuba-libre. O lugar era pequeno, escuro, fumacento, quente, as canções, épicas ou melancólicas, ainda não havia muita gente e, antes de terminar a bebida e depois de contar a ela que graças aos feitiços e ao rosário eu tinha ido bem na prova da Unesco, segurei sua mão e, entrecruzando nossos dedos, perguntei se tinha notado que eu estava apaixonado por ela fazia dez anos.

Deu uma risada:

— Apaixonado por mim sem me conhecer? Quer dizer, você esperava há dez anos que uma garota como eu aparecesse na sua vida?

— Nós nos conhecemos muito bem, só que você não lembra — respondi, bem devagar, observando sua reação. — Na época você se chamava Lily e queria se passar por chilenita.

Pensei que com a surpresa ela tiraria a mão ou a fecharia crispada, num movimento nervoso, mas nada disso. A mão continuou quieta entre as minhas, sem se alterar.

— O que está dizendo? — murmurou. E então se inclinou na penumbra e sua cara se aproximou tanto da minha que senti o hálito. Seus olhinhos me escrutinavam, tentando me adivinhar.

— Ainda imita tão bem o sotaque chileno? — perguntei, beijando a sua mão. — Não me diga que não sabe do que estou falando. Também não se lembra que eu me declarei três vezes e você sempre me mandou passear?

— Ricardo, Ricardinho, Richard Somocurcio! — exclamou, divertida, e agora sim, senti a pressão de sua mão. — O magrinho! Aquele garoto todo certinho, que parecia ter feito a primeira comunhão na véspera. Há, há! Era você. Que gozado! Já tinha cara de santinho naquela época.

No entanto, pouco depois, quando lhe perguntei como e por que ela e sua irmã Lucy planejaram passar por chilenitas quando foram morar na rua La Esperança, em Miraflores, desmentiu com firmeza que soubesse do que eu estava falando. De onde eu tinha tirado tal coisa? Deviam ser outras pessoas. Ela nunca se chamara Lily, nem tinha irmã, nem jamais morara naquele bairro grã-fino. Esta seria sua atitude dali por diante: negar a história das chilenitas, se bem que às vezes, como naquela noite no L'Escale, quando admitiu reconhecer em mim o garoto meio bobo de dez anos atrás, deixava escapar alguma coisa — uma imagem, uma alusão — que a denunciava como a falsa chilenita da nossa adolescência.

Ficamos no L'Escale até altas horas da noite e pude beijá-la e acariciá-la, mas não fui correspondido. Ela não tirava os lábios quando eu os procurava; mas não fazia o menor movimento de resposta, deixava-se beijar com indiferença e, naturalmente, nunca abria a boca para que eu pudesse sorver sua saliva. Seu corpo também parecia um bloco de gelo quando minhas mãos acariciavam sua cintura, seus ombros, e se detinham nos duros peitinhos de botões eretos. Permaneceu quieta, passiva, resignada àquelas efusões como uma rainha diante das homenagens de um vassalo, até que afinal, com naturalidade, percebendo que minhas carícias tomavam um rumo atrevido, me afastou.

— Esta é minha quarta declaração de amor, chilenita — lembrei, na porta do hotel da rue Gay-Lussac. — A resposta finalmente é sim?

— Vamos ver — jogou-me um beijo no ar, quando já ia se afastando. — Não perca as esperanças, bom menino.

Nos dez dias que se seguiram a esse encontro, a camarada Arlette e eu tivemos algo parecido com uma lua de mel. Diariamente nos encontrávamos e eu torrei todo o dinheiro que me restava das remessas da tia Alberta. Levei-a ao Louvre e ao Jeu de

Paume, ao museu Rodin e às casas de Balzac e Victor Hugo, à cinemateca da rue d'Ulm, a uma apresentação do Teatro Nacional Popular então dirigido por Jean Vilar (vimos *Ce Fou de Platonov*, de Tchekov, com o próprio Vilar interpretando o protagonista) e, no domingo, tomamos o trem para Versalhes onde, depois de visitar o palácio, demos um longo passeio pelo bosque, a chuva nos surpreendeu e terminamos encharcados. Nesses dias qualquer pessoa que nos visse pensaria que éramos amantes, pois andávamos o tempo todo de mãos dadas e eu a beijava e acariciava a qualquer pretexto. Ela não se furtava, às vezes divertida, outras indiferente, e sempre terminava dando um basta às minhas efusões com um gesto de impaciência: "Agora chega, Ricardinho". Uma vez ou outra, tomava a iniciativa de pentear ou despentear com a mão uma mecha do meu cabelo ou de passar um dedo esguio pelo meu nariz ou pela minha boca, num gesto de alisá-los, como uma dona afetuosa acaricia o seu cachorrinho.

Dessa intimidade de dez dias fiquei com uma certeza: para a camarada Arlette, a política em geral, e a revolução em particular, importavam bastante pouco. Sua militância, na Juventude Comunista e depois no MIR, era provavelmente um conto da carochinha, assim como seus estudos na Universidade Católica. E não apenas porque jamais mencionava questões políticas ou universitárias; quando eu levava a conversa para esse terreno, ela não sabia o que dizer, desconhecia as coisas mais elementares e dava um jeito de mudar de assunto com rapidez. Era evidente que aceitara aquela bolsa de guerrilheira só para sair do Peru e viajar pelo mundo, coisa que de outro modo, sendo uma moça de origem bem humilde — estava na cara —, ela jamais poderia fazer. Mas não quis lhe perguntar nada sobre isso para não constrangê-la, nem ter de ouvir outro conto da carochinha.

No oitavo dia da nossa pudica lua de mel finalmente aceitou, de maneira inesperada, passar a noite comigo no Hotel du Sénat. Eu já lhe havia pedido — implorado — em vão todos os dias anteriores. Dessa vez, foi ela quem tomou a iniciativa:

— Hoje vou com você, se quiser — disse, à noite, enquanto comíamos umas *baguettes* com queijo *gruyère* (eu não tinha mais recursos para frequentar restaurantes) num bistrô da rue de Tournon. Meu peito acelerou como se eu tivesse acabado de correr a maratona.

Depois de uma dura negociação com o vigia do Hotel du Sénat — *"Pas de visites nocturnes à l'hôtel, monsieur!"* —, durante a qual a camarada Arlette ficou impassível, afinal pudemos subir os cinco andares sem elevador até o meu sótão. Ela se deixou beijar, acariciar, despir, sempre com a mesma curiosa atitude de isolamento, sem me permitir superar a distância invisível que interpunha aos meus beijos, abraços e carinhos, ainda que me entregasse o seu corpo. Fiquei emocionado ao vê-la nua, deitada na cama, na parte do quarto onde o teto se inclinava e a luz da única lâmpada quase não chegava. Era muito magra, com membros bem proporcionados e uma cintura tão estreita que, imaginei, eu poderia circundar com as duas mãos. Embaixo da pequena mancha de pelos no púbis, a pele era mais clara que no resto do corpo. Sua pele, cor de oliva, com reminiscências orientais, era suave e fresca. Deixou-se beijar longamente da cabeça aos pés, mantendo a passividade habitual, e ouviu como quem escuta chover o poema "Material nupcial", de Neruda, que recitei no seu ouvido, e as palavras de amor que balbuciava de maneira entrecortada: era a noite mais feliz da minha vida, nunca tinha desejado ninguém como a desejei, eu sempre iria amá-la.

— Vamos para baixo do cobertor porque está frio — interrompeu, fazendo-me cair na crua realidade. — Não sei como você não se congela aqui.

Quis perguntar se devíamos tomar precauções, mas não o fiz, paralisado por sua desenvoltura, como se tivesse séculos de experiência nessas coisas e eu fosse o novato. Fizemos amor com dificuldade. Ela se entregava sem o menor embaraço, mas era muito estreita e se encolhia a cada esforço que eu fazia para penetrá-la, com um ricto de dor: "Mais devagar, mais devagar". Afinal, consegui, e fui feliz nesse momento. Sem dúvida, nada me embevecia tanto como estar ali com ela; sem dúvida, nas minhas escassas e sempre fugazes aventuras anteriores eu nunca sentira aquela mistura de ternura e desejo que ela me despertava, porém duvido que o mesmo acontecesse com a camarada Arlette. Dava mais a impressão, o tempo todo, de que ela fazia o que fazia sem no fundo se interessar muito.

Na manhã seguinte, quando abri os olhos, já estava arrumada e vestida ao lado da cama, com uma expressão que revelava uma profunda inquietação.

— Você está mesmo apaixonado por mim?

Fiz que sim várias vezes e estendi a mão, pedindo a sua, mas ela não correspondeu.

— Quer que eu fique morando com você, em Paris? — perguntou, num tom de voz que poderia ter usado para me propor ir ao cinema ver um filme da Nouvelle Vague, algum de Godard, Truffaut ou Louis Malle, que estavam no auge.

Tornei a assentir, totalmente desconcertado. Aquilo queria dizer que a chilenita também estava apaixonada por mim?

— Não é por amor, para que mentir — respondeu, com frieza. — Mas não quero ir para Cuba, e menos ainda voltar ao Peru. Queria ficar em Paris. Você pode me ajudar a me livrar do compromisso com o MIR. Fale com o camarada Jean e, se ele me liberar, venho morar com você. — Hesitou por um instante e, suspirando, fez uma concessão: — Sou capaz de acabar me apaixonando.

No nono dia falei com o gordo Paúl, no nosso encontro de meio-dia, dessa vez no Cluny, comendo uns *croque monsieur* com cafés expressos. Foi categórico:

— Não posso liberar, só a direção do MIR. De qualquer maneira, o simples fato de propor me criaria um puta problema. Diga a ela que vá para Cuba, que faça o treinamento. E que demonstre não ter condições físicas nem psicológicas para a luta armada. Então, eu poderia sugerir à direção que fique aqui, me ajudando. Diga isso a ela mas insista, sobretudo, que não conte nada a ninguém. Quem se foderia seria eu, meu chapa.

Foi com o coração na mão que transmiti a resposta de Paúl à camarada Arlette. E o pior é que a incentivei a seguir o conselho. Eu lamentava mais do que ela por termos que nos separar. Mas não podíamos ferrar o Paúl, nem ela devia se opor ao MIR, porque poderia ter problemas no futuro. O curso durava poucos meses. Desde o primeiro momento, ela precisava mostrar uma incapacidade total para a vida guerrilheira, simulando desmaios e coisa e tal. Enquanto isso, eu, aqui em Paris, encontraria trabalho, alugaria um apartamentinho, ficaria à sua espera...

— Já sei, você vai chorar, morrer de saudades, pensar em mim dia e noite — interrompeu, com um gesto impaciente, os olhos duros, a voz gélida. — Bem, já vi que não há outra saída. A gente se vê em três meses, Ricardito.

— Por que está se despedindo?
— O camarada Jean não contou? Vou partir para Cuba amanhã cedo, via Praga. Já pode começar a derramar suas lágrimas de despedida.

Viajou no dia seguinte, de fato, e eu não fui ao aeroporto, porque Paúl me proibiu. No nosso encontro seguinte, o gordo me deixou totalmente arrasado, dizendo que eu não poderia escrever à camarada Arlette, nem receber cartas dela, porque, por motivos de segurança, os bolsistas cortavam todo tipo de comunicação durante o treinamento. Paúl nem sequer tinha certeza de que, terminado o curso, a camarada Arlette passaria por Paris na sua volta a Lima.

Passei vários dias como uma alma penada, me recriminando dia e noite por não ter tido coragem suficiente para dizer à camarada Arlette que, apesar da proibição de Paúl, ficasse comigo em Paris, em vez de aconselhá-la a prosseguir naquela aventura que só Deus sabe como terminaria. Até que certa manhã, quando desci do meu sótão para tomar o desjejum no Café de la Mairie, na *place* Saint Sulpice, madame Auclair me entregou um envelope com o carimbo da Unesco. Eu tinha sido aprovado e o chefe do departamento de tradutores pedia que eu comparecesse ao seu escritório. Era um espanhol grisalho e elegante, o senhor Charnés. Foi muito simpático. Riu com prazer quando perguntou pelos meus "planos a longo prazo" e eu respondi: "Morrer de velho em Paris". Não havia vaga para um emprego permanente, mas ele podia me contratar como "temporário" durante a assembleia geral e nos períodos em que a instituição estivesse sobrecarregada de trabalho, coisa que acontecia com certa frequência. A partir desse momento tive certeza de que o meu sonho de sempre — bem, desde que me entendo por gente —, morar nesta cidade pelo resto da vida, começava a se tornar realidade.

Minha existência deu uma virada radical a partir desse dia. Comecei a cortar o cabelo duas vezes por mês e a vestir paletó e gravata todas as manhãs. Tomava o metrô em Saint Germain ou no Odéon para saltar na estação de Ségur, a mais próxima da Unesco, e lá ficava das nove e meia à uma e das duas e meia às seis da tarde, num pequeno cubículo, traduzindo para o espanhol documentos quase sempre chatíssimos sobre a transferência dos templos de Abu Simbel no Nilo ou a preservação dos restos de escritura cuneiforme descobertos numas cavernas do deserto do Saara, na altura de Mali.

Curiosamente, a vida de Paúl também mudou, ao mesmo tempo que a minha. Continuava sendo o meu melhor amigo, mas começamos a nos ver cada vez menos, por causa das minhas recém-contraídas obrigações de burocrata e porque ele começou a correr o mundo representando o MIR em congressos ou simpósios pela paz, pela libertação do Terceiro Mundo, pela luta contra o armamentismo nuclear, contra o colonialismo e o imperialismo, e mil outras causas progressistas. Paúl às vezes se sentia um pouco zonzo, vivendo um sonho, e me contava — sempre que vinha a Paris me ligava e, enquanto estava na cidade, íamos comer ou tomar um café juntos duas ou três vezes por semana — que acabava de voltar de Pequim, do Cairo, de Havana, Pyongyang ou Hanói, onde tivera que falar sobre as perspectivas da revolução na América Latina para 1500 delegados de cinquenta organizações revolucionárias de uns trinta países, em nome de uma revolução peruana que nem sequer tinha começado.

Se eu não conhecesse bem a integridade que ele destilava por todos os poros, teria pensado muitas vezes que estava exagerando, para me impressionar. Como era possível que esse sul-americano de Paris, que poucos meses antes ganhava a vida como ajudante de cozinha no México Lindo, fosse agora um personagem do *jet-set* revolucionário que fazia voos transatlânticos e se relacionava com os líderes da China, Cuba, Vietnã, Egito, Coreia do Norte, Líbia, Indonésia? Mas era verdade. Paúl, pelos imponderáveis do destino e a estranha meada de relações, interesses e confusões de que era feita a revolução, havia se transformado num personagem internacional. Confirmei isso quando os jornais fizeram estardalhaço, em 1962, por causa de uma tentativa de assassinato do líder revolucionário marroquino Ben Barka, apelidado de Dínamo, que três anos depois, em outubro de 1965, seria sequestrado e desapareceria para sempre ao sair do Chez Lipp, um restaurante de Saint Germain-des-Prés. Nesse dia Paúl veio me buscar na Unesco ao meio-dia e fomos à cantina comer um sanduíche. Estava pálido, com olheiras e a voz alterada, demonstrando um nervosismo insólito nele. Ben Barka era presidente de um Congresso internacional de forças revolucionárias de cuja direção Paúl também participava. Os dois haviam se encontrado com frequência e viajado juntos, nas últimas semanas. A tentativa de assassinato de Ben Barka só podia ser obra da CIA, e agora o MIR se sentia ameaçado em Paris. Será que eu poderia, por uns dias, enquanto tomavam as devidas providências, guardar umas malas no meu sótão?

— Eu não pediria uma coisa dessas se tivesse alguma alternativa. Se você disser que não, tudo bem, Ricardo.

Eu disse que sim, desde que ele me contasse o que havia nas malas.

— Numa, papéis. Dinamite pura: planos, endereços, preparativos das ações no Peru. Na outra, dólares.

— Quantos?
— Cinquenta mil.

Refleti por alguns instantes.

— Se eu entregar essas malas à CIA, será que me deixam ficar com os cinquenta mil?

— Mas pense também que, quando a revolução for vitoriosa, podíamos nomear você nosso embaixador na Unesco — embarcou Paúl.

Brincamos mais um pouco e ao anoitecer ele trouxe as duas malas, que pusemos debaixo da minha cama. Passei uma semana de cabelo em pé, pensando que, se algum ladrão roubasse aquele dinheiro, o MIR nunca acreditaria que foi roubo e eu me tornaria um alvo da revolução. No sexto dia, Paúl apareceu com três desconhecidos e levou os incômodos hóspedes.

Toda vez que nos reencontrávamos, eu lhe perguntava pela camarada Arlette, e ele nunca tentou me enganar dando notícias falsas. Sentia muito, mas não conseguira saber nada sobre ela. Os cubanos eram muito rígidos em matéria de segurança e faziam a mais absoluta reserva sobre o seu paradeiro. A única certeza era que ainda não tinha passado por Paris, pois era ele o responsável pelos bolsistas que retornavam ao Peru.

— Quando passar, você vai ser o primeiro a saber. Gamou pela garota, não é? Mas por quê, meu velho, ela não é tão bonita assim.

— Não sei por quê, Paúl. Mas, é verdade, gamei sim.

Com o novo tipo de vida que Paúl levava, a colônia peruana em Paris começou a falar mal dele. Eram escritores que não escreviam, pintores que não pintavam, músicos que não tocavam nem compunham e revolucionários de botequim que desafogavam sua frustração, inveja e tédio dizendo que Paúl estava "sensualizado", tinha se tornado um "burocrata da revolução". O que fazia em Paris? Por que não estava lá, junto com aqueles rapazes que ele mandava para o treinamento militar e depois infiltrava às escondidas no Peru para começarem as ações guerrilheiras nos Andes? Eu o defendia, em discussões acaloradas. Sabia que, apesar do seu novo *status*, Paúl continuava vivendo com absoluta modéstia. Até pouco antes, sua mulher trabalhava fazendo faxinas para ajudar no orçamento doméstico. Agora, aproveitando seu passaporte espanhol, o MIR a usava como pombo-correio e com certa frequência ela ia ao Peru, acompanhando os bolsistas em seu regresso ou levando dinheiro e instruções, em viagens que enchiam Paúl de aflição. Por outro lado, eu sabia por suas confidências que estava cada vez mais irritado com aquela vida que as circunstâncias lhe impuseram e que seu chefe, Luis de la Puente Uceda, exigia que continuasse levando. Estava impaciente para voltar ao Peru, onde as ações começariam muito em breve. Queria ajudar a prepará-las, no terreno. A direção do MIR não autorizava, e isso o deixava furioso. "São as consequências de saber idiomas, que desgraça", protestava, rindo no meio do seu mau humor.

Graças a Paúl, naqueles meses e anos conheci em Paris os principais dirigentes do MIR, a começar por seu líder e fundador, Luis de la Puente Uceda, e terminando com Guillermo Lobatón. O líder do MIR era um advogado de Trujillo nascido em 1926, dissidente do Partido Aprista, magro, de óculos, com pele clara e cabelo louro sempre alisado para trás como um ator argentino. Nas duas ou três vezes que o vi, estava vestido com formalidade, de gravata e casaco de couro marrom. Falava suavemente, como um advogado em ação, dando especificações legalísticas e usando um vocabulário elaborado, de alegação jurídica. Sempre estava cercado por dois ou três sujeitos parrudos, que deviam ser seus guarda-costas, uns fulanos que olhavam para ele com veneração e jamais emitiam qualquer opinião. Em tudo o que ele dizia havia algo tão cerebral, tão abstrato, que não era fácil imaginá-lo como guerrilheiro, com uma metralhadora no ombro, subindo e descendo os penhascos dos Andes. No entanto, fora preso várias vezes, estivera exilado no México e tinha vivido na clandestinidade. Dava mais a impressão de ter nascido para brilhar no fórum, no parlamento, nas tribunas e nas negociações políticas, ou seja, em tudo aquilo que ele e seus camaradas desprezavam como embustes da democracia burguesa.

    Guillermo Lobatón era outra coisa. Da multidão de revolucionários que conheci em Paris graças a Paúl, ninguém me pareceu tão inteligente, culto e decidido como ele. Era ainda bem jovem, mal passava dos trinta anos, mas já tinha um rico passado de homem de ação. Tinha sido o líder da grande greve da Universidade de San Marcos em 1952, contra a ditadura de Odría (desde essa época era amigo de Paúl), e em consequência disso foi preso, mandado para a penitenciária de Frontón e torturado. Dessa maneira se interromperam seus estudos de filosofia nos quais, pelo que diziam em San Marcos, ele competia com Li Carrillo, futuro discípulo de Heidegger, pela condição de aluno mais brilhante da Faculdade de Letras. Em 1954 foi expulso do país pelo governo militar e, depois de mil aventuras, chegou a Paris onde, ao mesmo tempo que ganhava a vida trabalhando com as mãos, retomou seus estudos de filosofia na Sorbonne. Mais tarde o Partido Comunista lhe arranjou uma bolsa na Alemanha Oriental, em Leipzig, onde prosseguiu seus estudos e frequentou uma escola que formava quadros para o Partido. Ali foi surpreendido pela revolução cubana. Os acontecimentos de Cuba lhe provocaram uma reflexão muito crítica sobre a estratégia dos partidos comunistas latino-americanos e sobre o espírito dogmático do stalinismo. Antes de conhecê-lo pessoalmente eu já havia lido um texto dele, que circulou em Paris em cópia mimeografada, no qual acusava esses partidos de terem se afastado das massas por sua submissão aos ditames de Moscou, esquecendo que, como disse Che Guevara, "o primeiro dever de um revolucionário é fazer a revolução". Nesse trabalho, em que exaltava o exemplo de Fidel Castro e seus companheiros chamando-os de revolucionários modelo, havia uma citação de Trótski. Por causa dela foi submetido a um tribunal de disciplina em Leipzig e expulso de maneira infamante da Alemanha Oriental e do Partido Comunista peruano. Assim chegou a Paris, onde se casou com uma moça francesa, Jacqueline, também militante revolucionária. Em Paris encontrou Paúl, seu velho amigo de San Marcos, e se filiou ao MIR. Havia recebido treinamento guerrilheiro em Cuba e contava as horas para voltar ao Peru e passar à ação. Durante os dias da invasão à baía dos Porcos, eu o via multiplicar-se, participando de todas as manifestações de solidariedade a Cuba e discursando em algumas delas, num bom francês, com uma retórica avassaladora.

Era um rapaz magro e alto, com pele cor de ébano claro e um sorriso que exibia toda a sua magnífica dentadura. Assim como podia discutir temas políticos durante horas, com grande solvência intelectual, também era capaz de mergulhar em apaixonantes diálogos sobre literatura, arte ou esportes, especialmente o futebol e as façanhas do seu time, o Alianza de Lima. Em sua maneira de ser havia algo que contagiava todo o entusiasmo, o idealismo, o desprendimento e o mordaz senso de justiça que orientavam a sua vida, coisa que não creio ter visto — pelo menos de maneira tão genuína — em qualquer outro dos revolucionários que passavam por Paris nos anos 1960. O fato de aceitar ser apenas um militante do MIR, onde não havia ninguém que tivesse o seu talento e o seu carisma, demonstrava claramente a pureza da sua vocação revolucionária. Nas três ou quatro vezes que conversei com ele, apesar do meu ceticismo, fiquei convencido de que, se alguém com a lucidez e a energia de Lobatón estava à frente dos revolucionários, o Peru podia ser a segunda Cuba da América Latina.

Foi pelo menos uns seis meses depois da sua partida que tive notícias da camarada Arlette, por intermédio de Paúl. Como meu contrato de "temporário" me proporcionava bastante tempo livre, eu tinha começado a estudar russo, pensando que se chegasse a traduzir também dessa língua — uma das quatro oficiais da ONU e suas agências, na época —, conseguiria mais trabalhos de tradutor, e a seguir faria um curso de interpretação simultânea. Os intérpretes tinham um trabalho mais intenso e difícil que os tradutores, mas, por isso mesmo, eram mais procurados. Um dia, ao sair da aula de russo na Escola Berlitz, no Boulevard de Capucines, encontrei o gordo Paúl à minha espera na porta do prédio.

— Notícias da garota, finalmente — disse à guisa de saudação, de cara fechada. — Sinto muito, mas não são muito boas, meu chapa.

Fomos tomar alguma coisa num bistrô nos arredores de l'Opéra, para ajudar a digerir a má notícia. Sentamos na varanda, ao ar livre. Era um anoitecer de primavera, abafado, cheio de estrelas precoces, e Paris inteira parecia ter saído às ruas para aproveitar o bom tempo. Pedimos duas cervejas.

— Imagino que depois de tanto tempo você não está mais apaixonado por ela — Paúl foi me preparando.

— Imagino que não — respondi. — Conte de uma vez e não enrola, Paúl.

Ele tinha acabado de passar uns dias em Havana e a camarada Arlette estava na boca de todos os rapazes peruanos do MIR porque, segundo boatos efervescentes, tinha um tremendo caso de amor com o comandante Chacón, assistente de Osmani Cienfuegos, irmão caçula de Camilo, o grande herói desaparecido da Revolução. O comandante Osmani Cienfuegos era o chefe da organização que dava apoio a todos os movimentos revolucionários e partidos irmãos, e coordenava as ações rebeldes em todos os cantos do mundo. O comandante Chacón, sobrevivente da Sierra Maestra, era seu braço direito.

— Vê a notícia que me esperava? — Paúl coçava a cabeça. — Aquela magrela sem graça, de namoro com um dos comandantes históricos! Ninguém menos que o comandante Chacón!

— Não será um simples rumor, Paúl?

Balançou a cabeça, constrangido, e me deu um tapinha no braço para me animar.

— Eu mesmo estive com eles, numa reunião na Casa das Américas. Moram juntos. A camarada Arlette, acredite se quiser, se transformou numa pessoa influente, íntima de cama e mesa dos comandantes.

— Para o MIR é do cacete — disse eu.

— Mas, para você, uma merda — Paúl deu-me outro tapinha. — Detesto ter de contar essa história, meu chapa. Mas é melhor ficar sabendo, não é mesmo? Bem, o mundo não vai acabar. Além do mais, Paris está cheia de fêmeas do caralho. Olhe só por aí.

Depois de tentar algumas piadas sem o menor sucesso, perguntei a Paúl pela camarada Arlette.

— Como companheira de um comandante da revolução, não lhe falta nada, imagino — tentou escapulir. — É isso o que quer saber? Ou se está mais bonita ou mais feia que quando passou por aqui? Igual, acho. Um pouco mais queimada, pelo sol do Caribe. Você sabe, ela nunca me pareceu grande coisa. Enfim, não faça esta cara porque não é tão grave, meu chapa.

Muitas vezes, nos dias, semanas e meses que se seguiram a esse encontro com Paúl, tentei imaginar a chilenita transformada em namorada do comandante Chacón, vestida de guerrilheira, de pistola na cintura, boina azul e botas, conversando com Fidel e Raúl Castro nas grandes passeatas e manifestações da revolução, fazendo trabalho voluntário nos fins de semana e dando duro nos canaviais com suas mãozinhas de dedos delicados pelejando para segurar o facão, e talvez, com aquela facilidade para a metamorfose fonética que eu já conhecia, falando com a musicalidade demorada e sensual dos caribenhos. Na verdade, eu não conseguia imaginá-la no seu novo papel: sua figurinha escorria entre os meus dedos como se fosse líquida. Teria se apaixonado pelo tal comandante? Ou ele era apenas um instrumento para se livrar do treinamento guerrilheiro e, principalmente, do compromisso com o MIR de participar mais tarde da guerra revolucionária no Peru? Não me fazia nada bem pensar na camarada Arlette, sua lembrança era como uma úlcera que se abrisse na boca do meu estômago. Para evitá-la, coisa que só conseguia parcialmente, decidi me entregar às aulas de russo e de interpretação simultânea com verdadeiro afinco nos períodos que o senhor Charnés, com quem estabeleci ótimas relações, não me oferecia nenhum contrato. E disse à tia Alberta, a quem cometera a fraqueza de confessar, numa carta, que estava apaixonado por uma garota chamada Arlette e sempre me pedia uma foto dela, que tínhamos acabado e que se esquecesse do assunto para sempre.

Uns seis ou oito meses depois daquela tarde em que Paúl me deu as más notícias da camarada Arlette, certa manhã, bem cedo, o gordo, que eu não via fazia tempo, veio me buscar no hotel para tomarmos juntos o café da manhã. Fomos ao Tournon, um bistrô na rua do mesmo nome, esquina com Vaugirard.

— Não deveria dizer nada, mas vim me despedir — avisou. — Estou saindo de Paris. Sim, meu chapa, vou para o Peru. Ninguém aqui sabe disso, de maneira que você também não sabe nada. Minha mulher e Jean-Paul já estão lá.

A notícia me deixou mudo. E de repente senti um medo horrível, que tentei ocultar.

— Não se preocupe — ele me tranquilizou, com aquele sorriso que inflava suas bochechas e lhe dava um ar de palhaço.
— Não vai me acontecer nada, pode acreditar. E quando a revolução for vitoriosa, você será o nosso embaixador na Unesco. Prometido!

Ficamos por algum tempo tomando nossos cafés, em silêncio. Meu *croissant* continuava intacto sobre a mesa e Paúl, de brincadeira, disse que, como evidentemente eu estava sem apetite, ele se sacrificaria dando cabo daquele *croissant* crocantinho.

— Lá aonde vou, os *croissants* devem ser muito ruins — acrescentou.

Então, sem poder me reprimir, disse que ele ia fazer uma estupidez imperdoável. Aquilo não ajudaria a revolução, nem o MIR, nem seus camaradas. Ele sabia disso tão bem quanto eu. Sua gordura, que o deixava ofegante ao caminhar uma quadra em Saint Germain, nos Andes seria um estorvo tremendo para a guerrilha, e por isso mesmo ele ia ser um dos primeiros que os soldados matariam quando a sublevação se iniciasse.

— Vai morrer por causa das intrigas idiotas de meia dúzia de ressentidos de Paris que o acusam de oportunista? Pense melhor, gordo, você não pode fazer uma bobagem dessas.

— O que os peruanitos de Paris falam não me importa bulhufas, compadre. Não se trata deles, trata-se de mim. É uma questão de princípios. Minha obrigação é estar lá.

E começou a brincar de novo dizendo que, apesar dos seus 120 quilos, tinha passado por todas as provas no treinamento militar e, além disso, demonstrou ter uma excelente pontaria. Sua decisão de voltar ao Peru provocou discussões com Luis de la Puente e com a direção do MIR. Todos queriam que continuasse na Europa, como representante do movimento junto às organizações e governos irmãos, mas ele, com sua teimosia à prova de balas, acabou se impondo. Vendo que não havia muito a fazer e que o meu melhor amigo de Paris tinha decidido praticamente se suicidar, perguntei se sua partida significava que a insurreição estouraria logo.

— É questão de um par de meses, talvez menos.

Havia três acampamentos já montados na montanha, um no departamento de Cuzco, outro em Piura e mais um na região central, na vertente oriental da Cordilheira, dentro da faixa de selva de Junín. Contrariando as minhas profecias, ele me garantiu que a grande maioria dos bolsistas se havia embrenhado nos Andes. As deserções foram de menos de dez por cento do total. Com um entusiasmo que às vezes se transformava em euforia, disse que a operação-retorno dos bolsistas havia sido um sucesso. Estava contente, porque ele mesmo a dirigira. Regressaram solitários ou em duplas, por trajetos complicados que, para não deixar pistas, fizeram alguns rapazes dar a volta ao mundo. Ninguém foi descoberto. No Peru, de la Puente, Lobatón e outros tinham criado redes urbanas de apoio, formaram equipes médicas, instalaram estações de rádio nos acampamentos, assim como esconderijos espalhados para as armas e explosivos. Os contatos com os sindicatos camponeses, especialmente em Cuzco, eram excelentes e se esperava que, uma vez iniciada a rebelião, muitos lavradores se incorporassem à luta. Falava com alegria, convencido do que dizia, com segurança, exaltado. Eu não podia disfarçar a minha tristeza.

— Sei que você não acredita em nada disso, seu incrédulo — murmurou, afinal.

— Juro que adoraria acreditar em você, Paúl. E ter o entusiasmo que você tem.

Ele assentiu, olhando-me com seu afetuoso sorriso de lua cheia.

— E você? — perguntou, segurando meu braço. — Vai fazer o quê, meu chapa?

— Eu, nada — respondi. — Vou ficar aqui, como tradutor da Unesco, em Paris.

Hesitou por um momento, com medo de me magoar com o que ia dizer. Era uma pergunta que, sem dúvida, estava coçando na ponta da sua língua fazia tempo.

— É isso o que você quer ser na vida? Só isso? Todo mundo que vem a Paris tem a aspiração de ser pintor, escritor, músico, ator, diretor de teatro, sonha fazer um doutorado ou a revolução. E você só quer isso, morar em Paris? Nunca engoli essa história, meu velho, confesso.

— Eu sei que não. Mas é a pura verdade, Paúl. Quando era pequeno, dizia que queria ser diplomata, mas era só para que me mandassem a Paris. É isso o que quero: morar aqui. Você acha pouco?

Apontei as árvores do Jardim de Luxemburgo: carregadas de verde, transbordavam pelas grades do parque e pareciam elegantes sob o céu encoberto. Não era a melhor coisa que podia acontecer a uma pessoa? Viver, como no verso de Vallejo, entre "as frondosas castanheiras de Paris"?

— Confesse que você escreve poesia escondido — insistiu Paúl. — Que é o seu vício secreto. Conversei muitas vezes sobre isso com outros peruanos. Todo mundo pensa que você escreve, mas não quer admitir por causa do seu espírito autocrítico. Ou por timidez. Todos os sul-americanos sempre vêm a Paris para fazer grandes coisas. Você quer me convencer que é a exceção à regra?

— Juro que sou, Paúl. Não tenho outra ambição além de continuar aqui, como até agora.

Andei com ele até o metrô, no Carrefour do Odéon. Quando nos abraçamos, não pude conter algumas lágrimas.

— Cuide-se, gordo. Não faça bobagens lá em cima, por favor.

— Está bem, claro que não, Ricardo — tornou a me abraçar. E senti que ele também estava com os olhos úmidos.

Fiquei ali, na entrada da estação, vendo-o descer devagar as escadas, atrapalhado com seu corpanzil redondo. Tive certeza absoluta de que era a última vez que o via.

A partida do gordo Paúl me deixou um pouco vazio, porque ele foi o meu melhor companheiro naqueles tempos incertos da minha chegada a Paris. Felizmente, os contratos de "temporário" na Unesco e minhas aulas de russo e interpretação simultânea me mantinham muito ocupado, e à noite eu chegava ao meu sótão no Hotel du Sénat quase sem forças para pensar na camarada Arlette ou no gordo Paúl. A partir dessa época, creio, sem ter me proposto, fui me afastando insensivelmente dos peruanos de Paris, que antes via com certa frequência. Eu não buscava a solidão, mas ela não era problema para mim desde que fiquei órfão e minha tia Alberta me pegou para criar. Graças à Unesco, não tinha mais angústias em relação à sobrevivência; o salário de tradutor e as remessas esporádicas da minha tia eram suficientes para viver e pagar meus prazeres parisienses: o cinema, as exposições, o teatro e os livros. Era cliente assíduo da livraria La Joie de Lire, na rue Saint Séverin, e dos *bouquinistes* dos cais do Sena. Frequentava o TNP, a Comédie Française, o Odeón e, de vez em quando, os concertos na Sala Pleyel.

   E nessa época tive também a tentativa de romance com Carmencita, a moça espanhola que, vestida de preto da cabeça aos pés como uma Juliette Gréco, cantava, acompanhando-se ao violão, no L'Escale, um barzinho da rue Monsieur le Prince frequentado por espanhóis e sul-americanos. Ela era espanhola mas nunca tinha posto os pés no seu país porque os pais, republicanos, não podiam ou não queriam voltar enquanto Franco estivesse vivo. Essa situação ambígua a atormentava e surgia com frequência nas suas conversas. Carmencita era alta, magra, com cabelo *à la garçonne* e olhos melancólicos. Não tinha uma grande voz, mas era muito melodiosa, e sobretudo dizia maravilhosamente, sussurrando com pausas e ênfases que faziam muito efeito, canções adaptadas de letrilhas, poemas, refrões e dizeres do Século de Ouro. Havia morado dois ou três anos com um ator e a separação a afetara tanto que — e me disse isso com aquela brutalidade que a princípio me chocava tanto nos meus colegas espanhóis da Unesco — "não queria se envolver com nenhum cara por enquanto". Mas aceitava meus convites para ir ao cinema, ou jantar, e uma noite fomos ao Olympia ouvir Leo Ferré, que ambos preferíamos aos outros cantores de moda no momento: Charles Aznavour e Georges Brassens. Quando nos despedimos no metrô Opéra depois do espetáculo, ela disse, encostando os lábios em meu rosto: "Estou começando a gostar de você, peruanito". Absurdamente, toda vez que eu saía com Carmencita sentia um mal-estar, um sentimento de estar sendo desleal com a amante do comandante Chacón, personagem que imaginava com um bigode enorme e um par de pistolões pendurados nos quadris. Minha relação com a espanhola não passou daí porque uma noite a descobri num canto do L'Escale toda derretida nos braços de um senhor de xale e costeletas.

   Alguns meses depois da partida de Paúl, o senhor Charnés começou a me recomendar, quando não havia trabalho na Unesco, para também ser contratado como tradutor em reuniões e congressos internacionais em Paris ou em outras cidades europeias. Meu primeiro trabalho foi na Junta de Energia Atômica, em Viena, e o segundo em Atenas, num congresso internacional sobre o algodão. Essas viagens de poucos dias, bem remuneradas, me permitiam conhecer lugares aonde não poderia ir de outro modo. Embora os novos trabalhos limitassem um pouco o meu tempo, não abandonei os estudos de russo nem os exercícios de interpretação, apesar das interrupções.

    Foi na volta de uma dessas viagens de trabalho, dessa vez a Glasgow, para uma reunião sobre tarifas alfandegárias na Europa, que encontrei no Hotel du Sénat uma carta de um primo-irmão do meu pai, o dr. Ataúlfo Lamiel, advogado de Lima. Esse tio distante, que eu mal conhecia, informava que minha tia Alberta tinha morrido, de pneumonia, e me deixara como seu herdeiro universal. Era indispensável que eu fosse a Lima para acelerar o processo da sucessão. Tio Ataúlfo me oferecia um adiantamento para a passagem de avião, por conta daquela herança que, anunciava, não faria de mim um milionário mas seria uma boa ajuda na minha temporada parisiense. Fui à agência de correios de Vaugirard e lhe mandei um telegrama dizendo que eu mesmo pagaria a passagem e que viajaria a Lima o mais cedo possível.

    A morte da tia Alberta me deixou sombrio por muitos dias. Ela era uma mulher saudável e ainda não tinha setenta anos. Embora fosse conservadora e preconceituosa até dizer chega, essa tia solteirona, irmã mais velha do meu pai, sempre foi muito carinhosa comigo, e sem sua generosidade e seus cuidados não sei o que teria sido de mim. Quando meus pais morreram num acidente automobilístico estúpido, abalroados por um caminhão que fugiu quando viajavam para o casamento da filha de uns amigos íntimos, em Trujillo — eu tinha dez anos —, ela os substituiu. Até me formar em Direito e vir para Paris, morei na casa dela e, embora suas manias anacrônicas muitas vezes me exasperassem, eu gostava muito dela. A partir da minha adoção, tia Alberta se dedicou a mim de corpo e alma. Sem ela, eu ficaria solitário como um lobo e meus vínculos com o Peru mais cedo ou mais tarde se apagariam totalmente.

    Nessa mesma tarde fui ao escritório da Air France comprar uma passagem de ida e volta a Lima, e depois passei pela Unesco para explicar ao senhor Charnés que precisava tirar umas férias involuntárias. Atravessando o *hall* de entrada, me deparei com uma senhora elegante de saltos agulha, envolta numa capa negra com bordas de pele, que ficou me olhando como se nos conhecêssemos.

— Puxa, puxa, como este mundo é pequeno — disse, aproximando-se e oferecendo a bochecha. — O que faz por aqui, bom menino?

— Trabalho aqui, como tradutor — consegui balbuciar, totalmente desconcertado pela surpresa, e muito consciente do aroma de essência de lavanda que me entrou pelo nariz ao beijá-la. Era ela, mas foi necessário um grande esforço para reconhecer, naquela cara tão bem maquiada, naqueles lábios vermelhos, naquelas sobrancelhas depiladas, naquelas pestanas sedosas e curvas que sombreavam os olhos travessos que o lápis negro havia alongado e aprofundado, e naquelas mãos de unhas compridas que pareciam recém-saídas da manicure, a camarada Arlette.

— Como você está mudada — disse eu, examinando-a de cima a baixo. — Faz uns três anos, não é?

— Mudei para melhor ou para pior? — perguntou, totalmente dona de si mesma, dando uma meia-volta de modelo, no mesmo lugar, com as mãos na cintura.

— Para melhor — reconheci, ainda sem me recuperar do choque. — Na verdade, está belíssima. Imagino que não posso mais chamá-la de Lily, a chilenita, nem de camarada Arlette, a guerrilheira. Como diabos se chama agora?

Ela riu, mostrando-me a aliança de ouro na mão direita:

— Agora uso o nome do meu marido, como se faz na França: madame Robert Arnoux.

Ainda me atrevi a perguntar se podíamos tomar um café, para lembrar dos velhos tempos.

— Agora não, meu marido está esperando — escapuliu, olhando-me da cabeça aos pés, com ironia. — Ele é diplomata e trabalha aqui, na representação francesa. Amanhã às onze, no Les Deux Magots. Você conhece o lugar, certo?

Passei a maior parte daquela noite em claro, pensando nela e na tia Alberta. Quando afinal peguei no sono, tive um pesadelo estúpido em que as duas apareciam se agredindo com ferocidade, indiferentes aos meus apelos para resolverem suas diferenças como pessoas civilizadas. A briga tinha começado porque tia Alberta acusou a chilenita de ter roubado o seu novo nome de um personagem de Flaubert. Acordei agitado e suando, ainda na penumbra, entre miados de gato.

Quando cheguei ao Les Deux Magots, madame Robert Arnoux já estava lá, sentada a uma mesa da varanda protegida por uma vidraça, fumando numa piteira de marfim e tomando um café. Parecia uma daquelas manequins da *Vogue*, toda vestida de amarelo, com sapatinhos brancos e uma sombrinha florida. Sua mudança era extraordinária, sem dúvida.

— Ainda continua apaixonado por mim? — perguntou de supetão, quebrando o gelo.

— O pior é que acho que sim — admiti, sentindo calor nas bochechas. — E, se não estivesse, ficaria de novo agora mesmo. Você é uma mulher lindíssima, além de muito elegante. Olho para você e não acredito, menina má.

— Vê o que perdeu por ser covarde? — replicou, com os olhinhos cor de mel constelados de faíscas zombeteiras, enquanto me soltava uma baforada no rosto, com toda intenção. — Se você tivesse aceitado ficar comigo em Paris quando eu propus, agora seria sua mulher. Mas não quis ter problemas com seu amigo, o camarada Jean, e me despachou para Cuba. Perdeu a oportunidade da sua vida, Ricardito.

— Não tem mais conserto? Não posso botar a mão na consciência, declarar meu arrependimento e minha firme intenção de entrar na linha?

— Agora é tarde, bom menino. Que partido pode ser um joão-ninguém, um coisinha à toa tradutor da Unesco, para a esposa de um diplomata francês?

Falava sem deixar de sorrir, movendo a boca com uma brejeirice mais refinada que antes. Contemplando seus lábios marcados e sensuais, arrulhado pela música de sua voz, tive um desejo enorme de beijá-la. Senti um aperto no coração.

— Bem, se você não pode ser minha mulher, ainda resta a possibilidade de sermos amantes.

— Sou uma esposa fiel, a perfeita mulher casada — afirmou, fingindo ficar séria. E, sem transição: — O que houve com o camarada Jean? Voltou ao Peru para fazer a revolução?

— Há vários meses. Não sei nada dele nem dos outros. Não li nem ouvi coisa nenhuma a respeito de guerrilhas por lá. Quem sabe todas aquelas miragens revolucionárias viraram fumaça. E todos os guerrilheiros voltaram para as suas casas e se esqueceram do assunto.

Conversamos umas duas horas. Naturalmente, ela garantiu que aquele caso de amor com o comandante Chacón era pura fofoca dos peruanos em Havana; na realidade, com o tal comandante só tivera uma boa amizade. Não quis me contar nada sobre o treinamento militar e, como sempre, evitou qualquer comentário político e não quis dar detalhes sobre sua vida na ilha. Seu único amor cubano foi o adido comercial da embaixada francesa, agora promovido a ministro conselheiro, Robert Arnoux, seu marido. Morrendo de rir e de cólera retrospectiva, descreveu os obstáculos burocráticos que os dois tiveram de vencer para se casar, porque em Cuba era quase inimaginável que uma bolsista abandonasse o treinamento. Mas, aí sim, o comandante Chacón foi "um amor" e ajudou-a a derrotar a infame burocracia.

— Aposto o que quiser que você foi para a cama com esse maldito comandante.

— Está com ciúme?

Disse que sim, e muito. E que ela estava tão linda que venderia minha alma ao diabo, qualquer coisa, para fazer amor com ela ou, pelo menos, beijá-la. Peguei sua mão e a beijei.

— Fique quieto — disse, olhando em volta com falso temor. — Esqueceu que sou uma senhora casada? E se alguém daqui conhece o Robert e vai contar?

Respondi que sabia perfeitamente que o casamento dela com o diplomata não passava de uma formalidade para poder sair de Cuba e se instalar em Paris. Coisa que eu apreciava, porque também achava que, por Paris, pode-se fazer qualquer sacrifício. Mas que não me viesse com aquele número de esposa fiel e apaixonada quando estivéssemos sozinhos, porque nós dois sabíamos muito bem que era conversa fiada. Sem se irritar em absoluto, ela mudou de assunto e disse que a burocracia aqui também era infame e que não conseguiria a nacionalidade francesa em menos de dois anos, apesar de estar formalmente casada com um cidadão francês. E que tinham acabado de alugar um apartamento em Passy. Agora o estava arrumando e, quando ficasse apresentável, ela me convidaria para me apresentar ao meu rival que, além de simpático, era um homem muito culto.

— Amanhã viajo para Lima — contei. — Como faço para ver você na volta?

Ela me deu o telefone e o endereço da casa, e me perguntou se continuava morando naquele quartinho, onde se passava tanto frio, no sótão do Hotel du Sénat.

— É difícil sair, porque tive lá a melhor experiência da minha vida. Por isso, aquele cubículo para mim é um palácio.

— Essa experiência é a que estou imaginando? — perguntou, avançando o rostinho em que a malícia ainda se misturava com curiosidade e brejeirice.

— Essa mesmo.

— Pelo que acaba de dizer, estou lhe devendo um beijo. Lembre-me disso na próxima vez.

Mas quando nos despedimos, um instante depois, esquecendo as precauções maritais, em vez da bochecha me ofereceu os lábios. Eram grossos e sensuais, e senti, nos segundos que ficaram encostados nos meus, que se moviam devagarinho, numa carícia suplementar, cheia de incitações. Quando já tinha atravessado a Saint Germain, de volta para o meu hotel, virei-me e ela continuava lá, na esquina do Les Deux Magots, uma figurinha clara e dourada, de sapatos brancos, observando como eu me afastava. Dei adeus e ela sacudiu a mão que empunhava a sombrinha florida. Bastou vê-la para descobrir que, naqueles anos, eu não a tinha esquecido um único momento. Estava tão apaixonado como no primeiro dia.

Quando cheguei a Lima, em março de 1965, pouco antes de completar trinta anos, as fotos de Luis de la Puente, Guillermo Lobatón, o gordo Paúl e outros dirigentes do MIR estavam em todos os jornais e na televisão — agora já havia televisão no Peru —, e todo mundo falava deles. A revolta do MIR tinha um perfil um bocado romântico. As fotos tinham sido enviadas aos meios de comunicação pelos próprios miristas, anunciando que o Movimento da Esquerda Revolucionária, tendo em vista as condições iníquas de exploração de que os camponeses e operários eram vítimas e a submissão do governo de Belaunde Terry ao imperialismo, decidira passar à ação. Os dirigentes do MIR mostravam suas caras e apareciam de cabelo comprido e barba crescida, fuzis nas mãos e uniformes de campanha com agasalhos pretos de gola rulê, calças cáqui e botas. Achei Paúl tão gordo como sempre. Na foto que o *Correo* publicou na primeira página, ele, cercado por outros quatro, era o único que sorria.

— Estes malucos não vão durar um mês — vaticinou o dr. Ataúlfo Lamiel na manhã em que fui vê-lo, no seu escritório do Centro de Lima, na rua Boza. — Transformar o Peru numa segunda Cuba! A sua pobre tia Alberta teria um faniquito se visse as caras de foragidos desses nossos brilhantes guerrilheiros.

Meu tio não levava muito a sério o anúncio das ações armadas, e esse sentimento parecia bastante generalizado. As pessoas pensavam que aquilo era uma iniciativa estapafúrdia, que terminaria de uma hora para outra. Durante as semanas que permaneci no Peru fui abatido por uma sensação opressiva e me senti órfão no meu próprio país. Fiquei no apartamento de tia Alberta, na rua Colón, de Miraflores, ainda impregnado dela, onde tudo me lembrava dela, tanto quanto dos meus anos de estudante universitário e da minha adolescência sem pais. Fiquei emocionado ao encontrar na sua mesinha de cabeceira, arrumadas em ordem cronológica, todas as cartas que eu lhe escrevi de Paris. Estive com alguns dos meus velhos amigos miraflorenses do Bairro Alegre e um sábado fui jantar com meia dúzia deles no restaurante chinês Kuo Wha, ao lado da Via Expressa, para lembrar dos velhos tempos. Tirando as lembranças, não tínhamos mais muito em comum, pois suas vidas de jovens profissionais liberais e homens de negócios — dois deles trabalhavam nas empresas dos pais — não tinham nada a ver com o que eu fazia lá, na França. Três estavam casados, um deles já começara a procriar, e os outros três tinham namoradas que logo se tornariam suas noivas. Nas brincadeiras que fazíamos — uma forma de preencher os vazios na conversa —, todos fingiam me invejar porque eu morava na cidade dos prazeres, transando com aquelas francesas que tinham fama de ser umas feras na cama. Eu pensava na surpresa que teriam se eu lhes confessasse que, nos anos que passei em Paris, a única garota com quem tinha transado era uma peruana, e ninguém menos que Lily, a falsa chilenita da nossa infância. O que eles achavam da guerrilha que aparecia nos jornais? Tal como o tio Ataúlfo, não davam muita importância. Aqueles castristas enviados por Cuba não iam durar muito. Quem podia acreditar que uma revolução comunista venceria no Peru? Se o governo do Belaunde não era capaz de dominá-los, os militares viriam impor a ordem outra vez, o que tampouco lhes parecia muito engraçado. Era também o que temia o dr. Ataúlfo Lamiel:

— Brincando de guerrilheiros, esses idiotas só vão conseguir entregar de bandeja aos militares o pretexto para um golpe de Estado. E nos impingir mais oito ou dez anos de ditadura militar. Quem vai pensar numa revolução contra um governo civil e democrático que, aliás, toda a oligarquia peruana, a começar por *La Prensa* e *El Comercio*, acusa de comunista por querer fazer a reforma agrária? O Peru é uma confusão, sobrinho, você fez bem em ir morar no país da clareza cartesiana.

Tio Ataúlfo era um quarentão alto e bigodudo que sempre usava colete e gravatinha-borboleta, casado com a tia Dolores, uma senhora bondosa e pálida, que estava inválida havia quase dez anos e que ele cuidava com devoção. Moravam numa casinha simpática, com livros e discos, no Olivar de San Isidro, onde me convidaram para almoçar e para jantar. Tia Dolores suportava sua doença sem amargura e se distraía tocando piano e vendo novelas. Quando lembramos da tia Alberta, desatou a chorar. Não tinham filhos e ele, além do seu escritório de advocacia, dava aulas de Direito Comercial na Universidade Católica. Tinha uma boa biblioteca e se interessava muito pela política local, sem ocultar suas simpatias pelo reformismo democrático que a seu ver era encarnado por Belaunde Terry. Foi muito prestativo comigo, acelerando no que pôde os trâmites da sucessão e negando-se a receber um centavo pelos seus serviços: "Era só o que faltava, eu gostava muito da Alberta e dos seus pais, sobrinho". Foram dias pesados, com sórdidos comparecimentos a cartórios e audiências judiciais, levando e trazendo documentos ao labiríntico Palácio da Justiça, e à noite eu ficava insone e cada vez mais impaciente para retornar a Paris. Nos tempos livres relia *A Educação Sentimental*, de Flaubert, porque agora a madame Arnoux do romance tinha para mim não só o nome, mas também a cara da menina má. Uma vez deduzidos os impostos de transmissão e quitados os pagamentos que tia Alberta deixara em aberto, tio Ataúlfo me informou que, vendendo o apartamento e os móveis, eu poderia dispor de uns sessenta mil dólares, talvez um pouco mais. Uma bela soma, que nunca imaginei possuir. Graças à tia Alberta, poderia comprar um apartamentinho em Paris.

Ao voltar à França, quando cheguei ao meu sótão do Hotel du Sénat, e antes mesmo de abrir as malas, a primeira coisa que fiz foi telefonar para madame Robert Arnoux.

Ela marcou um encontro para o dia seguinte e disse que, se eu quisesse, podíamos almoçar juntos. Esperei-a na saída da Alliance Française, no Boulevard Raspail, onde estava fazendo um curso intensivo de francês, e fomos almoçar um *curry d'agneau* no La Coupole, no Boulevard Montparnasse. Estava vestida com simplicidade, de calça, sandálias e um casaco leve. Usava uns brincos coloridos que combinavam com o colar e a pulseira, tinha uma bolsa pendurada no ombro, e cada vez que mexia a cabeça seus cabelos ondulavam com alegria. Beijei-a no rosto e nas mãos e ela me recebeu com um "Pensei que você viria mais queimadinho do verão limenho, Ricardito". Havia se tornado uma mulherzinha elegante, sem dúvida: combinava as cores com bom gosto e se maquiava com muita graça. Eu a observava, ainda atônito com a mudança. "Não quero que me conte nada do Peru", avisou logo, de modo tão categórico que não lhe perguntei por quê. Em vez disso, contei da minha herança. Será que ela me ajudaria a procurar um apartamento para morar?

Aplaudiu, entusiasmada:

— Adorei a ideia, bom menino. E também vou ajudar a mobiliar e a decorar. Já tenho prática com o meu. Está ficando lindo, você vai ver.

Depois de uma semana de atividade percorrendo imobiliárias e apartamentos no Quartier Latin, Montparnasse e no XIVème todas as tardes, depois de suas aulas de francês, encontrei um de dois quartos, banheiro e cozinha na rue Joseph Granier, um edifício *art déco* dos anos 1930, com desenhos geométricos na fachada — losangos, triângulos e círculos —, nas vizinhanças da École Militaire, no VIIème, bem perto da Unesco. Estava em bom estado e, se bem que dava para um pátio interno e era preciso subir a pé os quatro andares do edifício — o elevador ainda estava em construção —, era muito luminoso porque, além de duas janelas, tinha uma grande claraboia côncava que mostrava o céu de Paris. Custava perto de setenta mil dólares, mas não houve dificuldade para conseguir na Société Générale, o banco onde eu tinha conta, um empréstimo da quantia que me faltava. Naquelas semanas, procurando o apartamento e, depois, enquanto o deixava habitável, limpando, pintando e mobiliando-o com três ou quatro cacarecos comprados na La Samaritaine e no Marché aux Puces, eu via madame Robert Arnoux todos os dias, de segunda a sexta-feira — ela passava os sábados e domingos com o marido, no campo —, da saída das suas aulas até as quatro ou cinco da tarde. Ela se divertia ajudando-me nos meus afazeres, treinando seu francês com corretores imobiliários e porteiras, e demonstrava tão bom humor que — eu lhe disse isso — até parecia que aquele apartamentinho a que estava dando vida era para nós dois compartilharmos.

— É o que você queria, bom menino, certo?

Estávamos num bistrô da *avenue* de Tourville, perto de Les Invalides e eu beijava suas mãos e procurava sua boca, louco de amor e de desejo. Fiz que sim, várias vezes.

— No dia que você se mudar, vamos estreá-lo — prometeu.

E cumpriu a promessa. Foi a segunda vez que fizemos amor, agora à plena luz de um dia que entrava em cascata pela ampla claraboia de onde uns pombos curiosos nos observavam nus e abraçados no colchão sem lençóis, recém-tirado do plástico em que o caminhão de La Samaritaine o trouxera. As paredes cheiravam a tinta fresca. Seu corpo continuava tão magrinho e bem-feito como era na minha memória, com uma cintura estreita que parecia caber nas minhas mãos, e seu púbis, de pelos ralos, mais claro que a barriguinha lisa ou as coxas onde a pele se escurecia e matizava num tom esverdeado pálido. Toda ela exalava uma fragrância delicada, que se acentuava no ninho morno de suas axilas depiladas, atrás de suas orelhas e em seu sexo pequeno e úmido. No arco dos seus pés a pele transluzia umas veias azuis e eu me enternecia imaginando o sangue fluindo devagarzinho por elas. Como na vez anterior, deixou-se acariciar com total passividade e escutou calada, fingindo uma atenção exagerada, ou então fazendo como se não me estivesse ouvindo e sim pensando em outra coisa, as palavras intensas, atropeladas, que eu lhe dizia no ouvido ou na boca, enquanto lutava para abrir seus lábios.

— Faça-me gozar, primeiro — sussurrou, num tom que escondia uma ordem. — Com a boca. Depois vai ser mais fácil entrar. Nem pense em gozar ainda. Gosto de me sentir irrigada.

Falava com tanta frieza que não parecia uma garota fazendo amor e sim um médico dando uma descrição técnica e alheia ao prazer. Não me importava, eu estava totalmente feliz, como não me sentia há muito tempo, talvez nunca antes. "Jamais vou poder retribuir tanta felicidade, menina má". Fiquei um bom tempo com os lábios esmagados contra o seu sexo franzido, sentindo os pelos pubianos me fazendo cócegas no nariz, lambendo com avidez, com ternura, seu clitóris pequenino, até que a senti movimentar-se, excitada, e explodir com um tremor no baixo-ventre e nas pernas.

— Mete, agora — sussurrou, com a mesma vozinha mandona.

Dessa vez também não foi fácil. Ela era estreita, se encolhia, resistia, reclamava, até que finalmente consegui. Senti meu sexo sendo fraturado por aquela víscera palpitante que o estrangulava. Mas era uma dor maravilhosa, uma vertigem em que me submergia, trêmulo. Ejaculei quase imediatamente.

— Você goza muito rápido — reclamou a senhora Arnoux, puxando meus cabelos. — Precisa aprender a demorar mais, se quiser me fazer gozar.

— Aprendo tudo o que você quiser, guerrilheira, mas agora cale-se e me beije.

Nesse mesmo dia, quando nos despedimos, ela me convidou para jantar, queria me apresentar ao marido. Tomamos um aperitivo em seu belo apartamento de Passy, decorado da maneira mais burguesa que se possa imaginar, com cortinas de veludo, tapetes macios, móveis de época, mesinhas com bibelôs de porcelana e, nas paredes, gravuras de Gavarni e de Daumier com cenas picantes. Fomos jantar num bistrô dos arredores cuja especialidade, segundo o diplomata, era o *coq au vin*. E, de sobremesa, ele sugeria a *tarte tatin*.

Monsieur Robert Arnoux era baixinho, calvo, com um bigodinho que balançava quando ele falava, óculos de lentes grossas, e devia ter o dobro da idade de sua mulher. Tratava-a com grande consideração, empurrando ou afastando sua cadeira e ajudando-a a vestir a capa. Ficou alerta a noite toda, servindo vinho quando ela esvaziava a taça e oferecendo o cesto se precisasse de pão. Não era muito simpático, até mesmo um pouco convencido e cortante, mas de fato parecia muito culto, e falava de Cuba e da América Latina com grande segurança. Seu espanhol era perfeito, com um ligeiro sotaque em que se percebiam os anos que tinha servido no Caribe. Na verdade, não estava na representação francesa da Unesco, fora cedido pelo Quai d'Orsay para ser assessor e chefe de gabinete do diretor-geral, René Maheu, um colega de Jean-Paul Sartre e de Raymond Aron na École Normale, de quem diziam que era um gênio discreto. Eu já o tinha visto algumas vezes, sempre escoltado por aquele careca vesgo que afinal fui saber que era o marido de madame Arnoux. Quando contei a ele que trabalhava como tradutor "temporário" no departamento de espanhol, ofereceu uma recomendação ao "Charnés, uma excelente pessoa". Perguntou o que eu achava do que estava acontecendo no Peru e respondi que não recebia notícias de Lima havia um bom tempo.

— Bem, essa guerrilha na montanha — disse, encolhendo os ombros como se não desse muita importância ao fato. — Esses ataques a fazendas e assaltos à polícia. Que absurdo! Justamente no Peru, um dos poucos países latino-americanos que estão tentando construir uma democracia.

Então já haviam ocorrido as primeiras ações da guerrilha mirista.

— Você tem de largar esse homem o quanto antes e se casar comigo — disse à chilenita, no nosso encontro seguinte. — Não vai me dizer que está apaixonada por esse Matusalém que, além de parecer seu avô, é horroroso?

— Outra calúnia contra o meu marido, e você não me vê nunca mais — ameaçou e, numa daquelas fulminantes mudanças que eram sua especialidade, riu: — Ele parece mesmo muito velho ao meu lado?

Essa minha segunda lua de mel com madame Arnoux terminou logo depois desse jantar porque, assim que me mudei para o bairro da École Militaire, o senhor Charnés renovou meu contrato. Então, devido aos meus horários, só podia vê-la às pressas, algum meio-dia, na hora e meia de intervalo entre uma e duas e meia, quando, em vez de subir para o restaurante da Unesco, ia com ela comer um sanduíche em algum bistrô, ou certas tardes em que, não sei com que pretexto, ela se livrava de *monsieur* Arnoux para ir ao cinema comigo. Víamos o filme de mãos dadas e eu a beijava na escuridão. "*Tu m'embêtes*", praticava ela o seu francês. "*Je veux voir le film, grosse bête*". Tinha feito rápidos progressos na língua de Montaigne; agora se arriscava a falar sem o menor pudor, e seus erros de sintaxe e de fonética resultavam divertidos, uma graça a mais na sua personalidade. Só voltamos a fazer amor muitas semanas depois, quando viajou à Suíça, sozinha, e voltou a Paris várias horas antes do previsto para ficar comigo no meu apartamento da rue Joseph Granier.

Tudo na vida da senhora Arnoux continuava sendo bastante misterioso, assim como era com Lily, a chilenita, e com a guerrilheira Arlette. Se era verdade o que me contava, tinha agora uma intensa vida social, cheia de recepções, jantares e coquetéis, onde esbarrava com *tout Paris*, e ontem, por exemplo, tinha conhecido Maurice Couve de Murville, ministro das Relações Exteriores do general De Gaulle, e na semana anterior vira Jean Cocteau numa projeção particular de *Morrer em Madri*, um documentário de Frédéric Rossif, de braço dado com seu amante, o ator Jean Marais que, diga-se de passagem, era bem bonitão, e amanhã iria a um chá que as amigas iam oferecer a Farah Diba, a esposa do xá da Pérsia, em visita particular a Paris. Seriam meros delírios de grandeza e esnobismo ou, de fato, seu marido a introduzira nesse mundinho de luzes e frivolidades que a deslumbrava? Por outro lado, viajava constantemente, ou me dizia que viajava, para a Suíça, Alemanha ou Bélgica, em incursões de dois ou três dias com finalidades pouco claras: exposições, eventos de gala, festas, concertos. Como suas explicações me pareciam tão claramente fantasiosas, decidi não fazer mais perguntas sobre essas viagens, fingindo levar ao pé da letra as explicações que ela às vezes se dignava a dar sobre os motivos desses cintilantes deslocamentos.

Em meados de 1965, na Unesco, um colega de escritório, velho republicano espanhol que há anos escrevia "um romance definitivo sobre a guerra civil que corrigiria os erros de Hemingway" intitulado *Por Quem os Sinos não Dobram*, certa tarde me passou o exemplar do *Le Monde* que estava folheando. Os guerrilheiros da coluna Túpac Amaru do MIR, comandada por Lobatón e que atuava nas províncias de La Concepción e Satipo, no departamento de Junín, haviam saqueado o paiol de uma mina, destruído uma ponte sobre o rio Moraniyoc, ocupado a fazenda Runatullo e distribuído mantimentos entre os camponeses. E, algumas semanas depois, emboscaram um destacamento da Guarda Civil no desfiladeiro de Yahuarina. Nove guardas civis, entre eles o major que comandava a patrulha, morreram no combate. Em Lima, houve atentados a bomba no Hotel Crillón e no Clube Nacional. O governo de Belaunde decretou estado de sítio em toda a serra central. Senti que meu coração apertava no peito. Nesse dia e nos seguintes fiquei inquieto, com o rosto do gordo Paúl estampado na mente.

Tio Ataúlfo de vez em quando me mandava — substituindo tia Alberta como meu único correspondente no Peru — umas cartas cheias de comentários sobre a atualidade política. Soube por seu intermédio que, embora a guerrilha atuasse de maneira muito esporádica em Lima, as operações militares no centro e no sul dos Andes tinham convulsionado o país. *El Comercio* e *La Prensa*, e apristas e odriistas, agora aliados contra o governo, acusavam Belaunde Terry de fraqueza diante dos rebeldes castristas, e até mesmo de cumplicidade secreta com a insurreição. O governo encarregara o Exército da repressão aos revoltosos. "A coisa aqui está ficando feia, sobrinho, e receio que a qualquer momento haja um golpe. Há ruído de sabres no ambiente. Quando é que vai ser diferente aqui no nosso Peru?" Em suas cartas, a tia Dolores sempre mandava lembranças carinhosas, escritas de próprio punho.

De maneira totalmente inesperada, acabei tendo um bom relacionamento com *monsieur* Robert Arnoux. Ele apareceu um dia no departamento de espanhol da Unesco e me propôs, na hora de almoço, que fôssemos fazer um lanche no restaurante. Por nenhuma razão em especial, só para conversar um pouco, o tempo de fumar um Gitanes com filtro, a marca que nós dois preferíamos. Depois disso aparecia às vezes, quando seus compromissos permitiam, e íamos tomar um café e comer um sanduíche enquanto comentávamos a atualidade política da França e da América Latina e a vida cultural parisiense, sobre a qual também estava sempre atualizado. Era um homem com leituras e ideias e se queixava de que, embora fosse interessante trabalhar com René Maheu, não tinha mais tempo para ler nos fins de semana e raramente ia ao teatro ou a concertos.

Graças a ele tive de alugar um *smoking* e me vestir a rigor, pela primeira e sem dúvida última vez na vida, para ir a um balé seguido de jantar e baile em benefício da Unesco, no Opéra de Paris. Eu nunca havia entrado naquele lugar imponente, engalanado com os afrescos da cúpula pintados por Chagall. Tudo me pareceu belo e elegante. Principalmente a ex-chilenita e ex-guerrilheira que, com um vestido vaporoso de gaze branca com flores estampadas, seus ombros descobertos e um penteado alto, cheia de joias no pescoço, orelhas e mãos, deixou-me boquiaberto de admiração. Durante toda a noite os velhotes conhecidos de *monsieur* Arnoux se aproximavam dela, beijavam sua mão e a fitavam com um brilho cobiçoso nos olhos. "*Quelle beauté exotique!*", ouvi um daqueles gaviões excitados dizer. Afinal pude tirá-la para dançar. Apertando-a contra mim, disse em seu ouvido que nunca me havia passado pela cabeça que alguma vez ela pudesse estar tão bonita como naquele momento. E que me dilacerava por dentro só de pensar que, depois do baile, seria seu marido e não eu quem iria despi-la e amá-la em sua casa de Passy. A *beauté exotique* se deixava adorar com um sorrisinho condescendente, que arrematou com um comentário cruel: "Que breguices você diz, Ricardito". Eu aspirava o aroma que ela exalava e sentia tanto desejo de possuí-la que mal podia respirar.

    De onde tirava dinheiro para aqueles vestidos e joias? Eu não era perito em luxos, mas sabia que, para usar tantos modelos exclusivos e trocar de vestuário daquela maneira — toda vez que a via estava com um vestido novo e estreando uns sapatinhos primorosos —, era preciso ter mais renda que um funcionário da Unesco, por mais que fosse o braço direito do diretor. Tentei descobrir, perguntando-lhe se ela, além de enganar vez por outra *monsieur* Robert Arnoux comigo, não o enganava também com algum milionário graças ao qual podia vestir-se com modelos das melhores lojas e com joias das mil e uma noites.

    — Se eu só tivesse você como amante, andaria por aí feito uma mendiga, seu coisinha à toa — respondeu, e não parecia estar brincando.

    Mas logo depois me deu uma explicação aparentemente impecável, por mais que eu tivesse certeza de que era falsa. Os vestidos e joias que usava não eram comprados e sim emprestados pelos grandes costureiros da *avenue* Montaigne e os joalheiros da Place Vendôme que, para divulgar suas criações, as cediam para mulheres chiques que frequentavam a alta sociedade. De modo que, graças às suas relações sociais, ela podia se vestir e enfeitar como as elegantes de Paris. Ou será que eu pensava que com o salário de um diplomata francês poderia competir em luxo com as grandes damas da Cidade Luz?

Algumas semanas depois daquele baile no Opéra, recebi um telefonema da menina má no escritório da Unesco.

— Robert tem de ir a Varsóvia com o chefe neste fim de semana — anunciou. — Você ganhou na loteria, bom menino! Posso dedicar o sábado e o domingo só para você. Vamos ver que programa vai me preparar.

Passei horas imaginando como poderia surpreendê-la e diverti-la, que lugares curiosos de Paris ela não conhecia, estudando os espetáculos que haveria naquele sábado e que restaurante, bar ou bistrô podia chamar sua atenção pela originalidade ou por algum aspecto secreto e exclusivo. Afinal, depois de explorar mil possibilidades e rejeitar todas, terminei escolhendo para a manhã do sábado, se fizesse bom tempo, um passeio ao cemitério de cães de Asnières, situado numa ilha de árvores frondosas no meio do rio, e um jantar no Chez Allard, na rua de Saint André des Arts, na mesma mesa em que certa noite vi Pablo Neruda comendo com duas colheres, uma em cada mão. Para valorizar ainda mais o lugar aos seus olhos, eu diria à senhora Arnoux que aquele era o restaurante favorito do poeta e inventaria o pedido que ele fazia sempre. A ideia de passar uma noite inteira com ela, de fazer amor com ela, saborear em meus lábios o cintilar do "seu sexo de pestanas noturnas" (um verso do poema "Material nupcial", de Neruda, que recitei em seu ouvido na primeira noite que passamos juntos, no meu sótão do Hotel du Sénat), sentir que ela dormia nos meus braços e acordar na manhã de domingo com seu corpinho morno aninhado no meu, tudo isso me deixou em tal estado, nos três ou quatro dias que faltavam para o sábado, que a expectativa, a alegria e o medo de que alguma coisa frustrasse o plano não me deixavam me concentrar no trabalho. O revisor das minhas traduções teve de fazer boas correções mais de uma vez.

Aquele sábado foi esplendoroso. No meu reluzente Dauphine, comprado um mês antes, levei madame Arnoux, no meio da manhã, ao cemitério de cães de Asnières, que ela não conhecia. Ficamos mais de uma hora passando entre os túmulos — além de cachorros, havia gatos, coelhinhos e papagaios enterrados — e lendo os epitáfios, sentidos, poéticos, risonhos e absurdos que os donos tinham inventado para se despedir de seus queridos animais. Ela parecia realmente entretida. Sorria, com a mão abandonada na minha, seus olhos cor de mel escuro acesos pelo sol primaveril e o cabelo agitado por uma brisa que corria com o rio. Usava uma blusa leve, transparente, que deixava ver o começo dos seus peitos, um casaco solto que batia asas com seus movimentos e botas cor de tijolo, de salto alto. Ficou um bom tempo contemplando a estátua ao cão desconhecido que havia na entrada e, com ar melancólico, lamentou ter uma vida "tão complicada", porque senão gostaria de adotar um cachorrinho. Tomei nota, mentalmente: seria meu presente no dia do seu aniversário, se eu conseguisse descobrir qual era.

Apertei sua cintura, atraindo-a para mim, e disse que se ela resolvesse esquecer *monsieur* Arnoux e se casar comigo eu prometia deixá-la ter uma vida normal, criando todos os cães que quisesse. Em vez de responder, perguntou, zombeteira:

— A ideia de passar a noite comigo faz você se sentir o homem mais feliz do mundo, miraflorense? Pergunto só para ouvir uma dessas breguices que você tanto gosta de falar.

— Nada poderia me deixar mais feliz — disse eu, apertando meus lábios contra os dela. — Há anos que sonho com isso, guerrilheira.

— Quantas vezes vai fazer amor comigo? — continuou, com o mesmo jeitinho debochado.

— Todas que puder, menina má. Dez, se o corpo aguentar.

— Só deixo duas — avisou, mordendo a minha orelha. Uma na hora de deitar e outra de manhã. Mas nada de levantar cedinho. Para não ter rugas, nunca, preciso no mínimo de oito horas de sono.

Nunca a vi tão brincalhona como nessa manhã. E creio que nunca mais a veria. Não me lembrava dela tão natural, completamente solta, sem posar, sem inventar um papel, enquanto aspirava com prazer a tepidez da manhã e se deixava invadir pela luz que as copas dos salgueiros chorões peneiravam. Parecia mais novinha do que era, quase uma adolescente e não uma mulher beirando os trinta anos. Comemos um sanduíche de presunto e pepinos em conserva com um copo de vinho num bistrô de Asnières, à beira do rio, e depois fomos à Cinémathèque da rue d'Ulm ver *O boulevard do crime*, de Marcel Carné, que eu já tinha visto mas ela não. Na saída comentou como pareciam jovens Jean-Louis Barrault e María Casares, que não se faziam mais filmes assim, e me confessou que tinha chorado no final. Propus que fôssemos descansar no meu apartamento até a hora do jantar, mas ela não quis, disse que voltar para casa agora me daria ideias. Em compensação, aproveitando a tarde tão bonita, podíamos caminhar um pouco. Ficamos entrando e saindo das galerias da rue de Seine e depois nos sentamos para tomar um refrigerante na varanda de um café na rue de Buci. Contei a ela que certa manhã tinha visto André Breton por ali, comprando peixe fresco. As ruas e os cafés estavam lotados e os parisienses andavam todos com a expressão relaxada e simpática que só fazem nos dias de bom tempo, essa raridade. Havia muito eu não me sentia tão contente, otimista e esperançoso. Então, o diabo mostrou o rabo e avistei a manchete do *Le Monde* que o meu vizinho estava lendo: "Exército destrói o quartel-general da guerrilha peruana". O subtítulo dizia: "Morrem Luis de la Puente e vários líderes do MIR". Fui correndo comprar o jornal na banca da esquina. A notícia era assinada pelo correspondente na América do Sul, Marcel Niedergang, e havia uma matéria de Claude Julien explicando o que era o MIR peruano e dando informações sobre Luis de la Puente e a situação política no Peru. Em agosto de 1965, forças especiais do Exército peruano cercaram Mesa Pelada, uma montanha a leste da cidade de Quillabamba, no vale cusquenho de La Convención, e tomaram o acampamento Illarec ch'aska (luzeiro da alvorada), liquidando muitos guerrilheiros. Luis de la Puente, Paúl Escobar e um punhado de seguidores tinham conseguido fugir, mas depois de uma longa caçada os soldados os cercaram e mataram. A notícia acrescentava que aviões militares haviam bombardeado Mesa Pelada, usando *napalm*. Os cadáveres não foram entregues aos familiares nem exibidos à imprensa. Segundo o comunicado oficial, tinham sido enterrados em local desconhecido, para evitar que seus túmulos se tornassem lugares de peregrinação revolucionária. O Exército mostrou aos jornalistas as armas, uniformes e muitos documentos, assim como mapas e equipamentos de rádio que os guerrilheiros tinham em Mesa Pelada. De modo que a coluna Pachacútec, um dos focos rebeldes da revolução peruana, estava aniquilada. O Exército esperava que a coluna Túpac Amaru, dirigida por Guillermo Lobatón, também cercada, caísse logo.

— Não sei por que está com essa cara, você sabia que mais cedo ou mais tarde iria acontecer — madame Arnoux se surpreendeu. — Você mesmo me disse várias vezes que aquilo só podia terminar assim.

— Eu dizia como esconjuro, para não acontecer.

Eu de fato tinha dito, e tinha pensado e temido, naturalmente, mas era diferente saber que agora acontecera e que Paúl, o bom amigo e companheiro dos meus primeiros tempos em Paris, era agora um cadáver apodrecendo em algum lugar perdido dos Andes orientais, talvez depois de ter sido executado, e certamente torturado se os soldados o pegaram vivo. Fazendo das tripas coração, propus à chilenita que deixássemos o assunto de lado para a notícia não estragar o presente dos deuses que era tê-la um fim de semana inteiro para mim. Ela conseguiu fazer isso sem a menor dificuldade; o Peru, na minha opinião, era uma coisa que tinha expulsado deliberadamente da memória como uma massa de lembranças ruins (pobreza, racismo, discriminação, derrota, frustrações múltiplas?) e fazia tempo, talvez, que decidira cortar para sempre os laços com sua terra natal. Eu, em contrapartida, apesar de todos os esforços para esquecer a infeliz notícia do *Le Monde* e me concentrar na menina má, não pude. Durante todo o jantar no Chez Allard, o fantasma do meu amigo me tirou o apetite e o humor.

— Parece que você não está em clima de *faire la fête* — disse, compassiva, na hora da sobremesa. — Quer deixar para outra vez, Ricardito?

Protestei dizendo que não, beijei suas mãos e jurei que, apesar da horrível notícia, passar uma noite com ela era a coisa mais maravilhosa que me podia acontecer. Mas quando chegamos ao meu apartamento na rue Joseph Granier, ela tirou da maleta um faceiro *baby doll*, uma escova de dentes e uma muda de roupa para o dia seguinte, nós nos deitamos — eu havia comprado flores para a sala e o quarto — e comecei a acariciá-la, senti, envergonhado e humilhado, que não estava em condições de fazer amor.

— É isso que os franceses chamam de *fiasco* — disse, rindo. — Sabe que é a primeira vez que me acontece com um homem?

— Quantos você teve? Deixe adivinhar. Dez? Vinte?

— Sou péssima em matemática — respondeu, irritada. E depois se vingou com uma ordem: — Em vez disso, me faça gozar com a boca. Eu não tenho por que estar de luto. Mal conheci o seu amigo Paúl, e além do mais, lembre-se, por culpa dele tive de ir para Cuba.

E, sem mais palavras, com a mesma naturalidade com que acenderia um cigarro, abriu as pernas e se deitou de costas, com um braço sobre os olhos, naquela imobilidade total, de concentração profunda, em que costumava imergir, esquecendo-se de mim e do mundo circundante, para esperar o prazer. Sempre levava muito tempo para se excitar e gozar, mas nessa noite demorou bem mais que de costume, e duas ou três vezes, com cãibras na língua, tive de parar de beijá-la e chupá-la por alguns instantes. Cada vez que eu fazia isso, sua mão me repreendia, puxando meu cabelo ou beliscando minhas costas. Afinal, senti seus movimentos e ouvi o ronronar suave que parecia subir da sua barriga até a boca, e senti seus membros se encolherem e o longo suspiro satisfeito. "Obrigado, Ricardito", murmurou. Quase imediatamente, adormeceu. Eu fiquei insone durante muito tempo, com uma angústia que me espremia a garganta. Tive um sono difícil, com pesadelos que no dia seguinte não lembrava mais.

Acordei por volta das nove da manhã. Já não havia sol. Pela claraboia via-se o céu nublado, cor de barriga de burro, o eterno céu parisiense. Ela estava dormindo, dando-me as costas. Parecia muito jovem e frágil, com um corpinho de menina, agora em sossego, só alterado por uma respiração ligeira e espaçada. Ninguém, vendo-a assim, imaginaria a vida difícil que deve ter levado desde que nasceu. Tentei imaginar sua infância, pobre no inferno que é o Peru para os pobres, e sua adolescência, talvez ainda pior, as mil indignidades, entregas, sacrifícios, concessões que deve ter feito, no Peru, em Cuba, para ir em frente e chegar onde havia chegado. E como se tornara dura e fria por ter de se defender com unhas e dentes contra a desgraça, todas as camas que deve ter conhecido para não ser esmagada neste campo de batalha que suas experiências a convenceram que é a vida. Eu sentia uma ternura imensa por ela. Estava certo de que sempre iria amá-la, para minha fortuna e também para meu infortúnio. Vê-la e sentir sua respiração me incendiaram. Comecei a beijar suas costas, bem devagar, a bundinha arrebitada, o pescoço e os ombros, e, virando-a de lado, os peitos e a boca. Ela fingia dormir, mas já estava acordada, pois se acomodou de costas para me receber. Senti-a úmida e, pela primeira vez, pude entrar nela sem dificuldade, sem sentir que estava fazendo amor com uma virgem. Eu a amava, amava, não podia viver sem ela. Implorei que se separasse de *monsieur* Arnoux e ficasse comigo, eu ganharia muito dinheiro, eu a mimaria, pagaria todos os seus caprichos, eu...

— Puxa, você se redimiu — deu uma risadinha —, aguentou mais que das outras vezes. Pensei que tinha ficado impotente, depois do *fiasco* desta noite.

Eu quis preparar o café da manhã, mas ela preferiu sair, tinha vontade de comer *un croissant croustillant*. Tomamos banho juntos, ela me deixou ensaboá-la e secá-la e, sentado na cama, vê-la se vestir, pentear e arrumar. Eu mesmo lhe calcei os mocassins, beijando antes, um por um, os dedos dos seus pés. Saímos de mãos dadas rumo a um bistrô na *avenue* La Bourdonnais onde, de fato, os *croissants* eram crocantes como se tivessem acabado de sair do forno.

— Se daquela vez, em vez de me despachar para Cuba, você me tivesse deixado ficar ao seu lado, aqui em Paris, quanto tempo duraríamos juntos, Ricardito?

— A vida toda. Eu faria você tão feliz que nunca mais iria me largar.

Parou de brincar e me olhou, muito séria e um tanto depreciativa:

— Que ingênuo, que bobo você é — disse, separando as sílabas e me desafiando com os olhos. — Você não me conhece. Eu só ficaria para sempre com um homem que fosse muito, mas muito rico e poderoso. E você nunca será, infelizmente.

— E se o dinheiro não trouxer a felicidade, menina má?

— Felicidade, eu não sei nem me interessa saber o que é, Ricardito. Mas tenho certeza de que não é essa coisa romântica e brega que você imagina. O dinheiro dá segurança, proteção, permite aproveitar a vida sem se preocupar com o amanhã. É a única felicidade que se pode apalpar.

Ficou me olhando, com uma expressão fria que às vezes se tornava estranhamente aguda e parecia congelar a vida ao seu redor.

— Você é boa gente, mas tem um defeito horrível: a falta de ambição. Está contente com o que conseguiu, certo? Mas isso não é nada, bom menino. Por isso eu não poderia ser sua mulher. Nunca vou estar contente com o que tenho. Sempre quero mais.

Eu não soube o que responder porque, por mais que me doesse, ela falara a verdade. Para mim, a felicidade era estar com ela e morar em Paris. Isto significava que você era um medíocre irrecuperável, Ricardito? Sim, provavelmente. Antes de voltarmos para o meu apartamento, madame Robert Arnoux se levantou para telefonar. Retornou com o rosto preocupado.

— Sinto muito, mas preciso ir embora, bom menino. As coisas se complicaram.

Não me deu mais explicações nem aceitou que a levasse à sua casa ou aonde tivesse de ir. Subimos para buscar sua maleta e eu a acompanhei até o ponto de táxi, ao lado do metrô da École Militaire.

— Apesar de tudo, foi um belo fim de semana — ela se despediu, roçando os lábios nos meus. — Tchau, *mon amour*.

Quando voltei para casa, ainda surpreso com aquela súbita partida, descobri que ela havia esquecido a escova de dentes no banheiro. Uma escovinha linda, com a assinatura do fabricante impressa no estojo: Guerlain. Esquecida? Talvez não. Talvez fosse um gesto deliberado para me deixar uma lembrança dessa noite triste e desse despertar feliz.

Naquela semana não consegui vê-la nem falar com ela e, na seguinte, sem poder nem mesmo me despedir — ninguém atendia seu telefone —, fui trabalhar em Viena durante quinze dias, na Junta de Energia Atômica. Eu adorava essa cidade barroca, elegante e próspera, mas o trabalho de um "temporário" nesses períodos em que as organizações internacionais fazem congressos, reuniões ampliadas ou a assembleia anual — que é quando necessitam de tradutores e intérpretes extras — é tão intenso que não me sobrava tempo para frequentar museus, concertos e espetáculos de ópera, exceto, uma vez ou outra na hora do almoço, uma visita às pressas ao Albertina. De noite, morto de cansaço, só conseguia me arrastar até um desses cafés antigos, o Central, o Landtmann, o Hawelka, o Frauenhuber, que pareciam cenários da *belle époque*, para comer um *wiener schnitzel*, a versão austríaca do bife à milanesa que a tia Alberta fazia, com um copo de cerveja espumosa. Caía na cama meio grogue. Várias vezes telefonei para a menina má, mas ninguém atendia ou dava sinal de ocupado. Não ousei ligar para Robert Arnoux na Unesco, para não levantar suspeitas. Terminados os quinze dias, o senhor Charnés me telegrafou oferecendo dez dias de contrato em Roma, num seminário seguido de uma reunião da FAO, de maneira que fui para a Itália sem passar por Paris. De Roma tampouco consegui falar com ela. Assim que voltei à França, procurei-a. Sem sucesso, naturalmente. O que estaria acontecendo? Comecei a pensar, angustiado, em um acidente, uma doença, uma tragédia doméstica.

Estava tão nervoso com a impossibilidade de me comunicar com madame Arnoux que precisei ler duas vezes a carta do tio Ataúlfo que encontrei à minha espera em Paris. Não conseguia me concentrar, tirar a chilenita da cabeça. Tio Ataúlfo me dava longas explicações sobre a situação política peruana. A coluna Túpac Amaru do MIR, comandada por Lobatón, ainda não fora capturada, embora os comunicados do Exército mencionassem constantes escaramuças em que os guerrilheiros sempre tinham baixas. Segundo a imprensa, Lobatón e seu pessoal tinham se embrenhado na floresta e conseguiram aliados entre as tribos amazônicas, principalmente os ashaninka, espalhados na região delimitada pelos rios Ene, Perené, Satipo e Anapati. Dizia-se que as comunidades ashaninka, seduzidas pela personalidade de Lobatón, acabaram identificando-o com um herói mítico, o justiceiro atávico Itomi Pavá que, segundo a lenda, um dia viria restaurar o poderio de sua nação. A aviação militar tinha bombardeado aldeias na selva, suspeitando que os miristas se escondiam nelas.

Depois de novas e infrutíferas tentativas de falar com madame Arnoux, decidi procurar seu marido na Unesco, a pretexto de convidá-los para jantar. Primeiro fui cumprimentar o senhor Charnés e meus colegas do departamento de espanhol. Depois subi ao sexto andar, o *sancta sanctorum*, onde ficavam os escritórios dos chefes. Da porta divisei a cara arrasada e a barbicha de *monsieur* Arnoux. Teve um estranho sobressalto quando me viu, e me pareceu mais áspero que nunca, como se minha presença o incomodasse. Estaria doente? Parecia ter envelhecido dez anos nas poucas semanas em que não nos vimos. Estendeu a mão com um braço meio encolhido, sem dizer nada, e esperou que eu falasse, perfurando-me com seus olhinhos de roedor.

— Estive trabalhando fora de Paris, em Viena e em Roma, todo este último mês. Queria convidá-los para jantar uma noite dessas, quando puderem.

Continuou me olhando, sem responder. Agora estava muito pálido, com uma expressão desolada e a boca franzida, como se falar significasse um grande esforço. Minhas mãos tremeram. Iria me dizer que sua mulher tinha morrido?

— Então, você não sabe — murmurou, secamente. — Ou está fazendo uma gracinha?

Desconcertado, eu não tinha o que responder.

— Toda a Unesco já sabe — acrescentou baixinho, com ironia. — Sou o bufão da organização. Minha mulher foi embora, e eu nem sei com quem. Pensei que fosse com você, senhor Somocurcio.

A voz se cortou antes de terminar de dizer o meu sobrenome. Seu queixo estava tremendo e achei que os dentes batiam. Murmurei que sentia muito, que não estava informado de nada, repeti bobamente que tinha trabalhado o mês inteiro fora de Paris, em Viena e em Roma. E me despedi, sem que *monsieur* Arnoux me devolvesse o boa-tarde.

A surpresa e o desgosto que me assaltaram foram tão grandes que senti náuseas no elevador e, no banheiro do corredor, vomitei. Com quem ela estava? Continuaria morando em Paris com o amante? Um pensamento me acompanhou nos dias seguintes: aquele fim de semana que ela me deu de presente fora uma despedida. Para que eu tivesse qualquer coisa especial de que sentir saudades. As sobras que se jogam para o cachorro, Ricardito. Passei dias tenebrosos depois daquela breve visita a *monsieur* Arnoux. Tive insônia pela primeira vez na vida. Transpirava a noite toda, com a mente vazia, apertando nas mãos a escovinha de dentes Guerlain que ficara como um amuleto na minha mesinha de cabeceira, ruminando meu rancor e meus ciúmes. No dia seguinte acordava um trapo, com o corpo cheio de calafrios e sem ânimo para nada, nem vontade de comer. O médico me receitou uns comprimidos de Nembutal que, mais que fazer dormir, me apagavam. Depois acordava inquieto e com náuseas, como se estivesse com uma ressaca feroz. E me amaldiçoava o tempo todo, pensando que tinha sido um idiota quando a mandei para Cuba, privilegiando minha amizade com Paúl e não meu amor por ela. Se a tivesse mantido ao meu lado, em Paris, ainda estaríamos juntos e a vida não seria esta insônia, este vazio, esta bile.

O senhor Charnés me ajudou a sair da lenta dissolução emocional em que estava, conseguindo-me um contrato de um mês. Eu quis agradecer a ele de joelhos. Graças à rotina do trabalho na Unesco, fui saindo pouco a pouco da crise em que o desaparecimento da ex-chilenita, ex-guerrilheira, ex-madame Arnoux me deixara. Como se chamaria agora? Que personalidade, que nome, que história havia adotado nessa nova etapa de sua vida? Seu novo amante devia ser alguém muito importante, bastante mais que aquele assessor do diretor da Unesco, já muito modesto para suas ambições, que tinha deixado em frangalhos. Ela me avisara claramente naquela última manhã: "Eu só ficaria para sempre com um homem que fosse muito rico e poderoso". Com toda certeza, dessa vez eu não a veria nunca mais. Você precisa se levantar e esquecer essa peruanita de mil caras, pensar que ela não passou de um pesadelo, bom menino.

Mas, poucos dias depois de retomar o trabalho na Unesco, *monsieur* Arnoux apareceu no cubículo que era o meu escritório quando eu traduzia um informe sobre a educação bilíngue nos países da África subsaariana.

— Lamento ter sido rude com você outro dia — disse, constrangido. — Eu estava num estado de ânimo horrível.

Propôs que fôssemos jantar juntos mais tarde. E, embora eu soubesse que aquela refeição seria catastrófica para meu estado de ânimo, a curiosidade, o simples fato de ouvir falar dela, saber o que acontecera, foram mais fortes e aceitei.

Fomos ao Chez Eux, um restaurante no VIIème, não muito distante da minha casa. Foi a refeição mais tensa e difícil da minha vida. Mas também fascinante, porque descobri muitas coisas sobre a ex-madame Arnoux e soube, também, a que ponto ela havia chegado em sua busca dessa segurança que identificava com a riqueza.

Pedimos uísque com gelo e Perrier como aperitivo e, depois, vinho tinto, com uma comida que quase não provamos. O Chez Eux tinha um cardápio fixo, composto de delícias que vinham em tigelas fundas, e nossa mesa foi se enchendo de patês, caracóis, saladas, peixes e carnes que os garçons surpresos iam tirando quase intactos para dar lugar a uma grande variedade de sobremesas, uma delas banhada em chocolate fundido, sem entender por que desprezávamos todos aqueles manjares.

Robert Arnoux me perguntou desde quando eu a conhecia. Menti que desde 1960 ou 1961, quando passou por Paris como bolsista do MIR para receber treinamento guerrilheiro em Cuba.

— Quer dizer, não sabe nada do passado, da família dela — concluiu o senhor Arnoux, como que falando sozinho. — Eu sempre soube que mentia. Sobre sua família e sua infância, quero dizer. Mas eu a desculpava. Pareciam mentiras piedosas, para esconder uma infância e uma juventude que lhe davam vergonha. Porque deve ser de uma classe social bem modesta, não é mesmo?

— Ela não gostava de falar disso. Nunca me contou nada da sua família. Mas, sem dúvida, é mesmo de uma classe muito modesta.

— Eu sentia pena dela, adivinhava a montanha de preconceitos que há na sociedade peruana, os sobrenomes importantes, o racismo — ele me interrompeu. — Dizia que tinha estudado no Sophianum, o melhor colégio de freiras de Lima, frequentado pelas garotas da alta sociedade. Que seu pai era dono de uma fazenda de algodão. Que tinha rompido com a família por idealismo, para tornar-se revolucionária. Mas a revolução nunca lhe interessou, tenho certeza disso! Desde que a conheci, jamais a ouvi emitindo uma única opinião política. Faria qualquer coisa para sair de Cuba. Até se casar comigo. Quando saímos de lá, quis fazer uma viagem ao Peru, para conhecer sua família. Ela me contou outras fábulas, naturalmente. Que seria presa se pusesse os pés no Peru, por ter estado no MIR e em Cuba. Eu desculpava essas fantasias. Sabia que nasciam da sua insegurança. Tinha sido contagiada pelos preconceitos sociais e raciais, tão fortes nos países sul-americanos. Por isso inventou essa biografia de menina aristocrata que nunca foi.

Às vezes eu tinha a impressão de que *monsieur* Arnoux se esquecia de mim. Seu olhar se perdia em algum ponto do vazio e baixava tanto a voz que suas palavras se transformavam num sussurro inaudível. Outras vezes, voltando a si, olhava-me com desconfiança e ódio e tentava me forçar a dizer se eu sabia que ela tinha um amante. Eu era conterrâneo e amigo dela, não teria feito confidências alguma vez?

— Jamais me disse uma palavra sobre isso. Eu nunca suspeitei. Pensava que vocês se davam muito bem, que eram felizes.

— Eu também pensava — murmurou, cabisbaixo. Pediu outra garrafa de vinho. E acrescentou, com o olhar opaco e a voz azeda: — Ela não tinha necessidade de me fazer o que fez. Foi feio, foi sujo, foi desleal agir assim comigo. Eu lhe dei meu nome, fiz de tudo para vê-la feliz. Arrisquei minha carreira para tirá-la de Cuba. Foi uma verdadeira via-crúcis. A deslealdade não pode chegar a esse extremo. Tanto cálculo, tanta hipocrisia, é desumano.

Calou-se de repente. Movia os lábios sem emitir um som, e seu bigodinho quadriculado se torcia e se esticava. Tinha o copo vazio nas mãos e o espremia como se quisesse estilhaçá-lo. Seus olhinhos estavam injetados e úmidos.

Eu não sabia o que dizer, qualquer frase de consolo sairia falsa e ridícula. Mas, de repente, percebi que tanto desespero não se devia só ao abandono. Havia algo mais, que ele queria contar mas não lhe era fácil.

— As economias de toda a minha vida — sussurrou *monsieur* Arnoux, olhando-me de maneira acusadora, como se eu fosse o culpado por sua tragédia. — Você percebe? Sou um homem de idade, não estou em condições de refazer toda uma vida. Entende? Ela não apenas me traiu sabe-se lá com quem, algum gângster com quem deve ter planejado fazer essa malvadeza. Também sumiu com todo o dinheiro que tínhamos na Suíça. Eu lhe dei essa prova de confiança, sabe? Uma conta conjunta. Para o caso de sofrer um acidente, morrer de repente. Para que os impostos não levassem tudo o que eu tinha juntado, numa vida de trabalho e sacrifício. Vê que deslealdade, que baixeza? Foi à Suíça fazer um depósito e raspou tudo, tudo, e me deixou na ruína. *Chapeau, un coup de maître!* Ela sabia que eu não podia denunciá-la sem me delatar, sem destruir a minha reputação e o meu emprego. Sabia que se a denunciasse eu seria o mais prejudicado, por ter contas secretas, por sonegar impostos. Vê como foi bem planejado? Será possível, tanta crueldade com alguém que só lhe deu amor, devoção?

Ia e voltava ao mesmo assunto, fazendo alguns intervalos em que bebíamos vinho, calados, cada qual absorto em seus próprios pensamentos. Seria perverso me perguntar se ele estava mais magoado com o abandono ou com o roubo da conta secreta na Suíça? Sentia pena dele, e remorsos, dor na consciência, mas não sabia como consolá-lo. Então me limitava a intercalar frases breves, amistosas, de quando em quando. Na realidade, ele não queria conversar comigo. Tinha me convidado porque precisava de alguém que o ouvisse, precisava dizer em voz alta a alguma testemunha certas coisas que lhe queimavam o coração desde o desaparecimento da sua mulher.

— Desculpe, eu precisava desabafar — disse afinal, quando, após todos os comensais terem partido, ficamos sozinhos, observados com olhares ansiosos pelos garçons do Chez Eux. — Agradeço a sua paciência. Tomara que esta catarse me faça bem.

Eu lhe disse que dentro de um tempo tudo aquilo ficaria para trás, que não há mal que dure para sempre. E enquanto falava me senti completamente hipócrita, tão culpado como se tivesse planejado a fuga da ex-madame Arnoux e o saqueio de sua conta secreta.

— Se alguma vez a encontrar, diga isso a ela, por favor. Não precisava fazer assim. Eu lhe teria dado tudo. Queria meu dinheiro? Eu teria dado. Mas não assim, não assim.

Despedimo-nos na porta do restaurante, sob as luzes da Torre Eiffel. Foi a última vez que vi o maltratado *monsieur* Robert Arnoux.

A coluna Túpac Amaru do MIR comandada por Guillermo Lobatón durou uns cinco meses mais que aquela que tinha seu quartel-general em Mesa Pelada. Tal como fizera com Luis de la Puente, Paúl Escobar e os outros miristas que morreram no vale de La Convención, o Exército tampouco deu detalhes de como aniquilou todos os membros dessa guerrilha. Ao longo de todo o segundo semestre de 1965, ajudados pelos ashaninka do Gran Pajonal, Lobatón e seus companheiros escaparam da perseguição das forças especiais do Exército que se deslocavam em helicópteros e por terra e castigavam com ferocidade as aldeias indígenas que os escondiam e alimentavam. Afinal, com a coluna já dizimada, doze homens arrasados pelos mosquitos, o cansaço e as doenças caíram no dia 7 de janeiro de 1966, nas proximidades do rio Sotziqui. Morreram em combate ou foram capturados vivos e executados? Seus túmulos nunca apareceram. Segundo rumores impossíveis de verificar, Lobatón e seu subcomandante foram levados num helicóptero e jogados na selva para que os animais se encarregassem de seus cadáveres. A companheira francesa de Lobatón, Jacqueline, tentou ao longo de vários anos, com campanhas no Peru e no estrangeiro, que o governo revelasse onde estavam os túmulos dos combatentes dessa guerrilha efêmera, sem conseguir nada. Houve sobreviventes? Teriam uma vida clandestina naquele Peru convulsionado e dividido dos últimos tempos de Belaunde Terry? Enquanto eu me recompunha pouco a pouco do desaparecimento da menina má, acompanhava aqueles longínquos acontecimentos pelas cartas do tio Ataúlfo, cada vez mais pessimistas quanto à estabilidade da democracia no Peru. "Os mesmos militares que derrotaram a guerrilha agora estão se preparando para derrotar o Estado de Direito e dar outra quartelada", garantia.

Um belo dia, da maneira mais inesperada, dei de cara na Alemanha com um sobrevivente de Mesa Pelada: ninguém menos que Alfonso, o Espírita, aquele rapaz enviado a Paris por um grupo teosófico de Lima que o gordo Paúl arrancou dos espíritos e da ultratumba e transformou em guerrilheiro. Eu estava em Frankfurt, trabalhando numa reunião internacional sobre comunicações e, durante um intervalo, escapuli para fazer compras numa loja. Perto do caixa, alguém me segurou pelo braço. Eu o reconheci no ato. Naqueles quatro anos, tinha engordado e seu cabelo estava bem comprido — a nova moda na Europa —, mas sua cara branquela, de expressão reservada e um tanto triste, era a mesma. Estava na Alemanha havia alguns meses. Conseguira o *status* de refugiado político e morava com uma garota de Frankfurt que conhecera em Paris, nos tempos de Paúl. Fomos tomar um café na lanchonete da loja, povoada de senhoras com meninos gordinhos e de garçons turcos.

Alfonso, o Espírita, se salvara por milagre do ataque dos pelotões do Exército que arrasaram Mesa Pelada. Poucos dias antes, tinha sido enviado a Quillabamba por Luis de la Puente; as comunicações com as bases de apoio urbanas não estavam funcionando bem, e no acampamento não se tinha notícias de um grupo de cinco rapazes já treinados, cuja chegada estava prevista para semanas antes.

— A base de apoio cusquenha estava infiltrada — explicou, com a mesma calma de sempre. — Capturaram vários militantes e, na tortura, alguém falou. Foi assim que chegaram até Mesa Pelada. Na verdade, ainda não tínhamos começado as operações. Lobatón e Máximo Velando se adiantaram em relação aos planos, lá em Junín. E, depois de uma emboscada de Yahuarina em que morreram muitos policiais, jogaram o Exército em cima de nós. Em Cuzco, ainda não tínhamos começado a fazer nada. A ideia de De la Puente não era ficar no acampamento, e sim deslocar-se de um lado para o outro. "O foco guerrilheiro é um movimento perpétuo", como ensinava o Che. Mas não nos deram tempo, fomos cercados na zona de segurança.

O Espírita falava com uma curiosa distância em relação ao que dizia, como se aquilo houvesse acontecido séculos antes. Ele não sabia por que conjunção de circunstâncias não tinha caído nas prisões em série que desmantelaram as bases de apoio do MIR em Quillabamba e em Cuzco. Ficou escondido na casa de uma família cusquenha, que conhecia de antes, da sua seita teosófica. Foram muito solidários com ele, apesar do medo que sentiam. Depois de um par de meses, tiraram-no da cidade, escondido num caminhão cheio de mercadorias, e o deixaram em Puno. Dali, foi fácil atravessar para a Bolívia onde, após prolongadas negociações, conseguiu que a Alemanha Ocidental o recebesse como refugiado político.

— Conte do gordo Paúl lá em cima, em Mesa Pelada.

Ele se adaptara bem àquela vida e aos 3.800 metros de altura, pelo visto. Não perdeu o ânimo em momento algum, se bem que às vezes, nas marchas de exploração do território em torno do acampamento, seu corpanzil lhe pregava peças. Sobretudo quando era preciso subir montanhas ou descer precipícios sob chuvas torrenciais. Uma vez caiu numa encosta que era um lodaçal e rolou vinte, trinta metros. Os companheiros pensaram que tinha quebrado a cabeça, mas não, ele se levantou tranquilamente, coberto de lama da cabeça aos pés.

— Emagreceu bastante — acrescentou Alfonso. — Na manhã que me despedi dele, em Illarec ch'aska, estava quase tão magro como você. Falamos algumas vezes de você. "O que estará fazendo o nosso embaixador na Unesco?", dizia. "Terá publicado aquelas poesias que escreve escondido?". Nunca perdeu o bom humor. Sempre ganhava os concursos de piadas que fazíamos de noite, para espantar o tédio. A mulher e o filho dele estão morando agora em Cuba.

Gostaria de ter ficado mais tempo com Alfonso, o Espírita, mas precisava voltar para a reunião. Afinal nos despedimos com um abraço e lhe dei meu telefone dizendo que ligasse se passasse por Paris.

Pouco antes ou pouco depois dessa conversa, cumpriram-se as tenebrosas profecias do tio Ataúlfo. No 3 de outubro de 1968, os militares, encabeçados pelo general Juan Velasco Alvarado, deram o golpe que acabou com o regime democrático presidido por Belaunde Terry, este foi para o exílio e teve início uma nova ditadura militar no Peru, que duraria doze anos.

III. Retratista de cavalos na *swinging London*

Na segunda metade dos anos 1960, Londres substituiu Paris como a cidade das modas que, partindo da Europa, se espalhavam pelo mundo. A música substituiu os livros e as ideias como centro de atração para os jovens, principalmente a partir dos Beatles, mas também de Cliff Richard, Shadows, Rolling Stones com Mick Jagger e outras bandas e cantores ingleses, e dos *hippies* e a revolução psicodélica dos *flower children*. Assim como antes iam fazer a revolução em Paris, muitos latino-americanos emigraram para Londres e se alistaram nas hostes da *cannabis*, da música pop e da vida promíscua. Carnaby Street substituiu Saint Germain como umbigo do mundo. Em Londres nasceram a minissaia, os cabelos compridos e as roupas extravagantes que consagraram os musicais *Hair* e *Jesus Christ Superstar*, a popularização das drogas, a começar pela maconha indo até o ácido lisérgico, a fascinação pelo espiritualismo hindu, o budismo, a prática do amor livre, a saída do armário dos homossexuais e as campanhas de orgulho *gay*, assim como uma rejeição em bloco do *establishment* burguês, não em nome da revolução socialista, à qual os *hippies* eram indiferentes, mas sim de um pacifismo hedonista e anárquico, matizado pelo amor à natureza e aos animais e por uma renegação da moral tradicional. Os pontos de referência para os jovens rebeldes não eram mais os debates em *La Mutualité*, o *Nouveau Roman*, nem refinados compositores e intérpretes como Leo Ferré ou Georges Brassens e os cinemas de arte parisienses, e sim Trafalgar Square e os parques onde, liderados por Vanessa Redgrave e Tariq Ali, faziam manifestações contra a Guerra do Vietnã em meio a shows multitudinários dos grandes ídolos e baforadas de erva colombiana, e os pubs e discotecas eram os símbolos da nova cultura que mantinha milhões de jovens de ambos os sexos magnetizados por Londres. Aqueles anos também foram, na Inglaterra, de esplendor teatral, e a montagem da peça *Marat-Sade*, de Peter Weiss, dirigida em 1964 por Peter Brook, até então conhecido principalmente por suas revolucionárias encenações de Shakespeare, foi um acontecimento em toda a Europa. Nunca vi no palco nada que se gravasse com tanta força na minha memória.

Por uma dessas estranhas conjugações tramadas pelo acaso, acabei, nos últimos anos da década de 1960, passando muitas temporadas na Inglaterra e morando no coração da *swinging London*: no Earl's Court, uma região muito animada e cosmopolita de Kensington que, pela afluência de neozelandeses e australianos, era conhecida como Vale do Canguru (Kangaroo Valley). Justamente durante a aventura de maio de 1968, quando os jovens de Paris fecharam o Quartier Latin com barricadas e disseram que era preciso ser realista escolhendo o impossível, eu estava em Londres, onde, devido às greves que paralisaram as estações e aeroportos da França, fiquei encalhado por duas ou três semanas, sem saber como estava o meu apartamento na École Militaire.

Quando voltei a Paris comprovei que estava intacto, pois a revolução de maio de 1968, na realidade, não havia ultrapassado o perímetro do Quartier Latin e Saint Germain-des-Prés. Ao contrário do que muitos profetizaram naqueles dias de euforia, a coisa não teve maior transcendência política, exceto pelo fato de acelerar a queda de De Gaulle, inaugurando a breve era de cinco anos de Pompidou e revelando a existência de uma esquerda mais moderna que o Partido Comunista francês (*"la crapule stalinienne"*, na expressão de Cohn-Bendit, um dos líderes de 1968). Os costumes se tornaram mais livres, mas do ponto de vista cultural, com o desaparecimento de toda uma geração muito ilustre — Mauriac, Camus, Sartre, Aron, Merleau-Ponty, Malraux —, ocorreu nesses anos uma discreta retração cultural. Em vez de criadores, os *maîtres à penser* passaram a ser os críticos, estruturalistas primeiro, à maneira de Michel Foucault e Roland Barthes, e depois desconstrutivistas, tipo Gilles Deleuze e Jacques Derrida, de retóricas arrogantes e esotéricas, cada vez mais isolados em suas panelinhas de devotos e mais afastados do grande público, cuja vida cultural, em consequência dessa evolução, acabou se banalizando cada vez mais.

Foi uma época de muito trabalho para mim, embora, como diria a menina má, de progressos medíocres: passei de tradutor a intérprete. Como da primeira vez, preenchi o vazio do seu desaparecimento me esfalfando nas obrigações. Retomei as aulas de russo e de interpretação simultânea, e me dediquei com afinco a elas depois das horas de trabalho na Unesco. Passei dois verões na URSS, por dois meses cada vez, o primeiro em Moscou e o segundo em Leningrado, fazendo cursos intensivos, especiais para intérpretes de língua russa, em estabelecimentos universitários bastante desoladores, onde nos sentíamos como num internato de jesuítas.

Uns dois anos depois do meu último jantar com Robert Arnoux, tive uma relação sentimental um tanto apagada com Cécile, funcionária da Unesco, atraente e simpática, mas abstêmia, vegetariana e católica até não poder mais, com quem o entendimento só era perfeito quando fazíamos amor, pois em todo o resto éramos verdadeiros antípodas. Em certo momento chegamos a encarar a possibilidade de morar juntos, mas ficamos bastante assustados — principalmente eu — com essa perspectiva de coabitação, sendo tão diferentes e não havendo entre nós, no fundo, nem sombra de amor verdadeiro. Nossa relação murchou de tédio e um belo dia paramos de nos ver e de nos procurar.

Custei a conseguir meus primeiros contratos como intérprete, apesar de passar em todos os testes e obter os certificados correspondentes. Mas esse circuito era bem mais fechado que o dos tradutores, e as associações profissionais, umas verdadeiras máfias, só admitiam novos membros a conta-gotas. Afinal consegui, quando, além do inglês e do francês, pude incluir o russo entre os idiomas que vertia para o espanhol. Os contratos como intérprete me fizeram viajar muito pela Europa, e frequentemente ia a Londres, sobretudo para reuniões e seminários econômicos. Certo dia, em 1970, no consulado do Peru em Sloane Street aonde fui renovar meu passaporte, encontrei um amigo de infância e colega do Colégio Champagnat de Miraflores, que estava ali fazendo a mesma coisa: Juan Barreto.

Agora ele era um *hippie*, não do gênero maltrapilho, e sim elegante. Seus cabelos sedosos, já com alguns fios brancos, caíam soltos até os ombros, e usava uma barbinha um pouco rala que formava um cabresto bem cuidado em torno da boca. Eu me lembrava dele gordinho e baixo, mas agora me ultrapassava por alguns centímetros e estava magro feito um manequim. Usava calças de veludo cereja e umas sandálias que pareciam feitas de pergaminho em vez de couro, um blusão oriental de seda com figurinhas estampadas, verdadeira labareda de cor entre os dois batentes de um colete aberto e acampanado que me lembrou os trajes dos pastores turcomanos que vi num documentário sobre a Mesopotâmia no Palais de Chaillot, durante a série *Connaissance du Monde*, a que assistia todo mês.

Resolvemos tomar um café nos arredores do consulado, e a conversa foi tão amena que o convidei para almoçar num pub de Kensington Gardens. Ficamos mais de duas horas, ele falando, eu ouvindo e intercalando monossílabos.

Sua história era de romance. Eu lembrava que, nos últimos anos de colégio, Juan tinha começado a trabalhar como comentarista e locutor de futebol na rádio El Sol, e que eu e todos os seus colegas maristas lhe prevíamos um grande futuro como jornalista esportivo. "Mas, na verdade, aquilo era uma brincadeira de criança", disse ele, "minha verdadeira vocação sempre foi a pintura." Cursou a Escola de Belas-Artes em Lima e chegou a participar de uma coletiva no Instituto de Arte Contemporânea da rua Ocoña. Depois seu pai mandou-o fazer um curso de desenho e cor na St. Martin School of Arts em Londres. Assim que chegou, decidiu que aquela era a sua cidade ("Parecia que ela estava me esperando, meu irmão") e que nunca mais a deixaria. Quando disse ao pai que não queria voltar ao Peru, este cortou sua mesada. Começou então a levar uma existência paupérrima, de artista de rua, fazendo retratos de turistas na Leicester Square e nas portas da Harrods, ou pintando com giz o Parlamento, o Big Ben ou a Torre de Londres nas calçadas e depois passando o chapéu. Dormiu na YMCA e em *bed and breakfast* miseráveis e, como outros *drop outs*, foi se abrigar nas duras noites de inverno em asilos religiosos para frangalhos humanos e fez longas filas nas paróquias e instituições de beneficência que distribuíam um prato de sopa quente duas vezes por dia. Dormiu muitas noites à intempérie, nos parques ou, enrolado em papelões, em vestíbulos de lojas. "Cheguei a ficar desesperado, mas em todo esse tempo nunca me senti tão fodido a ponto de pedir ao meu pai uma passagem de volta ao Peru."

Apesar de sua insolvência, junto com outros *hippies* viajantes conseguiu chegar a Katmandu, onde descobriu que era mais difícil sobreviver sem dinheiro no espiritualizado Nepal que na Europa materialista. A solidariedade dos seus companheiros de errância foi decisiva para não morrer de fome nem de doença, porque na Índia pegou uma febre de Malta e por um triz não foi para o outro mundo. A garota e os dois garotos que viajavam com ele se alternaram ao seu lado enquanto convalescia num hospital imundo de Madras, onde os ratos passeavam entre os doentes deitados em esteiras.

— Eu já estava totalmente acostumado àquela vida de *tramp*, a sentir que minha casa era a rua, quando minha sorte mudou.

Ele estava fazendo retratos a carvão por duas libras esterlinas, na porta do Victoria & Albert Museum, em Brompton Road, quando, inesperadamente, uma senhora com luvas de gaze e empunhando uma sombrinha lhe pediu que retratasse a sua cachorrinha, uma King Charles de manchas brancas e marrons, escovada, lavada e penteada, com jeito de *lady*. A cachorrinha se chamava Esther. O desenho duplo que Juan fez dela, "de frente e de perfil", encantou a senhora. Quando quis pagar, descobriu que não tinha um centavo, porque tinham lhe roubado a bolsa ou então a esquecera em casa. "Não faz mal", disse Juan. "Foi uma honra trabalhar para uma modelo tão distinta." A senhora, confusa e cheia de gratidão, foi embora. Mas, depois de dar alguns passos, voltou e entregou um cartão a Juan. "Se passar por aqui alguma vez, bata na porta para cumprimentar sua nova amiga." Apontava para a cachorrinha.

Mrs. Stubard, enfermeira aposentada, viúva e sem filhos, transformou-se na fada madrinha cuja varinha mágica tirou Juan Barreto das ruas de Londres e, pouco a pouco, o limpou ("Uma das consequências de ser um *tramp* é que você nunca toma banho e nem sente que está fedendo"), alimentou, vestiu e, finalmente, introduziu-o no meio mais inglês dos ingleses: o mundo dos donos de estábulos, jóqueis, treinadores e frequentadores da hípica de Newmarket, onde nascem, crescem, morrem e são enterrados os cavalos de corrida mais famosos da Grã-Bretanha, e talvez do mundo.

Mrs. Stubard morava com a pequena Esther numa casinha de tijolos vermelhos com um pequeno jardim que ela mesma cuidava e mantinha primoroso, numa área tranquila e próspera de Saint John's Wood. Tinha herdado essa casa do marido, um pediatra que passou a vida nas enfermarias e consultórios do Charing Cross Hospital cuidando de crianças alheias, e que nunca pôde ter uma própria. Juan Barreto bateu na porta da viúva num dia em que sentia mais fome, solidão e angústia que de costume. Ela o reconheceu imediatamente.

— Vim saber como anda a minha amiga Esther. E, se não for muito abuso, pedir um pedaço de pão.

— Entre, artista — sorriu ela. — Não se importaria de sacudir um pouco essas sandálias imundas? E aproveite para lavar os pés na torneira do jardim.

"Mrs. Stubard era um anjo caído do céu", segundo Juan Barreto. "Tinha emoldurado meu desenho da cachorrinha e exposto na mesinha da sala. Estava lindo". Também fez Juan lavar as mãos com água e sabão ("Desde o primeiro momento adotou esse jeito de mamãe mandona que ainda tem comigo") e lhe deu uns sanduíches de tomate, queijo e pepino com uma xícara de chá. Ficaram conversando por um bom tempo, ela exigiu que Juan lhe contasse sua vida de cabo a rabo. Era lúcida e tinha avidez de saber tudo sobre o mundo, e insistia que Juan lhe descrevesse com todos os detalhes como eram, de onde saíam e que vida levavam os *hippies*.

"Parece incrível, mas quem ficou fascinado com a velhinha fui eu. Ia visitá-la não só para comer, mas também porque adorava ficar conversando com ela. Tinha um corpo de setenta, mas espírito de quinze. E, acredite, transformei-a numa *hippie*".

Juan ia toda semana à casinha de St. John's Wood, lavava e penteava Esther, ajudava Mrs. Stubard a podar e regar o jardim e, às vezes, ia fazer as compras com ela no vizinho mercado de Sainsbury. Os aburguesados moradores de St. John's Wood deviam ficar abismados com aquele assimétrico casal. Juan ajudava a cozinhar — ensinou-lhe as receitas peruanas de batata recheada, *ají* de galinha e *ceviche* —, lavava os pratos, e depois ficavam conversando e Juan lhe mostrava canções dos Beatles e dos Rolling Stones, contava mil e uma aventuras e peripécias dos garotos e garotas *hippies* que conheceu em suas peregrinações por Londres, a Índia e o Nepal. A curiosidade de Mrs. Stubard não se satisfez com as descrições de Juan sobre como a *cannabis* aguçava a lucidez e a sensibilidade, particularmente para a música. Afinal, vencendo seus preconceitos — ela era metodista praticante —, Mrs. Stubard deu dinheiro a Juan para experimentar maconha. "Era tão animada que, juro, seria capaz de engolir um comprimido de LSD se eu a incentivasse." A sessão de maconha teve como fundo musical a trilha sonora de *Yellow Submarine*, o filme dos Beatles que Mrs. Stubard e Juan foram ver de braços dados num cinema de estreias no Picadilly Circus. O meu amigo se preocupara com a possibilidade de que o barato fizesse mal à sua protetora e amiga, e de fato ela terminou se queixando de dor de cabeça e adormeceu de pernas para o ar no tapete da sala, depois de duas horas de uma excitação extraordinária, durante as quais falou feito um papagaio, soltou gargalhadas e deu passos de balé diante dos olhos estupefatos de Juan e Esther.

A relação se transformou em algo mais que amizade, num companheirismo cúmplice e fraterno, apesar das diferenças de idade, língua e procedência. "Eu sentia como se ela fosse minha mãe, minha irmã, minha grande amiga e meu anjo da guarda."

Como se não fossem suficientes os depoimentos de Juan sobre a subcultura *hippie*, Mrs. Stubard um dia sugeriu que ele convidasse dois ou três amigos para tomar um chá. Ele teve todo tipo de dúvidas. Não sabia que consequências poderia ter aquela tentativa de misturar água e azeite, mas afinal organizou a reunião. Selecionou três dentre suas amizades *hippies* mais apresentáveis e avisou-lhes que, se fizessem qualquer bobagem com Mrs. Stubard ou roubassem algo da casa, ele, contrariando sua vocação pacifista, iria esganá-los. As duas garotas e o rapaz — René, Jody e Aspern — vendiam incenso nas ruas de Earl's Court e umas bolsas de tricô em suposto estilo afegão. Comportaram-se mais ou menos bem e deram cabo da torta de morango com recheio de creme e dos docinhos que Mrs. Stubard ofereceu, mas quando acenderam um bastãozinho de incenso explicando à dona da casa que assim o ambiente se purificaria espiritualmente e o carma de cada um dos presentes se manifestaria melhor, Mrs. Stubard, que tinha um organismo alérgico a nuvens purificadoras, soltou umas ruidosas e incontroláveis rajadas de espirros que lhe avermelharam os olhos e o nariz e dispararam os latidos de Esther. Superado o incidente, a noitada continuou mais ou menos bem até que René, Jody e Aspern explicaram a Mrs. Stubard que formavam um triângulo amoroso e que fazer amor a três era cultuar a Santíssima Trindade — Deus Pai, Deus Filho e Espírito Santo — e uma forma mais decidida de pôr em prática o lema "Faça o amor, não faça a guerra", aprovado na última manifestação contra a Guerra do Vietnã em Trafalgar Square por ninguém menos que o filósofo e matemático Bertrand Russell. Para a moral metodista em que tinha sido educada, esse amor tripartido era coisa que Mrs. Stubard não havia imaginado nem em seu mais escabroso pesadelo. "A mandíbula da coitada ficou pendurada no ar, e ela passou o resto da tarde olhando para o trio que eu levei com um estupor catatônico. Depois me confessou, com um ar melancólico, que, por ter sido educada como eram educadas as inglesas da sua geração, viu-se privada de muitas coisas curiosas da vida. E contou que nunca tinha visto o marido nu, porque, do primeiro ao último dia, faziam amor no escuro."

De uma vez por semana, Juan passou a visitá-la duas, três, e finalmente foi morar com Mrs. Stubard, que lhe cedeu o quartinho que havia sido do seu falecido esposo, pois nos últimos anos dormiam em quartos separados. A convivência, ao contrário do que Juan temia, foi perfeita. A dona da casa não tentava se intrometer na vida de Juan, não lhe perguntava por que dormia fora algumas noites ou só chegava quando os vizinhos de St. John's Wood já saíam para o trabalho. Deu-lhe a chave da casa. "A única coisa de que ela fazia questão era que eu tomasse banho algumas vezes por semana", ria Juan. "Porque, acredite, quase três anos de vida *hippie* nas ruas tinham me desacostumado ao chuveiro. Na casa de Mrs. Stubard, pouco a pouco, fui redescobrindo a perversão miraflorense do banho diário."

Além de ajudá-la no jardim, na cozinha, passeando com Esther e levando o lixo para fora, Juan mantinha longas conversas familiares com Mrs. Stubard, cada qual com uma xícara de chá nas mãos e diante dos dois uma travessa de biscoitinhos de gengibre. Ele contava coisas do Peru e ela de uma Inglaterra que, da perspectiva da *swinging London*, parecia pré-histórica: meninos e meninas que ficavam até os dezesseis anos em internatos severos, e onde, exceto nos mal-afamados bairros do Soho, St. Pancras e East End, a vida terminava às nove da noite. A única diversão que Mrs. Stubard e o seu marido se permitiam era ir, de vez em quando, a algum concerto ou a uma ópera no Covent Garden.

Nas férias de verão, passavam uma semana em Bristol, na casa de uns cunhados, e outra nos lagos da Escócia, que o marido adorava. Mrs. Stubard nunca tinha saído da Inglaterra. Mas se interessava pelas coisas do mundo: lia *The Times* com atenção, começando pelo obituário, e ouvia no rádio as notícias da BBC à uma e às oito da noite. Nunca lhe passara pela cabeça comprar um aparelho de televisão, e raramente ia ao cinema. Mas tinha uma vitrola, na qual ouvia sinfonias de Mozart, Beethoven e Benjamin Britten.

Um dia, o seu sobrinho Charles, único parente próximo que lhe restava, veio tomar chá com ela. Era treinador de cavalos em Newmarket, um verdadeiro personagem, dizia a tia. E devia mesmo ser, a julgar pelo Jaguar vermelho que estacionou na porta da casa. Jovem e jovial, com cabelos louros e crespos e bochechas encarnadas, ficou admirado ao saber que na casa não havia uma única garrafa de *good Scotch* e que precisaria se contentar com uma taça do Moscatel doce que, depois do chá e dos indefectíveis sanduichinhos de pepino e da torta de queijo e limão, Mrs. Stubard serviu em sua homenagem. Foi muito cordial com Juan, mas teve dificuldade para situar no mundo o exótico país de onde o *hippie* da casa procedia — confundia o Peru com o México —, coisa de que ele mesmo se censurou, com espírito esportivo: "Vou comprar um mapa-múndi e um manual de geografia para não tornar a dar essa mancada de hoje". Ficou até o anoitecer, contando histórias dos puros-sangues que treinava em Newmarket para as corridas. E confessou que se tornara treinador porque não pôde ser jóquei, por causa de sua compleição robusta. "Ser jóquei exige muito sacrifício, mas é também a profissão mais bonita do mundo. Ganhar o Derby, vencer em Ascott, imaginem! Melhor do que ganhar o primeiro prêmio na loteria."

Antes de se despedir ficou olhando, com agrado, o desenho a carvão que Juan Barreto tinha feito de Esther. "Isto é uma obra de arte", decidiu. "Eu, no íntimo, ri dele e o tomei por um palerma", Juan Barreto se recriminava.

Algum tempo depois meu amigo recebeu um bilhete que, depois do encontro na rua com Mrs. Stubard e Esther, mudou definitivamente o rumo de sua vida. Será que o "artista" aceitaria pintar um retrato de Primrose, a égua estrela do estábulo de Mr. Patrick Chick, que ele treinava e cujo dono, feliz com as satisfações que ela lhe proporcionava nos hipódromos, queria eternizar num óleo? Oferecia duzentas libras se o retrato lhe agradasse; caso contrário, Juan poderia ficar com a tela e receberia cinquenta *pounds* pelo esforço. "Ainda sinto um zumbido no ouvido, da vertigem que tive ao ler aquelas palavras de Charles." Juan revirava os olhos com excitação retrospectiva.

Graças a Primrose, a Charles e a Mr. Chick, Juan Barreto deixou de ser um *hippie* insolvente e passou a ser um *hippie* de salão, pois seu talento para imortalizar em telas as potrancas, éguas, reprodutores e cavalos de corrida ("bichos sobre os quais eu era completamente ignorante") pouco a pouco foi lhe abrindo as portas das casas dos proprietários e criadores de cavalos de Newmarket. Mr. Chick aprovou o óleo de Primrose e deu ao maravilhado Juan Barreto as duzentas libras prometidas. A primeira coisa que Juan fez foi comprar para Mrs. Stubard um chapeuzinho de flores e um guarda-chuva combinando.

Já haviam passado quatro anos desde então. Juan não conseguia acreditar totalmente na sua fantástica mudança de sorte. Pintou pelo menos uma centena de óleos de cavalos e inúmeros desenhos, rascunhos, esboços a lápis e a carvão, e tinha tanto trabalho que os proprietários de estábulos em Newmarket precisavam esperar semanas para que ele atendesse seus pedidos. Comprou uma casinha de campo, no meio do caminho entre Cambridge e Newmarket, e um *pied-à-terre* em Earl's Court para suas temporadas em Londres. Todas as vezes que vinha à cidade, ia visitar sua fada madrinha e levar Esther para passear. Quando a cachorrinha morreu, ele e Mrs. Stubard a enterraram no jardim da casa.

Vi Juan Barreto várias vezes durante aquele ano, em todas as minhas idas a Londres, e hospedei-o por alguns dias no meu apartamento em Paris, durante umas férias que ele tirou para ver uma exposição no Grand Palais chamada "O século de Rembrandt". A moda *hippie* mal tinha chegado à França e as pessoas se viravam na rua para olhar Juan, devido à sua indumentária. Era uma excelente pessoa. Toda vez que eu ia trabalhar em Londres, avisava com antecedência e ele dava um jeito de vir de Newmarket e me proporcionar pelo menos uma noite de música pop e dissipação londrina. Graças a ele fiz coisas que nunca tinha feito, como passar noites inteiras em discotecas ou festas *hippies* onde o cheiro de erva impregnava o ar e eram servidos uns bolos de haxixe que levavam novatos como eu a fazer gelatinosas viagens suprassensíveis, às vezes divertidas e às vezes verdadeiros pesadelos.

O mais surpreendente — e agradável, por que não — para mim foi descobrir como era fácil nessas festas acariciar qualquer garota e fazer amor com ela. Só então descobri até que ponto se haviam ampliado os parâmetros morais em que eu tinha sido educado pela tia Alberta e que, de certa maneira, continuaram regulando mais ou menos a minha vida em Paris. As francesas tinham, no imaginário universal, a fama de ser livres, sem preconceitos e nada melindrosas na hora de ir para a cama com um homem, mas na verdade quem levou essa liberdade a um ponto sem precedentes foram as garotas e garotos da revolução *hippie* londrina que, ao menos no círculo de conhecidos de Juan Barreto, transavam com o desconhecido ou a desconhecida com quem tinham acabado de dançar e logo depois voltavam tranquilamente para continuar a festa e repetir o prato.

— A vida que você leva em Paris é uma vida de funcionário da Unesco, Ricardo — caçoava Juan —, a vida de um miraflorense puritano. Garanto que em muitos ambientes de Paris existe a mesma liberdade que aqui.

Certamente era verdade. Minha vida parisiense — minha vida, em geral — era bastante sóbria, mesmo nos períodos em que não tinha contratos de trabalho, quando eu quase sempre, em vez de cair na gandaia, aproveitava para aperfeiçoar meu russo com um professor particular porque, embora já conseguisse interpretar bem a língua de Tolstói e Dostoiévski, não me sentia tão seguro quanto com o inglês e o francês. Gostava muito da língua, e lia mais em russo que em qualquer outro idioma. Aqueles esporádicos fins de semana na Inglaterra, participando das noites de música pop, erva e sexo na *swinging London,* constituíram um desvio no que era antes (e continuaria sendo depois) uma vida muito austera. Mas nesses fins de semana londrinos, que eu me presenteava depois de terminar um contrato de trabalho, graças ao retratista de cavalos terminei fazendo coisas em que não me reconhecia: dançar descalço feito um doido, fumar maconha ou mascar sementes de peiote e, quase sempre, para arrematar essas noites agitadas, fazer amor, frequentemente nos lugares mais imprevisíveis, embaixo das mesas, em banheiros minúsculos, armários ou jardins, com alguma garota, às vezes muito nova, com quem mal trocava uma palavra e cujo nome não lembraria depois.

Juan insistiu muito, desde o nosso primeiro encontro, que eu ficasse no seu *pied-à-terre* em Earl's Court sempre que fosse a Londres. Ele o usava pouco, porque passava a maior parte do tempo em Newmarket transferindo equinos da realidade para as telas. Seria um favor se eu arejasse o apartamento de vez em quando. Se estivéssemos ao mesmo tempo em Londres, também não haveria problema porque ele podia dormir na casa de Mrs. Stubard — ainda tinha o seu quarto — ou, em último caso, instalar uma cama dobrável no único dormitório do *pied-à-terre*. Insistiu tanto que, afinal, aceitei. Como não admitiu que eu lhe pagasse um centavo de aluguel, sempre tentava compensar trazendo de Paris uma boa garrafa de Bordeaux, uns queijos *camembert* ou *brie* e umas latinhas de *pâté de foie* que faziam seus olhos brilharem. Juan agora era um *hippie* que não seguia dietas nem acreditava no vegetarianismo.

Eu adorei Earl's Court, fiquei apaixonado pela sua fauna. O bairro cheirava a juventude, música, vida sem antolhos nem cálculos, grandes doses de ingenuidade, vontade de aproveitar o dia, rejeição da moral e dos valores convencionais em busca de um prazer que excluía os velhos mitos burgueses da felicidade — o dinheiro, o poder, a família, a posição, o sucesso social — e se encontrava nas formas simples e passivas de existência: a música, os paraísos artificiais, a promiscuidade e um desinteresse absoluto por todos os outros problemas que atingiam a sociedade. Com seu hedonismo tranquilo, pacífico, os *hippies* não faziam mal a ninguém; tampouco se metiam a apóstolos, não queriam convencer nem recrutar a população com que tinham rompido para levar sua vida alternativa: só queriam que os deixassem em paz, absortos em seu egoísmo frugal e seu sonho psicodélico.

Eu sabia que nunca seria um deles porque, apesar de me considerar uma pessoa bastante livre de preconceitos, jamais me sentiria à vontade deixando crescer o cabelo até os ombros ou me vestindo com capas, colares e blusões furta-cor, nem participando de escaramuças sexuais coletivas. Mas tinha uma grande simpatia, e até uma inveja melancólica, por aqueles garotos e garotas, entregues sem a menor apreensão ao confuso idealismo que os guiava, sem imaginar os riscos que corriam com tudo aquilo.

Nessa época, mas não por muito tempo mais, os funcionários dos bancos, companhias de seguros e financeiras da City ainda usavam o tradicional traje de calça listrada, paletó preto, chapéu-coco e o infalível guarda-chuva preto no braço. Mas nas ruelas de Earl's Court, com casas de dois ou três andares e jardinzinhos na frente e nos fundos, as pessoas se vestiam como se fossem a um baile a fantasia, ou até esfarrapadas, muitas vezes descalças, porém com um aguçado senso estético, destacando o berrante, o exótico, o diferente, sempre com toques de traquinagem e bom humor. Eu era fascinado pela minha vizinha, Marina, uma colombiana que estudava dança em Londres. Tinha um hamster que fugia constantemente para o *pied-à-terre* de Juan e me dava tremendos sustos, porque gostava de subir na minha cama e se aboletar entre os lençóis. Marina, mesmo vivendo com dinheiro curto e certamente com muito pouca roupa, raramente se vestia duas vezes da mesma maneira: um dia aparecia com um enorme macacão de palhaço e um capuz na cabeça e no dia seguinte com uma minissaia que praticamente não deixava nenhum segredo do seu corpo entregue à fantasia dos passantes. Um dia encontrei-a na estação de Earl's Court andando em cima de umas pernas de pau e com a cara desfigurada pela Union Jack, a bandeira britânica, pintada de orelha a orelha.

Muitos *hippies*, talvez a maioria, vinham das classes média ou alta, e sua rebelião era familiar, dirigida contra a vida cheia de regras dos pais, contra tudo aquilo que consideravam a hipocrisia dos seus costumes puritanos e as fachadas sociais que disfarçavam seu egoísmo, espírito de isolamento e falta de imaginação. Eles eram extremamente simpáticos com seu pacifismo, seu naturismo, seu vegetarianismo, a esforçada busca de uma vida espiritual que desse transcendência à sua rejeição de um mundo materialista e corroído por preconceitos classistas, sociais e sexuais do qual não queriam nem saber. Mas tudo aquilo era anárquico, espontâneo, sem centro nem direção, sequer ideias, porque os *hippies* — pelo menos os que eu conheci e observei de perto —, embora se identificassem com a poesia dos *beatniks* — Allen Ginsberg recitou seus poemas, cantou e dançou música indiana em plena Trafalgar Square diante de milhares de jovens —, na verdade liam bem pouco ou não liam nada. Sua filosofia não se baseava no pensamento e na razão, mas sim nos sentimentos: no *feeling*.

Certa manhã, eu estava no *pied-à-terre* de Juan, dedicado à prosaica tarefa de passar umas camisas e cuecas que tinha acabado de lavar na Laundromat de Earl's Court, quando bateram na porta. Abri e me deparei com meia dúzia de garotos de cabeças raspadas, usando botas de soldado, calças curtas e casacos de couro estilo militar, alguns deles com cruzes e medalhas de guerra no peito. Perguntaram pelo pub Swag and Tails, que ficava na virada da esquina. Foram os primeiros *skinheads* que vi. Desde então, essas turmas começaram a aparecer de vez em quando no bairro, às vezes armados de porretes, e os benignos *hippies* que haviam estendido suas mantas na calçada para vender quinquilharias artesanais precisavam sair dali voando, alguns com os filhos nos braços, porque os *skinheads* tinham um ódio feroz deles. Não era ódio apenas ao seu modo de vida, mas também classista, porque esses valentões, brincando de ser os novos SS do século XX, vinham de setores operários e marginais e encarnavam seu próprio tipo de rebelião. Eles se tornaram tropas de choque de um partido minúsculo, The National Front, racista, que pedia a expulsão dos negros da Inglaterra. Seu ídolo era Enoch Powell, um parlamentar conservador que, num discurso que fez rebuliço, profetizou de maneira apocalíptica que "correriam rios de sangue na Grã-Bretanha" se a imigração não fosse reprimida. A aparição dos cabeças raspadas criou certa tensão e houve alguns atos de violência no bairro, mas isolados. Para mim, porém, todas aquelas curtas permanências em Earl's Court foram muito agradáveis. Até o tio Ataúlfo notou. Nós nos escrevíamos com certa frequência; eu lhe contava meus descobrimentos londrinos e ele se queixava dos desastres econômicos que a ditadura do general Velasco Alvarado estava começando a causar no Peru. Numa de suas cartas, disse: "Vejo que está passando muito bem em Londres, que essa cidade deixa você mais feliz".

O bairro tinha sido invadido por pequenos cafés e restaurantes vegetarianos e casas de chá onde se ofereciam todas as variedades da Índia, servidas por garotas e garotos *hippies* que preparavam eles mesmos essas perfumadas infusões, à vista do freguês. O desprezo dos *hippies* pelo mundo industrial os levou a ressuscitar o artesanato em todas as suas formas e a mitificar o trabalho manual: teciam bolsas, confeccionavam sandálias, brincos, colares, túnicas, turbantes, penduricalhos. Eu adorava me sentar nesses lugares e ler, como fazia nos bistrôs de Paris — como era diferente o ambiente em cada um deles —, principalmente numa garagem com quatro mesinhas onde trabalhava Annette, uma garota francesa com uma trança comprida e pés muito bonitos, com quem costumava ter longas conversas sobre as diferenças entre o ioga ássanas e o ioga pranaiama, de que ela parecia saber tudo e eu, nada.

O *pied-à-terre* de Juan era minúsculo, alegre e acolhedor. Ficava no térreo de uma casa de dois andares, dividida e subdividida em pequenos apartamentos, e consistia em um quarto, um banheirinho e um fogão embutido. O aposento era amplo, com duas janelas que lhe davam uma boa ventilação e uma excelente vista para Philbeach Gardens, uma ruela em forma de meia-lua, e para um jardim interno, que a falta de cuidado tinha transformado num bosque hirsuto. Durante algum tempo, nesse jardim houve uma barraca *sioux* onde morava um casal de *hippies* com duas crianças ainda engatinhando. Ela vinha ao *pied-à-terre* esquentar as mamadeiras e me ensinava uma forma de respiração prendendo o ar e passando-o por todo o corpo que, dizia muito séria, dissolvia todas as tendências belicosas do instinto humano.

Além da cama, o quarto tinha uma grande mesa cheia de objetos estranhos comprados por Juan Barreto em Portobello Road e, nas paredes, inúmeras gravuras, algumas imagens do Peru — o inevitável Machu Picchu em lugar privilegiado — e fotos de Juan com diversas pessoas e em lugares diferentes. Num monte de caixas, guardava livros e revistas. Viam-se também alguns livros numa estante, porém o que mais havia por ali eram discos: uma bela coleção de *rock and roll* e música pop, inglesa e americana, em volta de uma radiovitrola de primeira qualidade.

Um dia, eu estava olhando as fotografias de Juan pela terceira ou quarta vez — a mais divertida era uma cena, no paraíso equino de Newmarket, em que meu amigo aparecia montado num puro-sangue de magnífica silhueta e coroado com uma ferradura de flores de acanto, puxado pelas rédeas por um jóquei e um senhor elegante, sem dúvida o proprietário, ambos rindo do pobre cavaleiro que parecia bastante inseguro em cima daquele Pégaso —, e uma das fotos chamou minha atenção. Tirada no meio de uma festa, mostrava pessoas risonhas olhando para a câmera, três ou quatro casais, muito bem-vestidos e com taças nas mãos. O quê? Mera semelhança. Voltei a esquadrinhar a foto e descartei a ideia. Nesse mesmo dia regressei a Paris. Nos dois meses que passei longe de Londres, aquela suspeita ficou me rondando, até se tornar uma ideia fixa. Podia ser que a ex-chilenita, a ex-guerrilheira, a ex-madame Arnoux estivesse agora em New-market?, perguntei muitas vezes, acariciando entre os dedos a escova Guerlain que ela tinha deixado em meu apartamento no último dia que nos vimos e que eu conservava como amuleto. Muito improvável, muita coincidência, muito tudo. Mas eu não consegui arrancar a suspeita — a vontade — da cabeça. E comecei a contar os dias para que um novo contrato me levasse de volta ao *pied-à-terre* de Earl's Court.

— Você a conhece? — Juan se surpreendeu, quando afinal lhe mostrei a foto e pude perguntar. — É Mrs. Richardson, mulher desse sujeito tão *flamboyant* que está ali, meio escondido. De origem mexicana, acho. Fala um inglês muito engraçado, você morreria de rir. Tem certeza de que a conhece?

— Não, não é a pessoa que eu pensava.

Mas tinha absoluta certeza de que era ela. Aquela história do "inglês muito engraçado" e a origem "mexicana" me convenceram. Tinha de ser ela. E, embora eu me houvesse dito muitas vezes, nos quatro anos que transcorreram desde que ela sumiu de Paris, que era melhor assim, porque aquela peruanita aventureira já tinha causado confusões demais na minha vida, quando soube que ela havia reaparecido numa nova encarnação da sua flexível identidade, a apenas oitenta quilômetros de Londres, senti um desassossego, uma urgência irresistível de ir a Newmarket reencontrá-la. Passei muitas noites — Juan dormia na casa de Mrs. Stubard — totalmente em claro, num estado de ansiedade que fazia meu coração bater como numa taquicardia. Era possível que estivesse lá? Que aventuras, peripécias, temeridades a catapultaram até aquele enclave da sociedade mais exclusiva do mundo? Não tive coragem de fazer mais perguntas a Juan Barreto sobre Mrs. Richardson. Temia que, se confirmasse a identidade da nossa compatriota, ela se visse numa encrenca dos diabos. Se queria passar por mexicana em Newmarket, devia ser por algum motivo escuso. Maquinei uma estratégia sinuosa. De maneira indireta, sem voltar a mencionar a mulher da fotografia, eu tentaria fazer Juan levar-me para conhecer o tal éden da hípica. Naquela longa noite de palpitações, insônia e, mesmo, uma violenta ereção, cheguei, por um momento, a ter um ataque de ciúmes do meu amigo. Imaginei que o retratista equino não só pintava óleos em Newmarket mas também, em seus momentos de lazer, distraía as entediadas esposas dos donos de estábulos e, quem sabe, entre suas conquistas estaria Mrs. Richardson.

Por que Juan não tinha uma companheira estável, como tantos outros *hippies*? Nas festas a que ele me levava, quase sempre terminava desaparecendo com uma garota, às vezes até com duas. Mas, uma noite, fiquei bastante surpreso ao vê-lo acariciar e beijar na boca com grande ímpeto um rapazinho ruivo, magro feito um canudo, que apertava nos braços com uma fúria amorosa.

— Espero que não tenha ficado chocado com o que viu — disse mais tarde, um tanto constrangido.

Respondi que, aos meus trinta e cinco anos, nada mais me chocava no mundo, muito menos que seres humanos fizessem amor assim ou assado.

— Eu faço das duas maneiras, e desse jeito sou feliz, cara — confessou, relaxando. — Acho que gosto mais de garotas que de garotos, mas de qualquer maneira não me apaixonaria nem por um nem por outro. O segredo da felicidade, ou, pelo menos, da tranquilidade, é saber separar sexo e amor. E, se possível, eliminar da vida o amor romântico, que é o que faz sofrer. Assim se vive mais sossegado e se aproveita mais, pode crer.

Uma filosofia que a menina má teria assinado embaixo com todos os pontos e vírgulas, pois, sem dúvida, sempre a praticou. Acho que foi a única vez que falamos — ou melhor, ele falou — de coisas íntimas. Levava uma vida totalmente livre e promíscua mas, ao mesmo tempo, tinha conservado o prurido tão comum entre os peruanos de evitar as confidências de caráter sexual e tocar no assunto sempre de maneira velada e indireta. Nossas conversas versavam principalmente sobre o longínquo Peru, de onde nos chegavam notícias cada vez mais desastrosas sobre as grandes nacionalizações de fazendas e empresas decretadas pela ditadura militar do general Velasco que, cada dia mais desmoralizadas, segundo as cartas do meu tio Ataúlfo, iam nos fazer retroceder à Idade da Pedra. Dessa vez Juan me confessou também que, enquanto em Londres aproveitava todas as oportunidades para aplacar seus apetites ("Já percebi", brinquei), em Newmarket se comportava como um rapaz puro, apesar de não lhe faltarem oportunidades de diversão. Mas não queria, por causa de alguma história de cama, comprometer o ganha-pão que lhe dera uma segurança e uma renda que nunca imaginara conseguir. "Eu também tenho trinta e cinco anos e, você viu, essa idade, aqui em Earl's Court, é a velhice". Era verdade: a juventude física e mental dos habitantes desse bairro londrino às vezes me faziam sentir pré-histórico.

Exigiu um bom tempo e uma delicada teia de insinuações e perguntas aparentemente anódinas conseguir que Juan Barreto me levasse para conhecer Newmarket, o célebre lugar de Suffolk que encarnava desde meados do século XVIII a paixão inglesa pelos puros-sangues. Eu lhe fazia muitas perguntas. Como eram as pessoas de lá, e as casas onde moravam, seus ritos e tradições, as relações entre proprietários, jóqueis e treinadores. Em que consistiam os leilões na Tattersalls em que se pagavam somas extraordinárias pelos cavalos mais famosos, e como era possível que se leiloasse um cavalo por partes, como se fosse desmontável. Eu quase aplaudia tudo o que ele me contava — "que interessante, rapaz" —, fazendo cara de entusiasmo: "Que legal você conhecer por dentro um mundo assim, meu irmão".

Afinal, deu resultado. Haveria um leilão de cavalos como encerramento da temporada, e logo a seguir um criador italiano casado com uma inglesa, o signor Ariosti, oferecia um jantar em sua casa e convidou Juan. Meu amigo perguntou se podia levar um compatriota e ele disse que com todo prazer. Lembro como uma nebulosa daqueles dezessete dias que tive de esperar até a data marcada, com súbitos ataques de suor frio e exaltações de adolescente ao imaginar que ia ver a peruanita, e daquelas noites insones em que só fazia recriminar-me: eu era um imbecil reincidente por ainda estar apaixonado por uma doida, uma aventureira, uma mulherzinha sem escrúpulos com quem nenhum homem, e muito menos eu, poderia manter uma relação estável sem acabar sendo pisoteado. Mas nos intervalos desses solilóquios masoquistas surgiam outros, de alegria e encantamento: estaria muito mudada? Ainda tinha aquele jeitinho atrevido que tanto me atraía, ou havia sido domesticada e anulada por viver no mundo estratificado dos cavaleiros ingleses? Quando tomamos o trem para Newmarket — teríamos de fazer baldeação na estação de Cambridge —, fui assaltado pela ideia de que tudo aquilo não passava de uma elucubração fantasiosa e que a tal Mrs. Richardson era de fato, simplesmente, uma senhora de origem mexicana. "E vai ver que você passou todo este tempo tocando uma punheta mental, Ricardito".

A casa de campo de Juan Barreto a três quilômetros de Newmarket, toda de madeira e de um só andar, cercada de salgueiros e hortênsias, parecia mais um ateliê de artista que uma residência. Entulhada de latas de tinta, cavaletes, telas montadas em bastidores, cadernos de esboços e livros de arte, e também com muitos discos espalhados pelo chão, em torno de um fantástico equipamento de som. Juan tinha um Mini-Minor, que nunca levava para Londres, e nessa tarde fomos dar uma volta em seu pequeno veículo por toda Newmarket, a misteriosa cidade dispersa, que praticamente não tinha centro. Ele me levou para conhecer o pernóstico Jóquei Clube e o Museu de Horse Racing. A verdadeira cidade não consistia no punhado de casas ao redor da Newmarket High Street onde havia uma igreja, algumas lojas, uma ou outra lavanderia automática e uns poucos restaurantes, e sim nas belas residências espalhadas pela campina rasa, com seus estábulos, cavalariças e pistas de treino, que Juan ia apontando, citando seus donos e donas e me contando casos sobre eles. Eu apenas ouvia. Toda a minha atenção estava concentrada nas pessoas que cruzávamos pelo caminho, na esperança de que entre elas aparecesse de repente a silhueta feminina que eu procurava.

Não apareceu, nem nesse passeio nem no pequeno restaurante indiano onde Juan me levou naquela noite para comer um *curry tandoori*, tampouco no dia seguinte, no longo, interminável leilão de éguas e potrancas e cavalos de corrida e reprodutores em Tattersalls, realizado sob uma grande tenda de lona. Eu me chateei olimpicamente. Fiquei surpreso com o número de árabes que vi, alguns de *chilaba*, disputando lance por lance e pagando às vezes somas astronômicas, que eu jamais imaginei que pudessem ser pagas por um quadrúpede. Nenhuma das muitas pessoas que Juan me apresentou durante o leilão e nos intervalos, em que todos tomavam champanhe e comiam arenque e conserva de cenoura e pepino em copos e pratos de papelão, pronunciou o nome que eu esperava: Mr. David Richardson.

Mas nessa mesma noite, assim que entramos na suntuosa mansão do signor Ariosti, senti que minha garganta ficava seca de repente e me doíam as unhas das mãos e dos pés. Lá estava ela, a menos de dez metros, sentada no braço de um sofá com uma taça na mão. Olhou para mim como se nunca me tivesse visto na vida. Antes que eu pudesse lhe dirigir a palavra ou me aproximar para beijar seu rosto, estendeu uma mão desinteressada e me cumprimentou em inglês como um perfeito estrangeiro: "*How do you do?*". E, sem me dar tempo de responder, virou as costas e mergulhou de novo no bate-papo com as pessoas que estavam à sua volta. Logo depois a ouvi contar, com o mais absoluto descaramento e num inglês aproximado porém muito expressivo, que quando era criança seu pai a levava todas as semanas à Cidade do México, para assistir a um concerto ou uma ópera. Assim lhe inculcou uma paixão precoce pela música clássica.

Não havia mudado muito naqueles quatro anos. Tinha o mesmo porte esbelto, bem formado, com cintura estreita, pernas magrinhas mas bem torneadas e tornozelos finos e quebradiços de boneca. Parecia mais segura de si mesma e mais desembaraçada que antes, e balançava a cabeça ao final de cada frase com uma displicência estudada. Tinha clareado um pouco o cabelo, agora mais comprido que em Paris e com umas ondas que eu não recordava; sua maquiagem era mais simples e natural que o estilo carregado de madame Arnoux. Estava com uma saia bastante curta, bem na moda, com os joelhos à mostra e uma blusinha decotada que exibia seus belos ombros lisos e sedosos e destacava seu pescoço, gracioso pistilo rodeado por uma correntinha de prata com uma pedra preciosa, uma safira talvez, que com o movimento balançava travessa sobre a abertura onde assomavam seus seios empinadinhos. Divisei uma aliança no anular da sua mão esquerda, à maneira protestante. Teria se convertido à religião anglicana, também? Mr. Richardson, a quem Juan me apresentou na sala contígua, era um sessentão exuberante, com uma camisa amarelo-elétrico e um lenço da mesma cor que se derramava sobre seu elegantíssimo terno azul. Ébrio e eufórico, contava piadas sobre suas aventuras no Japão que divertiam muito o círculo de convidados que o rodeava, ao mesmo tempo que ia enchendo as taças com uma garrafa de Dom Perignon que aparecia e reaparecia em suas mãos por artes de mágica. Juan me contou que ele era um homem muito rico e passava parte do ano fazendo negócios na Ásia, mas que o centro de sua vida era a paixão aristocrática por excelência: os cavalos.

A centena de pessoas que se espalhavam pelos aposentos e a varanda da casa, diante da qual se abria um vasto jardim com uma piscina de azulejos iluminada, correspondia mais ou menos ao que Juan Barreto descrevera: um mundo muito inglês, que havia integrado alguns forasteiros, como o dono da casa, o signor Ariosti, ou minha exótica compatriota disfarçada de mexicana, Mrs. Richardson. Todo mundo estava bastante bêbado, e todos pareciam se conhecer bem e comunicar-se numa linguagem cifrada cujo tema recorrente era a equitação. Em dado momento, quando consegui me sentar no grupo que rodeava Mrs. Richardson, entendi que várias daquelas pessoas, entre as quais a menina má e seu marido, tinham ido pouco antes a Dubai, no avião particular de um xeque árabe, para a inauguração de um hipódromo. Foram tratados como reis. Essa história de que os muçulmanos não bebem álcool, diziam, deve ser verdade para os muçulmanos pobres, mas os outros, os equitadores de Dubai por exemplo, bebem e recebem seus hóspedes com os vinhos e o champanhe mais refinados da França.

Apesar dos meus esforços, não consegui trocar uma palavra com Mrs. Richardson no decorrer daquela longa noite. Cada vez que, mantendo as aparências, eu me aproximava dela, imediatamente se afastava com o pretexto de cumprimentar alguém, ir ao bufê ou ao bar, ou então começava a cochichar com uma amiga. Tampouco consegui trocar um olhar com ela. Embora estivesse, sem a menor dúvida, perfeitamente consciente de que eu a perseguia com a vista o tempo todo, ela jamais ficava de frente para mim; pelo contrário, sempre dava um jeito de me oferecer as costas ou o perfil. Era verdade o que Juan Barreto me havia dito: seu inglês era primário e às vezes incompreensível, cheio de incorreções, mas ela falava com tanto frescor e convicção, e com um sotaque latino-americano tão simpático, que acabava ficando gracioso, além de expressivo. Para preencher os vazios, acompanhava suas palavras com uma gesticulação incessante e uma série de trejeitos e expressões que eram um verdadeiro espetáculo de coquetismo.

Charles, o sobrinho de Mrs. Stubard, era um rapaz encantador. Contou-me que por culpa de Juan tinha começado a ler uns livros de viajantes ingleses ao Peru, e que estava planejando passar as férias em Cuzco e fazer *trekking* até Machu Picchu. Pretendia convencer Juan a acompanhá-lo. Se eu quisesse me incorporar à aventura, *welcome*.

Por volta das duas da manhã, quando as pessoas começavam a se despedir do signor Ariosti, num súbito impulso, certamente incitado pelas numerosas taças de champanhe que já tinha consumido, eu me afastei de um casal que me indagava sobre as minhas experiências como intérprete profissional, driblei meu amigo Juan Barreto que pela quarta ou quinta vez naquela noite queria me arrastar até uma saleta, para admirar o retrato de corpo inteiro que havia pintado de Belicoso, uma das estrelas do estábulo do dono da casa, e cruzei o salão em direção ao grupo em que estava Mrs. Richardson. Segurei-a com força pelo braço, sorrindo, e a obriguei a afastar-se das pessoas que a rodeavam. Olhou-me com uma expressão de desagrado que lhe torceu a boca e a ouvi dizer os primeiros palavrões desde que a conheci:

— Solte-me, *fucking beast* — murmurou, entre dentes.
— Solte-me, você vai me criar um problemão.

— Se não me telefonar, eu conto a Mr. Richardson que você é casada na França e procurada pela polícia da Suíça por ter limpado a conta secreta de *monsieur* Arnoux.

E deixei na sua mão um papelzinho com o telefone do *pied-à-terre* de Juan em Earl's Court. Após um instante de espanto e mudez — sua carinha chegou a fazer um espasmo —, deu uma gargalhada, arregalando os olhos:

— *Oh, my God! You are learning*, bom menino — exclamou, repondo-se da surpresa, num tom de aprovação profissional.

Deu meia-volta e regressou para o grupinho do qual eu a havia tirado.

Eu tinha certeza de que não me ligaria. Era uma testemunha incômoda de um passado que ela queria apagar a qualquer custo, caso contrário não teria agido como agiu a noite toda, evitando-me daquela maneira. Entretanto, telefonou para Earl's Court dois dias depois, bem cedo. Quase não pudemos conversar porque ela, como estava acostumada a fazer, limitou-se a me dar ordens:

— Espero você amanhã às três, no Russell Hotel. Conhece? Na Russell Square, perto do Museu Britânico. Pontualidade britânica, por favor.

Cheguei com meia hora de antecedência. Minhas mãos suavam, eu respirava com dificuldade. O lugar não podia ter sido mais bem escolhido. O velho hotel *belle époque*, com sua fachada e longos corredores estilo *pompier* oriental, parecia semivazio, e mais vazio ainda o bar de teto altíssimo e paredes revestidas de madeira, com mesinhas bem separadas e, algumas, escondidas entre tabiques e tapetes grossos que abafavam as pisadas e as conversas. Atrás do balcão, um garçom solitário folheava o *Evening Standard*.

Ela chegou alguns minutos atrasada, com um *tailleur* violeta de camurça, sapatos e bolsa de crocodilo preto, um colar de pérolas de uma volta e, no dedo, um solitário que cintilava. No braço, uma capa cinza e um guarda-chuva do mesmo tecido e da mesma cor. Como tinha progredido a camarada Arlette! Sem me cumprimentar, nem sorrir, nem dar a mão, ela se sentou à minha frente, cruzou as pernas e começou a me recriminar:

— Na outra noite, você fez uma estupidez que eu não perdoo. Não devia ter me dirigido a palavra, não devia ter me segurado pelo braço, não devia ter falado comigo como se me conhecesse. Você podia me comprometer, não entende que precisa disfarçar? Onde está sua cabeça, Ricardito?

Era ela, sem tirar nem pôr. Não nos víamos há quatro anos, e nem passou pela sua cabeça perguntar como eu estava, o que tinha feito em todo esse tempo, dar ao menos um sorriso ou dizer uma palavra simpática sobre o reencontro. Foi direto ao que lhe interessava, sem perder tempo com mais nada.

— Você está linda — disse eu, falando com certa dificuldade por causa da emoção. — Ainda mais bonita que há quatro anos, quando se chamava madame Arnoux. Só por isso eu desculpo os insultos da outra noite e essas bobagens de agora, só porque está tão linda. Além disso, se interessa saber, sim, continuo apaixonado por você. Apesar de tudo. Doido por você. Mais do que nunca. Lembra da escova que me deixou de lembrança na última vez que nos vimos? É esta. Desde então ela está sempre comigo, no bolso. Eu me tornei um fetichista, por você. Obrigado por estar tão bonita, chilenita.

Não riu, mas nos seus olhos cor de mel escuro havia brotado a luzinha irônica de outros tempos. Pegou a escova, examinou-a e me devolveu, murmurando: "Não sei do que você está falando". Deixava que eu a contemplasse, sem o menor constrangimento, ao mesmo tempo que me observava e me estudava. Meus olhos a percorriam devagar, de cima para baixo, de baixo para cima, detendo-se nos joelhos, no pescoço, em suas orelhinhas meio encobertas por mechas de um cabelo agora claro, nas suas mãos bem cuidadas, de unhas compridas pintadas com esmalte transparente, e em seu nariz que parecia mais esguio. Deixou que eu segurasse suas mãos e as beijasse, mas, com sua velha indiferença, não fez o menor gesto de reciprocidade.

— Era a sério sua ameaça da outra noite? — perguntou, afinal.

— Totalmente a sério — disse, beijando-lhe dedo por dedo, as juntas, o dorso, a palma de cada mão. — Com o passar dos anos, eu me tornei igual a você. Para conseguir o que se quer, vale tudo. São palavras suas, menina má. E, como você sabe perfeitamente, a única coisa que quero de verdade neste mundo é você.

Passou a mão pela minha cabeça, despenteando-me, num quase carinho um tanto compassivo que já me fizera outras vezes:

— Não, você não é capaz de fazer essas coisas — disse a meia-voz, como se lamentasse tal limitação da minha personalidade. — Mas, sim, deve ser mesmo verdade que ainda está apaixonado por mim.

Pediu chá com *scones* para os dois e me explicou que o marido era um homem muito ciumento e, pior, doente de ciúmes retrospectivos. Farejava em seu passado como um lobo faminto. Por isso, ela precisava ter muito cuidado. Se ele suspeitasse na outra noite que nós já nos conhecíamos, teria feito uma cena. Eu não cometera a imprudência de dizer a Juan Barreto quem era ela, certo?

— Não poderia dizer mesmo se quisesse — tranquilizei-a. — Porque, na verdade, ainda não tenho a menor ideia de quem você é.

Acabou rindo. Deixou que eu segurasse sua cabeça com as mãos e buscasse seus lábios. Embaixo dos meus, que a beijavam com avidez, com ternura, com todo o amor que eu sentia, eles permaneceram imutáveis.

— Desejo você — sussurrei-lhe no ouvido, mordiscando a ponta da orelha. — Você está mais bonita do que nunca, peruanita. Quero você, desejo você com toda a minha alma, com todo o meu corpo. Nesses quatro anos, não tenho feito outra coisa senão sonhar com você, amar e desejar você. E também amaldiçoar. Todo santo dia, toda noite, sem faltar um dia.

Pouco depois ela me afastou com as mãos.

— Você deve ser a última pessoa no mundo que ainda diz essas coisas às mulheres. — Sorria, divertida, olhando-me como se fosse um bicho estranho. — Que breguices você diz, Ricardito!

— O pior não é dizer. O pior é que as sinto. São verdade. Você me transformou num personagem de telenovela. Eu nunca disse essas coisas a ninguém.

— Ninguém pode nos ver assim, nunca — disse de repente, mudando de tom, agora muito séria. — A última coisa que quero é um ataque de ciúmes do meu insuportável marido. E agora preciso ir, Ricardito.

— Vou ter de esperar mais quatro anos para ver você?

— Na sexta-feira — definiu logo, com um risinho malicioso, passando outra vez a mão no meu cabelo. E, depois de uma pausa para criar efeito: — Aqui mesmo. Vou pedir um quarto em seu nome. Não se preocupe, coisinha à toa, que eu pago. Traga alguma bagagem, para disfarçar.

Respondi que tudo bem, mas que eu mesmo pagaria o quarto. Não pretendia trocar minha honesta profissão de intérprete pela de cafetão.

Soltou uma gargalhada, esta sim, espontânea:

— É claro! — exclamou. — Você é um cavalheiro miraflorense, e portanto não aceita dinheiro de mulher.

Pela terceira vez alisou o meu cabelo, e no movimento eu apanhei sua mão e a beijei.

— Pensou que eu ia transar com você naquele cubículo que o veado do Juan Barreto lhe emprestou, em Earl's Court? Você ainda não entendeu que agora eu estou *at the top*.

Segundos mais tarde já estava longe, depois de me dizer que não saísse do Russell Hotel em menos de quinze minutos, porque podia-se esperar qualquer coisa de David Richardson, até mesmo que mandasse um desses detetives especializados em adultério atrás dela toda vez que vinha a Londres.

Aguardei quinze minutos e depois, em vez de tomar o metrô, resolvi dar um longuíssimo passeio sob um céu pesado e rajadas de chuvisco miúdo. Fui até Trafalgar Square, cruzei o St. James Park, o Green Park, sentindo o cheiro da grama molhada e vendo pingar dos galhos dos volumosos carvalhos, desci quase toda a Brompton Road e uma hora e meia depois cheguei à meia-lua de Philbeach Gardens, cansado e feliz. A longa caminhada me havia serenado e agora me permitia pensar sem o tumulto de ideias e sensações caóticas em que vivia desde minha visita a Newmarket. Como era possível que revê-la, depois de tanto tempo, deixasse você transtornado desse jeito, Ricardito? Porque o que disse era verdade: eu continuava doido por ela. Foi só vê-la para reconhecer que, mesmo sabendo que qualquer relação com a menina má estava condenada ao fracasso, a única coisa que eu realmente desejava na vida, com a mesma paixão que outros dedicam a perseguir a fortuna, a glória, o sucesso ou o poder, era ela, com todas as suas mentiras, suas confusões, seu egoísmo e seus desaparecimentos. Uma breguice, sem dúvida, mas a verdade é que até a sexta-feira seguinte fiquei amaldiçoando a lentidão das horas que faltavam para o novo encontro.

Na sexta-feira, quando cheguei ao Russell Hotel com uma maleta na mão, o recepcionista, um indiano, confirmou que haviam reservado um quarto em meu nome para aquele dia. Já estava pago. Acrescentou que "minha secretária" tinha avisado que eu viria de Paris com certa frequência e que, nesse caso, o hotel me daria um desconto especial, como faz com os clientes fixos, "menos na alta estação". O quarto tinha vista para a Russell Square e parecia pequeno, embora não fosse, porque estava entulhado de objetos, mesinhas, abajures, bichinhos, gravuras, e uns quadros representando uns guerreiros mongóis de olhos arregalados, barbas torcidas e cimitarras curvas que pareciam prestes a pular em cima da cama com péssimas intenções.

A menina má chegou meia hora depois, com um casaco de couro bem justo, um chapeuzinho combinando e botas de cano até os joelhos. Além da bolsa, trazia uma pasta cheia de cadernos e livros dos cursos de arte moderna que, como me explicou depois, frequentava três vezes por semana no Christie's. Antes de olhar para mim, deu uma espiada no quarto e fez um pequeno gesto afirmativo, aprovando. Quando, por fim, dignou-se a me olhar, já estava nos meus braços e eu tinha começado a despi-la.

— Tome cuidado — instruiu. — Não vá amassar minha roupa.

Desnudei-a com todas as precauções do mundo, estudando, como objetos preciosos e únicos, as peças que tirava, beijando com devoção cada centímetro de pele que aparecia à minha vista, aspirando a aura suave, ligeiramente perfumada, que brotava do seu corpo. Agora tinha uma pequena cicatriz quase invisível perto da virilha, porque havia operado o apêndice, e o púbis parecia mais liso que antigamente. Sentia desejo, emoção, ternura, enquanto beijava o peito dos seus pés, suas axilas cheirosas, as vértebras insinuadas em suas costas e as nádegas empinadas, delicadas ao tato como veludo. Beijei seus seios miúdos, longamente, louco de felicidade.

— Espero que não tenha esquecido do que eu gosto, bom menino — sussurrou no meu ouvido, afinal.

E, sem esperar minha resposta, deitou-se totalmente de costas, abrindo as pernas para dar lugar à minha cabeça, enquanto cobria os olhos com o braço direito. Senti que começava a se afastar cada vez mais e melhor de mim, do Russell Hotel, de Londres, e a concentrar-se totalmente, com uma intensidade que eu nunca tinha visto em mulher alguma, nesse prazer solitário, pessoal, egoísta, que meus lábios haviam aprendido a lhe dar. Lambendo, sorvendo, beijando, mordiscando seu sexo pequenino, senti-a ficar úmida e começar a vibrar. Demorou muito para gozar. Mas era delicioso e arrebatador senti-la ronronando, balançando, mergulhada na vertigem do desejo, até que, por fim, um longo gemido estremeceu seu corpinho da cabeça aos pés. "Vamos, agora", sussurrou, sufocada. Entrei nela com facilidade e a apertei com tanta força que saiu da inércia em que o orgasmo a deixara. Reclamou, contorcendo-se, tentando se livrar do meu corpo e gemendo: "Você está me esmagando".

Com a boca colada na sua, pedi:

— Por uma vez na vida, diga que me ama, menina má. Mesmo que não seja verdade, diga que me ama. Quero saber como soa, pelo menos uma vez.

Depois, quando acabamos de fazer amor, nus sobre a colcha amarela, ameaçados pelos ferozes guerreiros mongóis, estávamos conversando e eu acariciava seus seios, sua cintura, beijava a cicatriz quase invisível e brincava com seu abdômen liso, encostando a orelha no umbigo e ouvindo os rumores profundos do seu corpo, perguntei por que não tinha atendido ao meu desejo, dizendo uma pequena mentira no meu ouvido. Não falou isso tantas vezes, para tantos?

— Justamente — respondeu no ato, sem piedade. — Eu nunca disse "gosto de você", "amo você" sentindo de verdade. A ninguém. Só disse essas coisas de mentira. Porque eu nunca amei ninguém, Ricardito. Menti para todos, sempre. Acho que o único homem a quem nunca menti na cama foi você.

— Puxa, vindo de você, isso é uma verdadeira declaração de amor.

E afinal, será que tinha conseguido o que tanto buscava, agora que estava casada com um homem rico e poderoso?

Uma sombra velou seus olhos, a voz saiu embargada:

— Mais ou menos. Porque agora tenho segurança e posso comprar o que quiser, mas sou obrigada a morar em Newmarket e passar a vida falando de cavalos.

Falava com uma amargura que parecia sair do fundo da sua alma. E então, de repente, desabafou comigo de maneira inesperada, como se não pudesse mais guardar tudo aquilo dentro de si. Odiava cavalos com todas as suas forças, e também odiava todas as amizades e conhecidos de Newmarket, proprietários, treinadores, jóqueis, empregados, palafreneiros, cães e gatos e todas as pessoas que direta ou indiretamente tivessem a ver com os equinos, esses monstrengos desgraçados que, ainda por cima, eram o único assunto e preocupação exclusiva daquela gente horrível com quem convivia. Não apenas nos hipódromos, nas pistas de treinamento, nos estábulos, mas também nos jantares, nas recepções, nos casamentos, nos aniversários e nos encontros casuais, as pessoas de Newmarket só falavam das doenças, acidentes, aprontos, façanhas ou desgraças dos horríveis quadrúpedes. Aquela vida estava azedando seus dias, e até suas noites, porque ultimamente tinha pesadelos com os cavalos de Newmarket. E, embora não o mencionasse, era fácil adivinhar que seu marido tampouco estava livre do seu ódio incomensurável por cavalos e por Newmarket. Mr. David Richardson, preocupado com as angústias e depressões de sua esposa, poucos meses antes lhe dera permissão para vir a Londres — cidade que a fauna de Newmarket detestava e onde raramente punha os pés — fazer cursos de história da arte na Christie's e na Sotheby's, aulas de arranjos florais na Out of the Bloom, em Camden, e até praticar ioga e meditação transcendental num *ashram* de Chelsea, para atenuar um pouco os danos psicológicos que a equitação lhe causava.

— Puxa, menina má — cacoei, adorando ouvir aquilo. — Afinal você descobriu que o dinheiro nem sempre traz a felicidade? Posso ter esperanças, então, de que um dia desses você dispense Mr. Richardson e se case comigo? Paris é bem mais divertida que o inferno cavalar de Suffolk, você sabe.

Mas ela não estava com disposição para brincadeiras. Sua ojeriza por Newmarket era ainda mais grave do que me pareceu dessa vez, um verdadeiro trauma. Creio que nem uma única tarde, das muitas que passamos juntos fazendo amor, ao longo dos dois anos seguintes, nos diferentes quartos do Russell Hotel — cheguei a ter a impressão de que conhecia todos eles de cor e salteado —, a menina má deixou de desabafar comigo, esbravejando contra os cavalos e as pessoas de Newmarket, cuja vida achava monótona, estúpida, a mais idiota do mundo. Mas por quê, se era tão infeliz com a existência que levava, não acabava com aquilo? O que estava esperando para separar-se de David Richardson, um homem com quem evidentemente não se havia casado por amor?

— Não tenho coragem de pedir o divórcio — reconheceu, uma tarde. — Não sei o que vai acontecer comigo.

— Não vai acontecer nada. Você está casada legalmente, não é mesmo? Aqui os casais se descasam sem nenhum problema.

— Não sei — disse, avançando nas confidências um pouco mais que de costume. — Nós nos casamos em Gibraltar, e não tenho certeza de que meu casamento seja válido aqui. Nem sei como averiguar isso sem que o David descubra. Você não conhece os ricos, bom menino. E muito menos o David. Para se casar comigo, ele tramou um divórcio com seus advogados que deixou a primeira mulher praticamente na rua. Não quero que aconteça a mesma coisa comigo. Ele tem os melhores advogados, as melhores relações. E eu, na Inglaterra, não sou ninguém, uma pobre *shit*.

Nunca pude saber como ela o havia conhecido, quando e de que maneira surgiu esse romance com David Richardson que a catapultou de Paris a Newmarket. Era evidente que tinha feito um cálculo errado ao pensar que, com essa conquista, conquistaria também a liberdade ilimitada que ela associava com a fortuna. Não apenas não estava feliz; era visível que fora mais feliz como esposa do funcionário francês que abandonou. Quando, outra tarde, ela mesma falou de Robert Arnoux e me exigiu que descrevesse com todos os detalhes a conversa que tivemos na noite em que ele me convidou para jantar no Chez Eux, eu lhe contei tudo, sem omitir nada, inclusive que o seu ex-marido ficou com os olhos rasos d'água ao me dizer que ela fugira com todas as economias que tinham numa conta conjunta de um banco suíço.

— Como bom francês, a única coisa que lhe doeu foi o dinheiro — comentou, sem ficar nem um pouquinho impressionada. — As economias! Três tostões ridículos que não deram nem para me sustentar durante um ano. Ele me usava para tirar dinheiro da França ilegalmente. E não era só dinheiro dele, mas também dos amigos. Eu podia ter sido presa se me pegassem. Além do mais, era um pão-duro, a pior coisa que alguém pode ser na vida.

— Já que você é tão fria e perversa, por que não mata David Richardson, menina má? Assim evita o risco do divórcio e herda a sua fortuna.

— Porque não conseguiria fazer isso sem me apanharem — respondeu, sem sorrir. — Você tem coragem? Eu lhe dou dez por cento da herança. É muito, muito dinheiro.

Era brincadeira, mas eu não consegui evitar um calafrio ouvindo-a falar essas barbaridades com tanta desenvoltura. Ela não era mais aquela garotinha vulnerável que, superando mil ameaças, tinha sobrevivido graças a uma audácia e uma determinação pouco comuns; agora era uma mulher feita, convencida de que a vida é uma selva onde só vencem os piores, disposta a tudo para não ser derrotada e continuar galgando posições. Disposta até a despachar o marido para o outro mundo e herdar seu dinheiro, se tivesse absoluta garantia de impunidade? "Claro", respondia, com aquele olharzinho zombeteiro e feroz, "Eu assusto você, bom menino?"

Só se divertia quando David Richardson a levava nas suas viagens de negócios à Ásia. Pelo que me contou, de maneira bastante vaga, seu marido era *broker*, um intermediário de diversas *commodities* que a Indonésia, Coreia, Taiwan, Tailândia e Japão exportavam para a Europa, e por isso fazia viagens frequentes para se reunir com os fornecedores desses países. Nem sempre viajava com ele; nessas ocasiões, tinha uma enorme sensação de liberdade. Seul, Bangkok, Tóquio eram suas compensações por suportar Newmarket. Enquanto ele ia aos seus jantares e reuniões de negócios, ela fazia turismo, visitava templos e museus e comprava roupa ou coisas para a casa. Por exemplo, tinha uma coleção maravilhosa de quimonos japoneses e uma grande variedade de bonecos invertebrados do teatro balinês. Será que alguma vez, quando seu marido estivesse viajando, ela me deixaria ir a New-market dar uma olhada na sua casa? Não, nunca. Eu jamais devia aparecer por lá, mesmo que Juan Barreto me convidasse de novo. Exceto, é claro, se eu decidisse levar a sério sua proposta homicida.

Durante dois anos, passei longas temporadas na *swinging London*, dormindo no *pied-à-terre* de Juan Barreto em Earl's Court e vendo a menina má uma ou duas vezes por semana. Foram os anos mais felizes da minha vida até então. Ganhava menos dinheiro como intérprete porque, para ir a Londres, recusei muitos contratos em Paris e outras cidades europeias, incluindo Moscou, onde as reuniões e congressos internacionais se tornaram bem mais frequentes lá pelo final dos anos 1960 e começo dos 1970, e em contrapartida aceitei trabalhos bastante mal remunerados cujo único atrativo consistia em serem na Inglaterra. Mas por nada deste mundo eu trocaria a felicidade de chegar ao Russell Hotel, onde conhecia pelo nome todos os garçons e garçonetes, e esperar, em estado de transe, a chegada de

Mrs. Richardson. Ela sempre me surpreendia com um vestido, uma roupa de baixo, um perfume ou um sapato novos. Uma tarde, como eu lhe havia pedido, trouxe vários quimonos da sua coleção numa sacola e fez uma exibição, andando e se movendo pelo quarto, com os pezinhos bem juntos e o sorriso estereotipado de uma gueixa. Eu sempre notei em seu corpo miúdo e no reflexo ligeiramente esverdeado de sua pele um toque oriental, herança de algum ancestral desconhecido, que nessa tarde ficou mais evidente que nunca.

Fazíamos amor, conversávamos nus enquanto eu brincava com seu cabelo e seu corpo e algumas vezes, quando o tempo permitia, dávamos um passeio por algum parque antes de voltar para Newmarket. Quando chovia, entrávamos num cinema e assistíamos ao filme de mãos dadas. Outras vezes íamos tomar chá com os *scones* que ela adorava no Fortnum and Mason, e um dia fomos ao célebre e opulento chá do Hotel Ritz, mas não voltamos porque na saída ela vislumbrou um casal de Newmarket numa mesa. Vi como empalideceu. Naqueles dois anos me convenci de que, pelo menos para mim, não era verdade que o amor se empobrecesse ou desaparecesse com o uso. O meu crescia a cada dia. Eu estudava minuciosamente as galerias, museus, cinemas de arte, exposições, os itinerários recomendados — como os pubs mais antigos da cidade, as feiras de antiquários, os cenários dos romances de Dickens — para sugerir passeios que fossem diverti-la, e também sempre a surpreendia com algum presentinho de Paris, que, senão pelo preço, pudesse impressioná-la pela originalidade. Às vezes, satisfeita com o presente, dizia "Você merece um beijinho" e juntava os nossos lábios por um segundo. Encostados nos meus, quietos, seus lábios se deixavam beijar sem responder.

Será que ela chegou a me amar um pouco naqueles dois anos? Nunca disse isso, naturalmente, porque seria uma demonstração de fraqueza que ela jamais se perdoaria, nem me perdoaria. Mas creio que chegou a se acostumar à minha devoção, a sentir-se adulada pelo amor que eu despejava sobre ela com fartura, mais do que se atrevia a confessar a si mesma. Gostava que eu a fizesse gozar com a boca e, depois de ter chegado ao orgasmo, que a penetrasse e "a irrigasse". E também que lhe dissesse de todas as formas possíveis e imagináveis que a amava. "Que breguices vai me dizer hoje?", era como me cumprimentava muitas vezes.

— Que a coisa mais excitante em você, depois desse clitóris pequenininho, é o seu pomo de adão. Quando sobe, mas principalmente quando desce dançando pela sua garganta.

Quando conseguia fazê-la rir, eu me sentia pleno, como na infância, depois da boa ação que os irmãos do Colégio Champagnat de Miraflores nos recomendavam praticar diariamente para santificar o dia. Uma tarde tivemos um curioso incidente, que deixou suas marcas. Eu estava trabalhando em um evento organizado pela British Petroleum, num auditório de Uxbridge, nos subúrbios de Londres, e não pude sair para me encontrar com ela — eu pedira autorização para me ausentar à tarde — porque o colega que ia me substituir adoeceu. Telefonei para o Russell Hotel, pedindo milhões de desculpas. Ela desligou sem me responder nada. Tornei a ligar, e não estava mais no quarto.

Na sexta-feira seguinte — nós nos encontrávamos geralmente às quartas e sextas-feiras, dias de suas supostas aulas de arte na Christie's —, ela me fez esperar mais de duas horas, sem telefonar para explicar a demora. Apareceu, por fim, de cara amarrada, quando eu já pensava que não viria mais.

— Não podia me ligar? — protestei. — Você me deixou com os nervos...

Não pude prosseguir porque uma bofetada, dada com todas as suas forças, fechou a minha boca.

— Você não pode me dar bolo, seu coisinha à toa — vibrava de indignação e falava com a voz alterada. — Quando tiver um encontro comigo, você...

Não chegou a acabar a frase porque pulei sobre ela e a fiz rolar na cama, usando todo o peso do meu corpo. Defendeu-se um pouco, a princípio, mas logo depois parou de resistir. E, quase imediatamente, senti que também me beijava e abraçava, e me ajudava a tirar a sua roupa. Nunca tinha feito uma coisa assim. Pela primeira vez senti seu corpinho se enredando no meu, enroscado em minhas pernas, com os lábios apertados contra os meus e sua língua lutando com a minha. Suas mãos se fincavam nas minhas costas, no meu pescoço. Implorei que me desculpasse, disse que aquilo jamais voltaria a acontecer, agradeci a ela por me fazer tão feliz, demonstrando pela primeira vez que também me amava. Então ouvi que estava soluçando e vi seus olhos marejados.

— Meu amor, meu coração, não chore por essa bobagem — acarinhei-a, sorvendo suas lágrimas. — Nunca mais vai acontecer, prometo. Amo você, amo você.

Depois, quando já nos estávamos vestindo, ela permaneceu em silêncio, com uma expressão rancorosa, arrependida de sua fraqueza. Tentei melhorar seu humor, brincando:

— Já deixou de me amar, tão rápido?

Ficou me olhando cheia de cólera, por um bom tempo, e quando falou sua voz era muito dura:

— Não se engane, Ricardito. Não pense que fiz essa cena porque estou caída por você. Nenhum homem me importa muito, e você não é exceção. Mas tenho meu amor-próprio e ninguém me deixa sozinha num quarto de hotel.

Repliquei que ela estava furiosa por ter demonstrado que sentia algo por mim, apesar de todos os seus foras, insolências e insultos. Foi o segundo erro grave que cometi com a menina má, desde o dia em que a aconselhei a fazer seu treinamento de guerrilheira em Cuba, em vez de retê-la em Paris. Olhou-me muito séria, sem dizer nada por um tempo, e por fim murmurou, cheia de altivez e desprezo:

— Acha mesmo? Você vai ver que não é bem assim, coisinha à toa.

E saiu do quarto, sem se despedir. Pensei que devia ser um mau humor passageiro, mas não tive notícias dela durante toda a semana seguinte. Esperei-a em vão na quarta e na sexta-feira, acompanhado apenas, na solidão do quarto, pelos beligerantes mongóis. Na quarta-feira seguinte, quando cheguei ao Russell Hotel, o recepcionista indiano me entregou uma cartinha. Muito concisa, ela informava que estava partindo para o Japão com "David". Não dizia por quanto tempo nem que me telefonaria quando voltasse à Inglaterra. Fiquei cheio de maus presságios e amaldiçoei a bobagem que tinha dito. Conhecendo-a, aquele bilhete de duas frases podia ser uma longa, e talvez definitiva, despedida.

Naqueles dois anos, minha amizade com Juan Barreto tinha se estreitado. Passei muitos dias no seu *pied-à-terre* de Earl's Court, sempre escondendo dele, naturalmente, meus encontros com a menina má. Nessa época, 1972 ou 1973, o movimento *hippie* entrou numa rápida desintegração e se tornou uma moda burguesa. A revolução psicodélica acabou sendo menos profunda e séria do que seus adeptos esperavam. A coisa mais criativa que produziu, a música, foi rapidamente absorvida pelo *establishment* e começou a fazer parte da cultura oficial e a tornar milionários e multimilionários os antigos rebeldes e marginais, seus representantes e gravadoras, a começar pelos próprios Beatles e terminando nos Rolling Stones. Em vez da liberação dos espíritos, "a expansão indefinida da mente humana", como assegurava o guru do ácido lisérgico, o antigo professor de Harvard, doutor Timothy Leary, as drogas e a vida promíscua e sem freios provocaram um grande número de problemas e algumas desgraças pessoais e familiares. Ninguém viveu tão visceralmente essa mudança como meu amigo Juan Barreto.

Sempre tinha sido muito saudável, e de repente começou a reclamar de gripes e resfriados que o atacavam com muita frequência, junto com fortes nevralgias. Seu médico, em Cambridge, recomendou umas férias num clima mais quente que o inglês. Passou dez dias em Ibiza e voltou a Londres queimado e sorridente, cheio de histórias picantes sobre as *hot nights* de Ibiza, "um negócio que eu nunca ia imaginar num país com a fama de carola que a Espanha tem".

Foi nessa época que Mrs. Richardson viajou para Tóquio, acompanhando seu marido. Deixei de ver Juan por quase um mês. Eu estava trabalhando em Genebra e Bruxelas, e em nenhuma das vezes que liguei para ele, em Londres e Newmarket, atendeu ao telefone. Naquelas quatro semanas também não tive notícias da menina má. Quando voltei para Londres, minha vizinha de Earl's Court, a colombiana Marina, disse que Juan havia sido internado vários dias antes no Westminster Hospital. Estava no pavilhão de doenças infecciosas, fazendo todo tipo de exames. Tinha emagrecido muito. Encontrei-o com a barba crescida, agasalhadíssimo sob um monte de cobertas e angustiado porque "esses médicos trapalhões não conseguem diagnosticar minha doença". Primeiro disseram que era um herpes genital que se havia complicado, e depois que se tratava de uma espécie de sarcoma. Agora só lhe diziam coisas vagas. Seus olhos brilharam quando me viu surgir ao lado da cama:

— Estou me sentindo sozinho feito um cachorro abandonado, meu irmão — confessou. — Você nem sabe como fico contente por ter vindo. Descobri que, apesar de conhecer um milhão de gringos aqui, você é o único amigo que tenho. Amigo de amizade à peruana, dessas que vão até o tutano, quero dizer. Aqui as amizades são muito superficiais, mesmo. Os ingleses não têm tempo para a amizade.

Mrs. Stubard havia deixado alguns meses antes a casinha de St. John's Wood. Estava mal de saúde e foi morar num asilo, em Suffolk. Veio visitar Juan uma vez, mas era um esforço excessivo para ela e não voltou mais. "A coitada sofre das costas, foi um verdadeiro martírio chegar até aqui." Juan era outra pessoa; a doença lhe tirara todo o otimismo e a segurança, e o deixara cheio de medos:

— Estou morrendo e não sabem de quê — disse em voz cavernosa, na segunda ou terceira vez em que fui visitá-lo. — Não creio que estejam disfarçando só para não me assustar, aqui os médicos sempre dizem a verdade, mesmo que seja horrível. Acontece que não sabem mesmo o que eu tenho.

Os exames não acusavam nada de muito preciso, e de repente os médicos começaram a falar de um vírus escorregadio, ainda não identificado, que atacava o sistema imunológico, o que deixava Juan exposto a todo tipo de infecções. Ele estava num estado de extrema fraqueza, com os olhos fundos, a pele azul, os ossos ressaltados. Passava as mãos pelo rosto o tempo todo, para comprovar que ainda estava lá. Eu ficava ao seu lado todas as horas em que eram permitidas visitas. E o via consumir-se a cada dia, ao mesmo tempo que mergulhava no desespero. Um dia me pediu que trouxesse um padre católico, porque queria se confessar. Não foi fácil. O vigário do Brompton Oratory que procurei disse que não podia deslocar-se até os hospitais. Mas me deu o telefone de um convento de dominicanos, que faziam esse serviço. Tive de ir pessoalmente tratar do assunto. Afinal um padre irlandês veio visitar Juan, um homem vermelho e simpático, com quem meu amigo manteve uma longa conversa. O dominicano voltou duas ou três vezes. Esses diálogos o serenavam, por alguns dias. E deles surgiu a decisão transcendental que tomou: escrever para a sua família, com a qual não tinha contato havia mais de dez anos.

Estava muito fraco para escrever, de modo que me ditou uma carta extensa, comovida, na qual resumia para os pais sua carreira de pintor em Newmarket, com detalhes bem-humorados. Dizia que tivera vontade muitas vezes de escrever e fazer as pazes com eles, mas sempre foi impedido por um estúpido senso de amor-próprio, de que estava arrependido. Porque os amava e sentia falta deles. Num pós-escrito acrescentava uma coisa que, com certeza, iria alegrá-los: depois de muitos anos afastado da igreja, Deus lhe havia permitido voltar para a fé em que fora criado, o que agora dava paz à sua vida. Não dizia uma palavra sobre a doença.

Sem Juan saber, pedi uma conversa com o chefe do departamento de doenças infecciosas do Westminster Hospital. O doutor Rotkof, homem bastante velho e um pouco seco, com uma barbinha grisalha e nariz tuberoso, quis saber, antes de responder às minhas perguntas, que grau de parentesco eu tinha com o doente.

— Somos amigos, doutor. Ele não tem parentes aqui na Inglaterra. Quero escrever para os seus pais, lá no Peru, contando sobre o verdadeiro estado de Juan.

— Não tenho muita informação, só posso dizer que é extremamente grave — soltou, sem rodeios. — Pode morrer a qualquer momento. Seu organismo está sem defesas e um resfriado poderia acabar com ele.

Era uma doença nova, da qual já se haviam detectado muitos casos, nos Estados Unidos e no Reino Unido. Atacava com especial intensidade as comunidades de homossexuais, os viciados em heroína e todas as drogas intravenosas, e os hemofílicos. Além do fato de as principais vias de transmissão da "síndrome" serem o esperma e o sangue — ninguém ainda falava de aids —, sabia-se pouco sobre sua origem e sua natureza. Devastava o sistema imunológico e expunha o paciente a todas as doenças. Uma coisa constante eram aquelas chagas nas pernas e na barriga que tanto atormentavam o meu amigo. Aturdido com o que acabava de ouvir, perguntei ao doutor Rotkof o que me aconselhava a fazer. Contar a Juan? Ele encolheu os ombros e fez uma espécie de biquinho. Isso dependia inteiramente de mim. Talvez sim, talvez não. Mas, se sim, o meu amigo devia tomar algumas medidas em relação ao seu falecimento.

Fiquei tão abalado pela conversa com o doutor Rotkof que não tive coragem de voltar para o quarto de Juan, certo de que ele adivinharia tudo pela minha cara. Senti muita tristeza por ele. Como gostaria de ver Mrs. Richardson naquela tarde e tê-la, mesmo que por algumas horas, ao meu lado. Juan Barreto dissera uma grande verdade: embora eu também conhecesse centenas de pessoas aqui na Europa, o único amigo que tinha "à peruana" ia morrer a qualquer momento. E a mulher que eu amava estava no outro extremo do mundo com o marido e, fiel ao seu costume, fazia mais de um mês que não me dava sinais de vida. Ela cumpria a sua ameaça, demonstrando ao coisinha insolente que não estava apaixonada coisíssima nenhuma, que podia prescindir dele como de uma bugiganga imprestável. Eu me angustiava há vários dias com a suspeita de que, mais uma vez, ela iria sumir sem deixar rastros. Foi para isso que você tanto sonhou, desde menino, em fugir do Peru e morar na Europa, Ricardo Somocurcio? Nesses dias londrinos eu me sentia triste e solitário como um cachorro vadio.

Sem dizer nada a Juan, escrevi uma carta aos seus pais, explicando que ele estava num estado muito delicado, vítima de uma doença desconhecida, e que o doutor Rotkof me avisara que um desenlace fatal podia ocorrer a qualquer momento. Também dizia que, embora eu morasse em Paris, ficaria em Londres pelo tempo que fosse necessário, ao lado de Juan. Dava o telefone e o endereço do *pied-à-terre* de Earl's Court e lhes pedia instruções.

Telefonaram assim que receberam a minha carta, que chegou ao mesmo tempo que aquela que Juan me ditara para eles. O pai estava arrasado com a notícia, mas, ao mesmo tempo, feliz por recuperar o filho pródigo. Tomariam providências para vir a Londres. Ele me pediu que reservasse um hotelzinho modesto, porque não dispunham de muito dinheiro. Eu o tranquilizei; ficariam no *pied-à-terre* de Juan, onde poderiam cozinhar, de modo que a temporada londrina não saísse tão cara. Combinamos que eu avisaria a Juan de sua próxima chegada.

Duas semanas depois, o engenheiro Clímaco Barreto e sua esposa Eufrasia estavam instalados em Earl's Court e eu me mudara para um *bed and breakfast* de Bayswater. A chegada dos pais teve um efeito extremamente positivo em Juan. Ele recuperou a esperança, o bom humor, e parecia melhorar. Conseguia ingerir algum alimento que a enfermeira lhe trazia de manhã e de tarde, ao passo que, antes, tudo o que colocava na boca lhe dava ânsias de vômito. O casal Barreto era bastante jovem — ele trabalhara a vida inteira na fazenda Paramonga, até que o governo do general Velasco a expropriou dos seus donos; então pediu demissão e conseguiu um emprego de professor de matemática numa das novas universidades que surgiam em Lima feito cogumelos —, ou então eram muito bem conservados, pois pareciam ter menos de sessenta anos. Ele era alto e tinha o aspecto esportivo de quem passou a vida no campo, e ela, uma mulherzinha miúda e enérgica cuja maneira de falar, o tom suave, o exagero nos diminutivos e o sotaque do meu velho bairro de Miraflores me deixavam nostálgico. Ao ouvir sua voz, senti como havia passado o tempo desde que saí do Peru para viver a aventura europeia. Mas, conversando com eles, confirmei também que seria impossível voltar para lá, voltar a falar e a pensar como os pais de Juan falavam e pensavam. Seus comentários sobre o que viam em Earl's Court, por exemplo, mostravam de maneira bem explícita como eu tinha mudado em todos aqueles anos. Não era uma revelação muito animadora. Eu deixara de ser peruano em muitos sentidos, sem dúvida. Mas o que era, então? Tampouco chegara a virar um europeu, na França nem muito menos na Inglaterra. O que era você então, Ricardito? Talvez, aquilo que Mrs. Richardson me dizia nas suas zangas: um coisinha à toa, apenas um intérprete, alguém que, como gostava de nos definir meu colega Salomón Toledano, só é quando não é, um hominídeo que existe quando deixa de ser o que é para que, através dele, passem melhor as coisas que os outros pensam e dizem.

    Com os pais de Juan Barreto em Londres, pude voltar a Paris e ao trabalho. Aceitei todos os contratos que me ofereciam, mesmo que fossem de um dia ou dois, porque, devido ao tempo que fiquei na Inglaterra ao lado de Juan, meus rendimentos tinham sofrido uma queda vertiginosa.

    Apesar da proibição de Mrs. Richardson, comecei a ligar para a sua casa em Newmarket perguntando quando o casal voltaria da viagem ao Japão. A pessoa que me atendia, uma empregada filipina, não sabia. Eu me fazia passar cada vez por uma pessoa diferente, mas suspeitava que a filipina me reconhecia e batia o telefone na minha cara: "*They are not yet back*".

    Até que um dia, já com poucas esperanças de encontrá--la de novo, a própria Mrs. Richardson atendeu o telefone. Ela me reconheceu imediatamente, pois fez um silêncio prolongado. "Pode falar?", perguntei. Respondeu com uma voz cortante, cheia de fúria contida: "Não. Você está em Paris? Telefono para a Unesco ou para a sua casa assim que puder". E desligou, bruscamente, sublinhando sua irritação. Ligou nesse mesmo dia, à noite, para o meu apartamento na École Militaire.

— Por ter levado um bolo, você me bateu e fez aquele escândalo — protestei, num tom carinhoso. — O que eu deveria fazer depois de você me deixar sem notícias durante três meses?

— Nunca mais na vida telefone para Newmarket — avisou, com uma contrariedade que fazia suas palavras chiarem. — Não é brincadeira. Tenho problemas muito sérios com o meu marido. Não podemos nos ver nem nos falar, por um tempo. Por favor. Eu imploro. Se é verdade que você me ama, faça isso por mim. A gente se vê quando tudo passar, prometo. Mas não me ligue mais. Estou metida numa confusão e tenho de tomar cuidado.

— Espere, espere, não desligue. Diga ao menos como vai o Juan Barreto.

— Morreu. Os pais levaram os restos para Lima. Vieram a Newmarket e puseram a casinha à venda. Outra coisa, Ricardo. Procure não ir a Londres por um tempo, se não for incômodo. Porque se você vier, pode me criar um problema muito sério, sem querer. Não posso dizer mais nada agora.

E desligou, sem se despedir. Fiquei vazio e doente. Senti tanta raiva, tanta desmoralização, tanto desprezo por mim mesmo que tomei — mais uma vez! — a decisão de apagar Mrs. Richardson da minha memória e, para dizer uma dessas breguices que a faziam rir, do meu coração. Era estúpido continuar amando uma pessoa tão insensível, que estava farta de mim, que brincava comigo como se eu fosse um boneco de pano, que jamais tinha me demonstrado a menor consideração. Dessa vez, sim, você ia se libertar da peruanita, Ricardo Somocurcio!

Várias semanas depois recebi um bilhete de Lima, dos pais de Juan Barreto. Agradeciam a ajuda que eu lhes dera e se desculpavam por não terem escrito nem telefonado, como pedi. Mas a morte de Juan, tão súbita, deixou-os aturdidos, meio enlouquecidos, sem conseguir pensar em nada. Os trâmites para repatriar os restos foram horríveis e, se não fosse pelo pessoal da embaixada peruana, não conseguiriam levá-lo e enterrá-lo no Peru como ele queria. Ao menos, puderam atender a esse desejo do filho adorado, cuja perda jamais aceitariam. De todo modo, apesar da dor, era um consolo saber que Juan tinha morrido como um santo, reconciliado com Deus e com a religião, em verdadeiro estado angélico. Como disse o padre dominicano que lhe deu os últimos sacramentos.

A morte de Juan Barreto me afetou muito. Fiquei sem outro amigo íntimo, que de certa forma havia substituído o gordo Paúl. Desde que este desapareceu na guerrilha, não havia pessoa na Europa que eu estimasse tanto e de que me sentisse tão próximo como o *hippie* peruano que virou retratista de cavalos em Newmarket. Londres e a Inglaterra não seriam os mesmos sem ele. Outro motivo para não voltar lá por um bom tempo.

Procurei pôr em prática minha decisão com a receita de costume: sobrecarregando-me de trabalho. Aceitava todos os contratos e passava semanas e meses viajando de uma cidade europeia para outra, trabalhando como intérprete em reuniões e congressos sobre todos os assuntos imagináveis. Tinha adquirido a habilidade, comum a todo bom intérprete, de conhecer as equivalências entre as palavras sem entender necessariamente seus conteúdos (segundo Salomón Toledano, entender era contraproducente), e continuei aperfeiçoando o russo, língua que me atraía muito, até adquirir uma segurança e uma desenvoltura equivalentes às que demonstrava em francês e em inglês.

Embora eu já tivesse o visto de residência na França há alguns anos, decidi solicitar a nacionalidade, porque com um passaporte francês se abririam mais possibilidades de trabalho para mim. O passaporte peruano despertava desconfiança em algumas organizações na hora de contratar um intérprete, pois tinham dificuldades para situar o Peru no mundo e entender a situação do país no conjunto das nações. Além do mais, dos anos 1970 em diante começou a avançar em toda a Europa ocidental uma atitude de rejeição e hostilidade aos imigrantes de países pobres.

Num domingo de maio, enquanto eu me barbeava e me preparava para aproveitar um dia de primavera dando um passeio pelos cais do Sena até o Quartier Latin, onde pretendia almoçar um cuscuz num dos restaurantes árabes da rue St. Séverin, o telefone tocou. Sem me dizer "olá" nem "bom-dia", a menina má gritou:

— Foi você que contou ao David que eu era casada com Robert Arnoux na França?

Quase bati o telefone. Já haviam passado quatro ou cinco meses desde a nossa última conversa. Mas dissimulei a minha contrariedade.

— Eu devia mesmo ter contado, mas não me ocorreu, senhora bígama. Nem imagina como lamento por não ter contado. Você agora estaria presa, não é?

— Responda e não se faça de idiota — insistiu, soltando faíscas na voz. — Não estou com disposição para brincadeiras. Foi você? Uma vez ameaçou contar, não pense que me esqueci.

— Não, não fui eu. O que há com você? Em que confusão está metida agora, ferinha?

Fez uma pausa. Ouvi-a respirar, ansiosa. Quando respondeu, parecia abatida, chorosa.

— Nós estávamos nos divorciando e a coisa ia bem. Mas de repente, não sei como, outro dia surgiu a história do meu casamento com Robert. David tem os melhores advogados. O meu é um pobre coitado, e agora diz que, se for provado que sou casada na França, meu casamento com David em Gibraltar será automaticamente anulado, e eu fico em maus lençóis. David não vai me dar um centavo e, se entrar em contato com Robert, os dois podem iniciar uma ação criminal contra mim, pedindo reparação por perdas e danos e não sei o que mais. Até cadeia, de repente. E expulsão do país. Não foi você o linguarudo, tem certeza? Ótimo, não esperava mesmo que fizesse uma coisa dessas comigo.

Após outra longa pausa, suspirou, como se estivesse contendo um soluço. Parecia sincera dizendo aquilo. Tinha falado sem um pingo de autocompaixão.

— Sinto muito — respondi. — Na verdade, sua última ligação me magoou tanto que decidi não ver mais você, nem telefonar, nem procurar, nem pensar na sua existência nunca mais.

— Não está mais apaixonado por mim? — riu.

— Estou sim, pelo visto. Infelizmente. O que você me contou me dói na alma. Não quero que lhe aconteça nada, quero que continue me fazendo todas as maldades do mundo. Posso ajudar de algum jeito? Faço o que você me pedir. Porque continuo amando você com toda a minha alma, menina má.

Tornou a rir.

— Pelo menos me restam as suas breguices — exclamou. — Depois eu telefono, para você me levar laranjas na cadeia.

IV. O Intérprete do Château Meguru

Salomón Toledano se gabava de falar doze línguas e poder interpretar todas elas em ambas as direções. Era um homem baixinho e mirrado, meio perdido nuns ternos folgados que, ao que parecia, comprava de propósito em tamanho grande, e sempre estava com uns olhos de tartaruga meio indecisos entre a vigília e o sono. Seu cabelo era ralo e só se barbeava a cada dois ou três dias, de modo que sempre estava com uma sombra cinzenta sujando-lhe a cara. Quem o visse assim, tão insignificante, o próprio zé-ninguém, não poderia imaginar sua extraordinária facilidade para os idiomas e sua fabulosa capacidade de interpretá-los. As organizações internacionais disputavam seus serviços, e também as multinacionais e os governos, mas ele nunca aceitou um emprego fixo, porque como *free lance* se sentia mais solto e ganhava mais. Não era apenas o melhor intérprete que conheci em todos os anos em que ganhei a vida exercendo a "profissão de fantasmas" — como ele dizia —; era também o mais original.

Todo mundo o admirava e invejava, mas poucos dos nossos colegas gostavam dele. Ficavam incomodados com sua loquacidade, sua falta de tato, suas criancices e a avidez com que monopolizava as conversas. Falava de maneira espalhafatosa e às vezes vulgar, porque, embora soubesse as generalidades dos idiomas, desconhecia os matizes, tons e usos locais, o que muitas vezes o fazia parecer tosco ou grosseiro. Mas podia ser divertido contando casos, lembranças de família ou suas aventuras pelo mundo. Eu era fascinado por sua personalidade de gênio infantil e, como passava horas ouvindo-o, ele acabou se afeiçoando. Toda vez que nos encontrávamos nas cabines de intérpretes de alguma reunião ou congresso, eu sabia que Salomón Toledano iria grudar em mim como um marisco na pedra.

Tinha nascido numa família sefaradi de Esmirna que falava ladino, e por isso se considerava "mais espanhol que turco, embora com cinco séculos de atraso". Seu pai devia ter sido um comerciante e banqueiro bastante próspero, porque mandou Salomón estudar em colégios particulares na Suíça e na Inglaterra, e fazer estudos universitários em Boston e Berlim. Antes de obter seus diplomas já falava turco, árabe, inglês, francês, espanhol, italiano e alemão, e logo depois de graduar-se em filologias românica e germânica morou alguns anos em Tóquio e em Taiwan, onde aprendeu japonês, mandarim e o dialeto taiwanês. Sempre falava comigo num espanhol mastigado e ligeiramente arcaizante, no qual, por exemplo, chamava os "intérpretes" de "*trujimanes*". Por isso, nós o apelidamos de Trujimán. Às vezes, sem perceber, passava do espanhol para o francês, inglês ou línguas mais exóticas, e então eu precisava interrompê-lo e pedir que se limitasse ao meu (comparado com o dele) pequeno mundo linguístico. Quando o conheci, tinha começado a aprender russo, e depois de um ano de esforços já conseguia ler e falar com mais desenvoltura que eu, que há cinco anos enfrentava os mistérios do alfabeto cirílico.

Geralmente traduzia para o inglês, mas quando era preciso também o fazia para o francês, espanhol e outros idiomas, e sempre me maravilhou a fluidez com que se expressava na minha língua sem nunca ter morado num país de fala hispânica. Não era um homem de muitas leituras, exceto gramáticas e dicionários, nem tinha grande interesse por cultura, e cultivava passatempos inusitados, como filatelia e soldadinhos de chumbo, assuntos em que se dizia tão versado como em línguas. O mais extraordinário era ouvi-lo falar em chinês ou japonês, porque então, sem perceber, fazia as poses, mesuras e gestos dos orientais, como um verdadeiro camaleão. Graças a ele descobri que a predisposição para idiomas é tão misteriosa como a de certas pessoas para a matemática ou a música, e não tem nada a ver com a inteligência ou o conhecimento. É uma coisa diferente, um dom que alguns possuem e outros não. Salomón Toledano tinha esse dom tão desenvolvido que, apesar do seu jeito inofensivo e anódino, parecia uma coisa monstruosa. Porque, quando não se tratava de idiomas, era de uma ingenuidade assombrosa, um homem-menino.

Embora já nos conhecêssemos de antes, por coincidências de trabalho, minha amizade com ele nasceu realmente quando, mais uma vez na vida, perdi o contato com a menina má. Sua separação de David Richardson foi uma catástrofe quando ele provou ante o tribunal onde corria o processo de divórcio que Mrs. Richardson era bígama, pois também se havia casado legalmente na França com um funcionário do Quai d'Orsay do qual nunca se divorciara. A menina má, dando a batalha por perdida, decidiu fugir da Inglaterra e dos odiados cavalos de Newmarket e tomou rumo desconhecido. Mas passou por Paris — pelo menos foi o que quis que eu pensasse — e, em março de 1974, me ligou do novíssimo aeroporto Charles de Gaulle, para se despedir. Contou que as coisas tinham acabado muito mal para ela, que o ex-marido ganhara em todos os sentidos e que, cansada dos tribunais e advogados que volatilizaram o pouco dinheiro que tinha, estava indo para algum lugar onde ninguém pudesse lhe encher mais a paciência.

— Se quiser ficar em Paris, minha casa é sua — respondi, muito sério. — E se quiser casar outra vez, case comigo. Para mim dá no mesmo que você seja bígama ou trígama.

— Ficar em Paris para que *monsieur* Robert Arnoux me denuncie à polícia ou coisa pior? Nem doida. Mesmo assim, obrigada, Ricardito. Nós nos encontramos mais adiante, quando passar o temporal.

Mesmo sabendo que não me contaria, perguntei onde ia morar, o que pretendia fazer de sua vida.

— Falo da próxima vez que nos encontrarmos. Um beijinho, e não me corneie muito com as francesas.

Também dessa vez, tive certeza de que nunca mais voltaria a saber dela. Como das anteriores, decidi firmemente, aos trinta e oito anos, que iria me apaixonar por alguém menos evasivo e complicado, uma garota normal com quem pudesse ter uma relação sem sobressaltos, talvez até me casar e ter filhos. Mas não foi isso o que ocorreu, porque na vida raramente as coisas acontecem como planejamos.

Logo entrei numa rotina de trabalho que, embora às vezes me entediasse um pouco, não chegava a me desagradar. Ser intérprete me parecia uma profissão banal, mas também a que acarreta menos problemas morais para quem a exerce. E, além do mais, me permitia viajar, ganhar bastante bem e ter o tempo livre que quisesse.

Meu único contato com o Peru, pois a essa altura quase não via peruanos em Paris, continuavam sendo as cartas do tio

Ataúlfo, cada dia mais desanimadas. Sua esposa, a tia Dolores, sempre me mandava presentinhos e eu de vez em quando lhe enviava partituras, pois tocar piano era a grande distração na sua vida de inválida. Os oito anos da ditadura militar do general Velasco, com as nacionalizações, a reforma agrária, a comunidade industrial, os controles e o dirigismo econômico, dizia o tio Ataúlfo, deram soluções erradas para o problema da injustiça social, as grandes desigualdades e a exploração das maiorias pela minoria de privilegiados, e isso só servira para inflamar e empobrecer ainda mais tanto uns como outros, afugentar os investimentos, acabar com as reservas e aumentar a tensão e a violência. Na segunda etapa da ditadura, comandada nos quatro últimos anos pelo general Francisco Morales Bermúdez, embora o populismo tenha se atenuado, os jornais e as estações de televisão e de rádio continuavam estatizados, a vida política, eliminada, e não havia sinais de que a democracia seria restabelecida. A amargura que havia nas cartas do tio Ataúlfo me dava pena dele e dos peruanos da sua geração que, chegando à velhice, viam que seu antigo sonho de ver o Peru no caminho do progresso, em vez de se materializar, retrocedia. A sociedade peruana ia mergulhando cada vez mais na pobreza, na ignorância e na brutalidade. Eu tinha feito bem vindo para a Europa, por mais que minha vida fosse um pouco solitária, a vida de um obscuro *trujimán*.

Também fui perdendo o interesse pela situação política francesa, que antes acompanhava com paixão. Nos anos 1970, durante os governos de Pompidou e de Giscard d'Estaing, eu quase não lia as notícias de atualidade. Nos jornais e revistas, só me interessava, quase exclusivamente, pelas páginas culturais. Frequentava exposições e concertos, mas já nem tanto o teatro, que caíra muito em relação à década anterior, mas ia, em compensação, até duas vezes por semana, ao cinema. Felizmente, Paris continuava sendo um paraíso para os cinéfilos. Quanto à literatura, parei de me atualizar porque, tal como o teatro, o romance e o ensaio caíram vertiginosamente na França. Nunca pude ler com entusiasmo os ídolos intelectuais dessas décadas, Barthes, Lacan, Derrida, Deleuze e outros, cujos livros palavrosos caíam das minhas mãos; só lia Michel Foucault, cuja história da loucura me impressionou muito, e também seu ensaio sobre o regime carcerário (*Vigiar e Punir*), mas não me convenceu com sua teoria de que a história do ocidente europeu era a história das múltiplas repressões institucionalizadas — o cárcere, os hospitais, o sexo, a justiça, as leis — de um poder que colonizava todos os espaços de liberdade para aniquilar as divergências e a insatisfação. Na verdade, naqueles anos li principalmente os mortos, em particular os escritores russos.

Apesar de estar sempre ocupado trabalhando e fazendo várias coisas, pela primeira vez, nos anos 1970, ao examinar a minha vida tentando ser objetivo, tudo começou a me parecer bastante estéril, e o meu futuro, o de um solteirão incorrigível, um forasteiro que jamais se integraria de fato na França dos seus amores. E lembrava sempre de um apocalíptico desplante de Salomón Toledano que um dia, na sala de intérpretes da Unesco, resolveu nos interpelar assim: "E se, de repente, sentirmos que vamos morrer e nos perguntarmos 'Que rastro deixaremos da nossa passagem por este canil?', a resposta honesta seria: nenhum, não fizemos nada, além de falar pelos outros. O que significa, então, ter traduzido milhões de palavras se não nos lembramos de nenhuma, porque nenhuma merecia ser lembrada?". Não admirava que o Trujimán fosse impopular entre a turma da profissão.

Um dia disse a ele que o odiava, porque aquela frase, que vez por outra me vinha à memória, me convenceu da total inutilidade da minha existência.

— Nós, *trujimanes,* somos apenas inúteis, querido — quis me consolar. — Mas não prejudicamos ninguém com o nosso trabalho. Em todas as outras profissões podem-se fazer grandes estragos na espécie. Pense nos advogados ou nos médicos, por exemplo, sem falar nos arquitetos e nos políticos.

Estávamos tomando cerveja num bistrô da *avenue* Suffren depois de um dia de trabalho na Unesco, que realizava sua assembleia anual. Eu, num impulso confidencial, acabava de lhe contar, sem detalhes nem nomes, que estava apaixonado havia muitos anos por uma mulher que aparecia e desaparecia da minha vida como um fogo-fátuo, incendiando-a de felicidade durante curtos períodos e depois deixando-a seca, estéril, vacinada contra qualquer outro entusiasmo ou amor.

— Pois se apaixonar é um erro — sentenciou Salomón Toledano, concordando com o meu falecido amigo Juan Barreto, que professava a mesma filosofia, mas sem as afetações verbais do meu colega. — A mulher tem de ser apanhada pelo cabelo, dominada e jogada no colchão. Precisa ver todas as estrelas do firmamento num piscar de olhos. Esta é a teoria correta. Eu não posso praticá-la, por causa da minha fraqueza física, *helàs*. Uma vez tentei bancar o machão com uma fêmea brava e ela me amassou a cara com um bofetão. Por isso, apesar da minha tese eu trato as damas, principalmente as rameiras, como verdadeiras rainhas.

— Não acredito que você nunca tenha se apaixonado, Trujimán.

Reconheceu que tinha se apaixonado uma vez na vida, quando era universitário em Berlim. Por uma garota polonesa, tão católica que toda vez que faziam amor sentia tanto remorso que acabava em prantos. O Trujimán lhe propôs casamento. A moça aceitou. Foi uma trabalheira obter o consentimento das famílias. Conseguiram depois de uma complicada negociação em que se decidiu fazer uma cerimônia dupla, pelo ritual judeu e pelo católico. No meio dos preparativos matrimoniais, subitamente a noiva fugiu com um oficial norte-americano que estava terminando seu tempo de serviço em Berlim. O Trujimán, enlouquecido pela desfeita, fez uma estranha inquisição: queimou sua magnífica coleção de selos. E decidiu que nunca mais se apaixonaria de novo. No futuro, o amor para ele seria exclusivamente mercenário. E cumpriu. Desde aquele episódio, só frequentava prostitutas. E, em vez de selos, agora colecionava soldadinhos de chumbo.

Poucos dias depois, pensando que me fazia um favor, ele me obrigou a embarcar num fim de semana com duas cortesãs russas que, a seu ver, além de me darem uma oportunidade para praticar meu russo, iriam me fazer conhecer os "eflúvios e hematomas do amor eslavo". Fomos jantar num restaurante de Batignolles, Le Grand Samovar, e depois seguimos para uma *boîte de nuit*, estreita, escura e fumacenta, quase asfixiante, perto da Place Clichy. Lá encontramos as ninfas. Bebemos muita vodca, tanta que minhas lembranças perdem nitidez quase a partir do momento em que entramos num antro chamado Les Cosaques, e só me ficou bem claro que, das duas russas, a sorte, ou melhor, o Trujimán, tinha me reservado Natacha, a mais gorda e mais maquiada das duas rubensianas quarentonas. Minha acompanhante estava embutida num vestido rosa-choque com fios de gaze, e quando ria e se mexia, seus peitos balançavam como dois globos belicosos. Parecia ter fugido de um quadro de Botero. Até o momento em que minhas lembranças se eclipsaram nos vapores alcoólicos, meu amigo ficou falando feito um papagaio, num russo recheado de palavrões que as duas cortesãs festejavam com gargalhadas.

Na manhã seguinte, acordei com dor de cabeça e os ossos moídos: tinha dormido no chão, ao pé da cama onde roncava, vestida e calçada, a suposta Natacha. De dia era ainda mais gorda que de noite. Dormiu placidamente até meio-dia e, quando acordou, examinou assombrada o quarto, a cama que ocupava, e olhou para mim, que lhe dizia boa-tarde. Começou imediatamente a me exigir três mil francos, uns seiscentos dólares na época, o que ela cobrava por uma noite inteira. Eu não tinha tal quantia, e após uma desagradável discussão convenci-a afinal a ficar com tudo o que eu tinha no bolso, a metade daquela soma, mais umas estatuetas de porcelana que adornavam a sala. Saiu resmungando vulgaridades e eu fiquei um bom tempo no chuveiro, jurando nunca mais incorrer em semelhantes aventuras trujimanescas.

Quando contei a Salomón Toledano o meu fiasco noturno, soube que ele e a amiga, por seu lado, tinham feito amor até desmaiar, numa demonstração de forças que merecia as páginas do *Guinness*. Nunca mais se atreveu a propor-me outro programa noturno com senhoras exóticas.

O que me distraiu e me ocupou muitas horas naqueles últimos anos da década de 1970 foram os contos de Tchékhov, em particular, e a literatura russa em geral. Nunca tinha pensado em fazer traduções literárias, porque sabia que eram muito mal remuneradas em todas as línguas, e em espanhol certamente pior que em outras. Mas em 1976 ou 1977 conheci na Unesco, por intermédio de um amigo comum, um editor espanhol, Mario Muchnik, com quem fiz amizade. Quando lhe disse que sabia russo e era muito dado à leitura, ele me incentivou a preparar uma pequena antologia de contos de Tchékhov, de quem eu lhe falara maravilhas, garantindo que era tão bom contista quanto dramaturgo, embora, pelas medíocres traduções de seus contos que circulavam, fosse pouco valorizado como narrador. Muchnik era um caso interessante. Tinha nascido na Argentina, onde estudou ciências e começou uma carreira de pesquisador e acadêmico que de repente largou para começar a editar, sua paixão secreta. Era editor por vocação, que amava os livros e só publicava literatura de qualidade, o que, dizia, lhe proporcionava todos os fracassos do mundo em termos econômicos, mas as maiores satisfações pessoais. Falava dos livros que editava com um entusiasmo tão contagioso que, depois de pensar um pouco, terminei aceitando sua oferta de preparar uma antologia de contos de Tchékhov, mas pedi tempo ilimitado. "Combinado", respondeu, "e apesar de ganhar uma miséria, você vai passar ótimos momentos".

Demorei uma infinidade de tempo, mas, de fato, foi uma delícia ler todo Tchékhov, escolher seus contos mais bonitos e passá-los para o espanhol. Era uma coisa mais delicada que traduzir os discursos e intervenções como costumava fazer no trabalho. Como tradutor literário, eu me sentia menos fantasmal que como intérprete. Precisava tomar decisões, explorar o espanhol em busca de matizes e cadências que correspondessem às sutilezas e obscuridades semânticas — a maravilhosa arte da alusão e da elisão na prosa de Tchékhov —, e também às suntuosidades retóricas da língua literária russa. Um verdadeiro prazer, ao qual dedicava sábados e domingos inteiros. Enviei a prometida antologia a Mario Muchnik quase dois anos depois de ter sido contratado. Tinha passado momentos tão bons que estive a ponto de não aceitar o cheque que ele me mandou. "Talvez dê para comprar uma edição bonita de algum bom escritor, por exemplo Tchékhov", dizia.

Quando, algum tempo depois, recebi exemplares da antologia, dei um deles, com dedicatória, a Salomón Toledano. De vez em quando íamos tomar alguma coisa e às vezes eu o acompanhava para percorrer lojas de soldadinhos de chumbo, filatélicas ou antiquários, que ele vasculhava minuciosamente, embora quase nunca comprasse algo. Agradeceu o livro, mas me aconselhou enfaticamente que desistisse desse "caminho perigosíssimo".

— O seu ganha-pão está em perigo — alertou. — Um tradutor literário é um aspirante a escritor, quer dizer, quase sempre um escriba frustrado. Alguém que jamais se resignaria a desaparecer no próprio ofício, como nós, os bons intérpretes. Não desista da sua condição de homem inexistente, meu querido, a menos que queira acabar como um *clochard*.

Ao contrário da minha suposição de que as pessoas se tornam poliglotas devido ao seu bom ouvido musical, Salomón Toledano não tinha o menor interesse por música. No seu apartamento em Neuilly não vi sequer um toca-discos. Seu finíssimo ouvido era apto, especificamente, para idiomas. Contou que na sua família, em Esmirna, falava-se indistintamente turco e espanhol — na verdade, ladino, do qual se havia desprendido totalmente num verão que passou em Salamanca — e que herdara a habilidade linguística do pai, que chegou a dominar meia dúzia de idiomas, coisa que lhe foi muito útil para os negócios. Desde pequeno sonhava viajar, conhecer cidades, e isso foi o seu grande estímulo para aprender idiomas, o que lhe possibilitou tornar-se o que era agora: um cidadão do mundo. Essa mesma vocação errante tinha feito dele, desde menino, o colecionador de selos que foi até seu traumatizante noivado em Berlim. Colecionar selos era outra maneira de percorrer países, de aprender geografia e história.

Já os soldadinhos de chumbo não o faziam viajar, mas o divertiam muito. Seu apartamento estava cheio deles, do corredor de entrada até o quarto, incluindo a cozinha e o banheiro. Havia se especializado nas batalhas de Napoleão. Mantinha tudo muito bem arrumado e em ordem, com canhões, cavalos e estandartes, de maneira que, percorrendo o apartamento, podia-se acompanhar a história militar do primeiro império, até Waterloo, cujos protagonistas rodeavam a cama pelos quatro lados. Além dos soldadinhos de chumbo, a casa de Salomón Toledano estava cheia de dicionários e gramáticas de todas as línguas possíveis. E, uma extravagância, um pequeno aparelho de televisão numa prateleira em frente à privada. "Para mim, a televisão é um ótimo purgante", explicou.

Por que cheguei a ter tanta simpatia por Salomón Toledano, enquanto todos os nossos colegas o evitavam por considerá-lo um chato, quase insuportável? Talvez porque sua solidão era parecida com a minha, embora fôssemos diferentes em muitas outras coisas. Ambos tínhamos decidido que nunca voltaríamos a viver nos nossos países, pois tanto eu, no Peru, como ele, na Turquia, certamente nos sentiríamos mais estrangeiros que na França, onde, no entanto, também nos sentíamos forasteiros. E estávamos cientes de que jamais iríamos nos integrar no país que escolhemos para morar e que até nos concedeu um passaporte (havíamos adotado a nacionalidade francesa).

— Não é culpa da França se nós dois continuamos sendo estrangeiros, querido. A culpa é nossa. Uma vocação, um destino. É como na nossa profissão de intérpretes, uma outra maneira de ser sempre estrangeiro, de estar sem estar, de ser mas não ser.

Sem dúvida tinha razão quando me dizia essas coisas lúgubres. Aquelas conversas com o Trujimán sempre me deixavam um pouco abatido e às vezes me davam insônia. Ser fantasma não era coisa que me deixasse impassível; já ele, não parecia se importar tanto.

Por isso, em 1979, quando Salomón Toledano anunciou, muito excitado, que tinha aceitado uma proposta para trabalhar em Tóquio durante um ano, como intérprete exclusivo da Mitsubishi, eu me senti um pouco aliviado. Era uma boa pessoa, um espécime interessante, mas havia qualquer coisa nele que me entristecia e me assustava, porque me revelava certos meandros secretos do meu próprio destino.

Fui me despedir dele no aeroporto Charles de Gaulle e, quando apertei sua mão no balcão da Japan Air Lines, senti que me deixava entre os dedos um pequeno objeto metálico. Era um hussardo da guarda do Imperador. "Tenho repetido", explicou. "É para dar sorte, querido". Em casa, coloquei-o na mesinha de cabeceira ao lado do meu amuleto, aquela primorosa escova de dentes Guerlain.

Poucos meses depois, acabou finalmente a ditadura militar no Peru, em 1980 houve eleições e os peruanos, como que num gesto de desagravo, tornaram a eleger para presidente Fernando Belaunde Terry, o mandatário deposto pelo golpe militar de 1968. Tio Ataúlfo, feliz, decidiu festejar o acontecimento esbanjando: uma viagem à Europa, onde nunca tinha estado. Quis que a tia Dolores o acompanhasse, mas ela argumentou que sua invalidez não a deixaria aproveitar o passeio e que seria um estorvo. De modo que tio Ataúlfo veio sozinho. Chegou a tempo de comemorar comigo os meus quarenta e cinco anos.

Alojei-o no meu apartamento da École Militaire, cedendo o quarto para ele e dormindo no sofá-cama da salinha. Tinha envelhecido muito desde a última vez que o vira, três lustros antes. Os setenta e tantos anos lhe pesavam. Estava quase sem cabelo, arrastava os pés e se cansava com facilidade. Tomava remédios para a pressão e a dentadura devia incomodar, pois ficava o tempo todo torcendo a boca como se quisesse encaixá-la melhor nas gengivas. Mas parecia encantado por finalmente conhecer Paris, um velho desejo. Olhava fascinado as ruas, os cais do Sena e as velhas pedras, repetindo entre os dentes: "Tudo é mais bonito que nas fotos". Fui com tio Ataúlfo à Notre Dame, ao Louvre, aos Invalides, ao Panteón, ao Sacre-Coeur, a galerias e museus. De fato, esta cidade era mesmo a mais bonita do mundo, e eu me esquecera disso por ter passado tantos anos nela. Vivia cercado de tantas coisas belas e quase não as via. De maneira que, por alguns dias, decidi aproveitar tanto quanto ele, fazendo turismo na minha cidade de adoção. Tivemos longas conversas nas varandas dos bistrôs, tomando uma tacinha de vinho como aperitivo. Ele estava contente com o fim do regime militar e a restauração da democracia no Peru, mas não tinha muitas ilusões. Dizia que a sociedade peruana era um fervilhar de tensões, ódios, preconceitos e ressentimentos, que se agravaram muito nos doze anos de governo militar. "Você não reconheceria mais o país, sobrinho. Há uma ameaça latente no ar, a sensação de que algo gravíssimo pode explodir a qualquer momento". Suas palavras foram proféticas, também dessa vez. Pouco depois de voltar ao Peru, após sua viagem à França e uma pequena excursão de ônibus que fez por Castela e Andaluzia, o tio Ataúlfo me enviou uns recortes de jornais de Lima com fotos truculentas: maoistas desconhecidos tinham enforcado, nos postes elétricos do centro de Lima, uns pobres cães nos quais haviam colado cartazes com o nome de Deng Xiaoping, que acusavam de ter traído Mao e acabado com a revolução cultural na China Popular. Assim começava a rebelião armada do Sendero Luminoso, que duraria toda a década de 1980 e provocaria um banho de sangue sem precedentes na história peruana: mais de sessenta mil mortos e desaparecidos.

Dois ou três meses depois de sua despedida, Salomón Toledano me escreveu uma longa carta. Estava muito contente com a temporada em Tóquio, embora o pessoal da Mitsubishi o fizesse trabalhar tanto que de noite desabava na cama, exausto. Mas tinha atualizado o seu japonês, conhecido gente simpática, e não sentia a menor falta da chuvosa Paris. Estava saindo com uma advogada da firma, divorciada e bonita, que não tinha pernas tortas como tantas japonesas, mas sim muito bem torneadas, e um olhar direto e profundo que "corroía a alma". "Não se preocupe, querido, continuo fiel à minha promessa e não vou me apaixonar por essa Jezabel nipônica. Mas, tirando a paixão, quero fazer com Mitsuko todo o resto." Abaixo de sua assinatura escreveu um lacônico pós-escrito: "Lembranças da menina má". Quando li esta frase, a carta do Trujimán caiu das minhas mãos e tive de me sentar, com vertigens.

Então, ela estava no Japão? Como diabos foram se encontrar Salomón e a peruanita travessa na populosa Tóquio? Descartei a ideia de que ela fosse a advogada de olhar tenebroso por quem meu colega parecia caído, se bem que com a ex-chilenita, ex-guerrilheira, ex-madame Arnoux e ex-Mrs. Richardson nada era impossível, nem mesmo que agora estivesse camuflada de advogada japonesa. Aquela história de "menina má" revelava que entre Salomón e ela existia certo grau de familiaridade; a chilenita devia ter contado a ele algo da nossa longa e sincopada relação. Será que fizeram amor? Percebi, nos dias seguintes, que o infortunado pós-escrito tinha alvoroçado a minha vida e reanimado o doentio e estúpido amor-paixão que me consumira durante tantos anos, não me deixando viver normalmente. No entanto, apesar das minhas dúvidas, ciúmes, interrogações angustiantes, o fato de saber que a menina má estava lá, real, viva, num lugar concreto, mesmo que tão longe de Paris, encheu minha cabeça de fantasias. Mais uma vez. Foi como sair do limbo em que vivia nos últimos quatro anos, desde que ela me telefonou do aeroporto Charles de Gaulle (ao menos foi o que disse) para dizer que estava fugindo da Inglaterra.

Você continuava, então, apaixonado por sua imprevisível compatriota, Ricardo Somocurcio? Sem a menor dúvida. Desde o pós-escrito do Trujimán, noite e dia aquele rostinho moreno me aparecia, sem parar, com sua expressão insolente, os olhos cor de mel escuro, e todo o meu corpo ardia de desejo de tê-la nos braços.

A carta de Salomón Toledano não trazia remetente e o Trujimán não se dignara a me informar seu endereço ou telefone. Fiz indagações no escritório da Mitsubishi em Paris e me aconselharam a remeter a correspondência aos cuidados do departamento de Recursos Humanos da empresa, em Tóquio, cujo endereço me forneceram. Foi o que fiz. Minha carta dava um bocado de rodeios, falando primeiro do meu próprio trabalho; dizia que o hussardo do Imperador me dera sorte, porque nas últimas semanas apareceram excelentes contratos, e o felicitava por sua nova conquista. Afinal, entrava no assunto. Fiquei agradavelmente surpreso ao saber que ele conhecia essa velha amiga minha. Então ela estava morando em Tóquio? Tinha perdido sua pista fazia anos. Podia me dar seu endereço? Ou o telefone? Eu queria reatar o contato com essa conterrânea, depois de tanto tempo.

Despachei a carta sem muitas esperanças de que chegasse às suas mãos. Mas chegou, e a resposta quase se extravia pelos caminhos da Europa. Pois a carta do Trujimán aterrissou em Paris quando eu estava em Viena, trabalhando na Junta de Energia Atômica, e a porteira do meu prédio na École Militaire, seguindo minhas instruções para o caso de chegar alguma carta de Tóquio, remeteu-a para Viena. Quando a carta chegou à Áustria eu já estava de volta a Paris. Enfim, o que normalmente demoraria uma semana, levou quase três.

Quando finalmente tive nas mãos a resposta de Salomón Toledano, eu tremia dos pés à cabeça, parecia atacado de febre terçã. Meus dentes batiam. Era uma carta de várias páginas. Li-a devagar, soletrando, para não perder uma sílaba do que dizia. Já nas primeiras linhas ele mergulhava numa apaixonada apologia de Mitsuko, sua advogada japonesa, confessando, um pouco envergonhado, que sua promessa de nunca mais se apaixonar, consequência do "percalço sentimental berlinense", estava feita em pedacinhos, depois de trinta anos sendo rigorosamente respeitada, por causa da beleza, inteligência, delicadeza e sensualidade de Mitsuko, uma mulher com a qual as divindades xintoístas quiseram revolucionar a sua vida desde que teve a bendita ideia de voltar para esta cidade onde agora, há alguns meses, era o homem mais feliz da terra.

Mitsuko o rejuvenescera e enchera de brios. Nem mesmo na flor da juventude ele fazia amor com tanto ímpeto como agora. O Trujimán tinha redescoberto a paixão. Era horrível ter desperdiçado tantos anos, tanto dinheiro e tantos espermatozoides em namoricos mercenários! Mas, talvez não; talvez tudo o que ele tinha feito até então fosse apenas uma ascese, um adestramento do seu espírito e do seu corpo para merecer Mitsuko.

Assim que voltasse a Paris, sua primeira providência seria jogar no fogo e ver derreter aqueles couraceiros, hussardos, cavaleiros com penachos, sapadores e artilheiros nos quais, ao longo de anos, numa atividade tão onerosa e absorvente quanto inútil, tinha desperdiçado a sua existência, subtraindo dela a felicidade do amor. Nunca mais colecionaria coisa nenhuma; seu único passatempo seria aprender, em todos os idiomas que sabia, poemas eróticos, para murmurar no ouvido de Mitsuko. Ela gostava de ouvi-los, mesmo sem entender, depois dos maravilhosos "desfrutes" que tinham toda noite, em diferentes cenários.

Depois passava a descrever, numa prosa que se carregava de febre e de pornografia, as proezas amatórias de Mitsuko, e seus encantos secretos, entre os quais se incluía uma forma bem atenuada e inofensiva, terna e sensual, da temível *vagina dentata* da mitologia greco-romana. Tóquio era a cidade mais cara do mundo e, mesmo sendo elevado, seu salário estava se desintegrando com as andanças noturnas do Trujimán com Mitsuko por Ginza, o bairro da noite de Tóquio, frequentando restaurantes, bares, cabarés e, principalmente, as casas de encontros, o suprassumo da *night life* japonesa. Mas quem se importava com dinheiro quando a felicidade estava em jogo! Porque todo o delicado refinamento da cultura japonesa não brilhava, como na certa você imagina, nas gravuras da época Meiji, nem no teatro Nô, nem no Kabuki, nem nos bonecos do Buruku. E sim nas casas de encontros ou *maisons closes*, lá batizadas com o afrancesado nome de *châteaux*, das quais a mais famosa era o Château Meguru, um verdadeiro paraíso dos prazeres carnais, onde o gênio japonês foi impecável ao combinar a tecnologia mais avançada com a sabedoria sexual e os rituais enobrecidos pela tradição. Tudo era possível nos aposentos do Château Meguru: todos os excessos, as fantasias, os fantasmas, as extravagâncias tinham um cenário e um instrumental para se materializar. Mitsuko e ele viveram experiências inesquecíveis nos discretos reservados do Château Meguru: "Lá nos sentimos como deuses, querido, e, palavra de honra, não estou exagerando nem delirando".

No final, quando eu já temia que o apaixonado não dissesse uma palavra sobre a menina má, o Trujimán se referiu ao meu pedido. Só a vira uma vez depois de receber minha carta.

Teve muito trabalho para falar com ela a sós porque, "por razões óbvias", não quis se referir a mim "na frente do senhor com quem ela vive, ou pelo menos com quem anda e costuma ser vista", um "ente" que tinha má fama e pior aspecto, alguém que bastava ver para se sentir calafrios e pensar: "Não gostaria de ter este sujeito como inimigo".

Mas, afinal, com a ajuda de Mitsuko, conseguiu trocar algumas palavras com ela e transmitir o meu pedido. Ela disse que, "como seu *petit ami* era muito ciumento", seria melhor eu não lhe escrever diretamente, para que ele não fizesse uma cena (ou a esganasse). Mas se eu quisesse mandar umas linhas por intermédio do Trujimán, ela adoraria saber notícias minhas. Salomón Toledano acrescentava: "Não é preciso dizer, querido, que nada me deixaria mais feliz que servir de alcoviteiro. Nossa profissão é uma forma disfarçada da interferência, alcovitice ou lenocínio, de maneira que estou preparado para tão nobre missão. E vou cumpri-la tomando todas as precauções do mundo, para que suas cartas nunca cheguem às mãos desse malfeitor com quem a menina dos seus sonhos anda por aí. Desculpe, querido, mas adivinhei tudo: ela é o amor da sua vida, ou estou enganado? E, aliás, meus parabéns: não chega a ser uma Mitsuko — ninguém é Mitsuko —, mas em sua beleza exótica tem uma aura de mistério na face que é muito sedutora. Cuide-se!". Assinado: "Abraço do Trujimán do Château Meguru!".

Com quem andava envolvida agora a peruanita? Um japonês, sem a menor dúvida. Talvez um gângster, um dos chefões da Yakuza que teria uma parte do dedo mindinho amputada, a contrassenha do bando. Não era de se estranhar, aliás. Certamente deve tê-lo conhecido durante as viagens que fazia ao Oriente com Mr. Richardson, outro gângster, só que este de colarinho, gravata e estábulos em Newmarket. O japonês era um personagem sinistro, a julgar pelas brincadeiras do Trujimán. Será que só se referia ao físico quando dizia que havia nele algo que dava medo? Ou aos seus antecedentes? Era o que faltava no prontuário da chilenita: amante de um chefe da máfia japonesa. Um homem com poder e dinheiro, é claro, qualidades indispensáveis para conquistá-la. E uns tantos cadáveres nas costas, além do mais. Eu estava corroído pelos ciúmes e, ao mesmo tempo, invadido por um curioso sentimento em que se misturavam inveja, curiosidade e admiração. Era óbvio, a menina má nunca deixaria de me surpreender com suas audácias indescritíveis.

Murmurei vinte vezes que não devia ser tão idiota de escrever para ela, ou tentar reatar qualquer forma de relação, porque sairia escaldado e chutado como sempre. Mas, menos de dois dias depois de ler a carta do Trujimán, escrevi umas linhas e comecei a arquitetar a maneira de dar um pulo até o país do sol nascente.

Minha carta era totalmente hipócrita, porque não queria deixá-la em apuros (tinha certeza de que agora, no Japão, ela estava metida em águas mais turvas que das outras vezes). Eu adorara receber notícias dela por intermédio do meu colega, nosso amigo comum, e saber que estava bem e feliz em Tóquio. Contei da minha vida em Paris, a rotina de trabalho que às vezes me levava para outras cidades europeias, anunciando que, veja só que coincidência, num futuro não muito distante iria a Tóquio, contratado para ser intérprete numa reunião internacional. Esperava revê-la, lembrar dos velhos tempos. Como não sabia que nome estava usando agora, limitei-me a encabeçar a carta assim: "Querida peruanita". E mandei junto um exemplar da minha antologia de Tchékhov, que dediquei: "À menina má, com o carinho invariável do coisinha à toa que traduziu estes contos". Enviei a carta e o livro para o endereço de Salomón Toledano, com um bilhete em que lhe agradecia o favor, confessava minha inveja por sabê-lo tão feliz e apaixonado, e pedia encarecidamente que me avisasse se soubesse de alguma reunião ou congresso que precisasse de bons intérpretes de espanhol, francês, inglês e russo (mas não japonês), porque de repente eu fora assolado por uma terrível vontade de conhecer Tóquio.

Minhas tentativas de conseguir um trabalho que me levasse até o Japão não foram bem-sucedidas. Não saber japonês me excluía de muitas reuniões locais e naquele período não haveria em Tóquio eventos de algum organismo da ONU que só exigissem os idiomas oficiais das Nações Unidas. Viajar por minha conta, como turista, custava uma fortuna. Iria pulverizar em poucos dias boa parte das economias que conseguira juntar nos últimos anos? Decidi que sim. Mas quando tomei a decisão e já me dispunha a ir a uma agência de viagens, recebi um telefonema do meu antigo chefe na Unesco, o senhor Charnés. Ele já estava aposentado, mas trabalhava por conta própria como diretor de um escritório de tradutores e intérpretes com o qual eu sempre estava em contato. Conseguira um simpósio em Seul, de cinco dias. Eu já tinha, portanto, a passagem de ida e volta. Da Coreia seria mais barato chegar a Tóquio. Minha vida, a partir desse momento, entrou num redemoinho: trâmites para os vistos, guias sobre a Coreia e o Japão, e repetir o tempo todo que estava cometendo um desatino total, pois o mais provável era que, em Tóquio, nem sequer conseguisse vê-la. A menina má já teria ido embora para outra parte, ou me evitaria para que o chefe da Yakuza não a cortasse de cima a baixo e jogasse seu cadáver para os cachorros, como o malvado de um filme japonês que eu tinha acabado de ver.

Nesse período febril, um dia o telefone me acordou de madrugada.

— Ainda está apaixonado por mim?

A mesma voz, o mesmo tom zombeteiro e risonho de antigamente, e, no fundo, aquele laivo do sotaque limenho que ela nunca perdera completamente.

— Devo estar, menina má — respondi, acordando de vez. — Senão, como explicar por quê, desde que soube que você está em Tóquio, fico batendo em todas as portas para conseguir algum contrato que me leve até aí, nem que seja por um dia. Consegui, afinal, um trabalho em Seul. Vou dentro de algumas semanas. De lá prossigo até Tóquio, para ver você. Mesmo que esse chefe da Yakuza com quem você anda, como me disseram meus espiões, me mate a tiros. São sintomas de estar apaixonado?

— É, acho que são. Ainda bem, bom menino. Pensava que, depois de tanto tempo, você tivesse se esquecido de mim. Foi isso que o seu colega Toledano disse? Que estou com um chefe da máfia?

Deu uma risada, deliciada com semelhante credencial. Mas, quase imediatamente, mudou de assunto e falou de um jeitinho carinhoso:

— Fico contente por você vir. Nós não nos vemos muito, mas eu sempre penso em você. Quer saber por quê? Porque é o único amigo que me resta.

— Eu não sou nem nunca serei seu amigo. Ainda não percebeu? Sou seu amante, seu namorado, a pessoa que desde pequeno é doido pela chilenita, pela guerrilheira, pela esposa do funcionário, a do criador de cavalos, a amante do gângster. O coisinha à toa que só vive para desejar você e pensar em você. Em Tóquio não quero ficar lembrando de nada. Quero ter você nos meus braços, beijar, cheirar, morder você, fazer amor.

Riu de novo, agora com mais vontade.

— Ainda faz amor? — perguntou. — Ótimo, ainda bem. Ninguém tornou a me dizer essas coisas desde a última vez que nos vimos. Vai me dizer muitas, quando vier, Ricardito? Vamos, diga outra agora, como exemplo.

— Nas noites de lua cheia vou latir para o céu vendo a sua carinha retratada lá em cima. Agora mesmo, daria os dez anos de vida que me restam para me ver refletido no fundo dos seus olhinhos cor de mel escuro.

Estava rindo, divertida, mas de repente me interrompeu, assustada:

— Tenho de desligar.

Ouvi o clique do aparelho. Não consegui mais fechar os olhos, tomado por uma mistura de alegria e inquietação que me deixou acordado até as sete da manhã, hora que costumava me levantar para preparar meu desjejum de costume — um café puro e uma torrada com mel — quando não ia tomá-lo no balcão de um bar vizinho, na *avenue* de Trouville.

Passei as duas semanas que faltavam para a minha viagem a Seul dedicado às coisas que, suponho, aqueles casais de noivos fascinados de antigamente faziam nos dias anteriores ao casamento, quando os dois perderiam a virgindade: comprar roupa, sapatos, cortar o cabelo (não no barbeiro comum atrás da Unesco onde eu sempre cortava, e sim num cabeleireiro de luxo na rue St. Honoré) e, principalmente, percorrer butiques e lojas de mulheres para escolher um presente discreto, que a menina má pudesse ocultar no seu próprio vestuário, mas também original, delicado, que dissesse as coisas ternas e bonitas que eu ansiava dizer no seu ouvido. Pensei várias vezes, em cada minuto que passei escolhendo o presente, que estava sendo mais imbecil do que nunca e que mais uma vez merecia ser tratado a pontapés e esfregado na imundície pela amante do chefe da Yakuza. Afinal, depois de muito procurar, acabei comprando uma das primeiras coisas que me agradaram, na Vuitton: um *nécessaire* com uma coleção de vidrinhos de cristal para perfumes, cremes e batons, e uma agenda e um lápis de madrepérola ocultos num fundo falso. Havia algo vagamente adúltero no esconderijo daquela *nécessaire* dengosa.

      A reunião em Seul foi exaustiva. Versava sobre patentes e tarifas, e os oradores empregavam um vocabulário muito técnico, que duplicava o meu esforço. A excitação dos últimos dias, o *jet lag* e a diferença de horas entre Paris e a Coreia me deixaram insone e com os nervos à flor da pele. No dia que cheguei a Tóquio, num começo de tarde, desabei de sono no quarto minúsculo que o Trujimán me reservara num hotelzinho do centro da cidade. Dormi quatro ou cinco horas seguidas e à noite, depois de um prolongado banho frio para acordar, fui jantar com o meu amigo e seu amor japonês. Desde o primeiro momento, senti que Salomón Toledano estava muito mais apaixonado por Mitsuko que ela por ele. O Trujimán me pareceu rejuvenescido e exaltado. Usava uma gravata-borboleta que eu nunca tinha visto antes e um terno de corte moderno e juvenil. Fazia brincadeiras, multiplicava os gestos de gentileza com sua amiga e não perdia pretexto para beijar seu rosto ou a boca e passar o braço pela sua cintura, coisa que parecia constrangê-la. Era muito mais jovem que ele, simpática e, de fato, bastante graciosa: tinha pernas bonitas e uma carinha de porcelana em que cintilavam dois olhos grandes e vivazes. Não conseguia ocultar sua expressão de desagrado toda vez que Salomón se aproximava dela. Falava inglês muito bem, mas sua naturalidade e cordialidade desapareciam toda vez que meu amigo fazia suas ostentosas demonstrações de carinho. Ele parecia não notar. Primeiro fomos a um bar em Kabuki-cho, no Shinjuku, um bairro cheio de cabarés, lojas eróticas, restaurantes, discotecas e casas de massagem onde circulava uma densa multidão. De todos os lados vinha uma música descontrolada e se via no ar um verdadeiro bosque de luzes, emblemas e cartazes publicitários. Eu me sentia enjoado. Depois, jantamos num lugar mais tranquilo, em Nishi-Azubu, onde provei comida japonesa pela primeira vez e bebi o morno e áspero saquê. Ao longo da noite se acentuou minha impressão de que a relação entre Salomón e Mitsuko estava longe de funcionar tão bem como o Trujimán afirmava em suas cartas. Mas, pensei, deve ser porque Mitsuko, comedida em suas demonstrações de afeto, ainda não se havia acostumado com a maneira expansiva, mediterrânea, de

Salomón comunicar ao mundo a paixão que ela despertara. Vai se acostumar.

Mitsuko tomou a iniciativa de falar da menina má. Foi no meio do jantar, e da maneira mais natural do mundo, perguntando se eu queria que ligasse para a minha conterrânea avisando que chegara. Aceitei e pedi que lhe desse o número do meu hotel. Era melhor do que eu mesmo telefonar, considerando que o cavalheiro com quem vivia era, pelo visto, um Otelo japonês ou, quem sabe, um assassino.

— Foi isso que este seu amigo lhe contou? — riu Mitsuko. — Que bobagem. O senhor Fukuda é um homem um pouco estranho, dizem que anda metido em negócios não muito claros, na África. Mas nunca ouvi falar que seja um delinquente, nem nada parecido. É muito ciumento, isso sim. Pelo menos é o que Kuriko diz.

— Kuriko?
— A menina má.

Disse a "menina má" em espanhol, *niña mala*, e festejou sua pequena proeza linguística, aplaudindo. Quer dizer que agora se chamava Kuriko. Puxa. Nessa noite, quando nos despedimos, o Trujimán deu um jeito de ter uma brevíssima conversa a sós comigo. Perguntou, apontando para Mitsuko:

— O que achou?
— É linda, Trujimán. Você tinha toda a razão do mundo. Um encanto.

— E olhe que só a viu de roupa — disse, piscando um olho e batendo no peito. — Nós precisamos conversar muito, querido. Você vai ficar surpreso com os planos que tenho em mente. Telefono para você amanhã. Durma, sonhe e ressuscite.

Mas quem me ligou, cedo, foi a menina má. Deu-me uma hora para fazer a barba, tomar banho e me vestir. Quando desci, já estava me esperando, sentada numa das poltronas da recepção. Usava um impermeável claro e, por baixo, uma blusinha cor de tijolo e uma saia marrom. Viam-se seus joelhos, redondos e luzidios, e as pernas finas. Estava mais magra do que antes e com os olhos um pouco cansados. Mas ninguém no mundo diria que tinha mais de quarenta anos. Parecia fresca e bela. À distância, poderia passar por uma daquelas japonesas delicadas e miúdas que andavam pela rua, silenciosas e flutuantes. Seu rosto se iluminou quando me viu e se ergueu para que eu lhe desse um abraço. Beijei seu rosto e não afastou os lábios quando os toquei com os meus.

— Amo muito você — balbuciei. — Obrigado por continuar tão jovem e bonita, chilenita.

— Venha, vamos tomar o ônibus — disse, pegando o meu braço. — Conheço um lugar bonito, para conversar. Um parque onde toda Tóquio vai fazer piqueniques e se embebedar quando brotam as flores das cerejeiras. Lá você pode me dizer algumas breguices.

Agarrada no meu braço, ela me levou até um terminal, a duas ou três quadras do hotel, onde subimos num ônibus que brilhava de tão limpo. O motorista e a trocadora estavam com aquelas máscaras que eu já tinha visto, com surpresa, tanta gente usando pela rua. Em muitos sentidos, Tóquio parecia uma clínica. Dei-lhe o *nécessaire* Vuitton e ela recebeu o presente sem grande entusiasmo, enquanto me observava, entre divertida e curiosa.

— Você virou uma japonesinha. Na maneira de se vestir, e mesmo nos seus traços, nos movimentos, até na cor da pele. Desde quando se chama Kuriko?

— É um apelido que meus amigos me deram, não sei de quem foi a ideia. Talvez eu tenha mesmo qualquer coisa de oriental. Uma vez você me disse isso em Paris, lembra?

— Claro que lembro. Sabe que tive medo de que você estivesse feia?

— Você, em compensação, está cheio de fios brancos no cabelo. E com algumas ruguinhas, aqui, embaixo dos olhos. Apertou o meu braço e seus olhos se encheram de malícia. Diminuiu a voz: — Gostaria que eu fosse sua gueixa, bom menino?

— Gostaria, também. Mas antes de mais nada, minha mulher. Vim a Tóquio lhe propor casamento pela enésima vez. Desta vez vou convencer você, estou avisando. Aliás, desde quando anda de ônibus? O chefe da Yakuza não pode lhe dar um carro com motorista e guarda-costas?

— Mesmo que pudesse, eu não faria isso — disse, ainda agarrada no meu braço. — Seria ostentação, a coisa que os japoneses mais odeiam. Aqui não é bem-visto diferenciar-se dos outros, seja no que for. Por isso, os ricos se disfarçam de pobres e os pobres de ricos.

Descemos do ônibus num parque cheio de gente, funcionários de escritório que aproveitavam o descanso do meio-dia para comer sanduíches com refrigerantes debaixo das árvores, cercados de grama e lagos com peixinhos coloridos. A menina má me levou para um salão de chá, num canto do parque. Lá havia mesinhas com poltronas confortáveis, entre biombos que mantinham uma certa privacidade. Assim que nos sentamos, beijei suas mãos, sua boca, seus olhos. Fiquei olhando-a longamente, respirando-a.

— Passei no exame, Ricardito?

— Com louvor. Mas você parece um pouco cansada, japonesita. É a emoção de me ver, depois de deixar-me quatro anos completamente abandonado?

— E a tensão em que vivo, também — acrescentou, séria.

— Que maldades você faz para viver tão tensa?

Ficou me olhando, sem responder, e passou a mão pelo meu cabelo, aquele carinho meio amoroso e meio maternal que costumava fazer.

— Quantos fios brancos — repetiu, ainda me examinando. — Sou responsável por alguns, certo? Daqui a pouco vou ter de chamar você de bom velhinho, em vez de bom menino.

— Está apaixonada pelo tal Fukuda? Eu tinha esperança de que estivesse com ele só por interesse. Quem é? Por que tem uma fama tão ruim? O que ele faz?

— Muitas perguntas de uma vez só, Ricardito. Primeiro me diga uma daquelas coisas de telenovela. Ninguém me fala isso, há anos.

Então falei baixinho, olhando nos seus olhos e beijando de vez em quando sua mão que estava entre as minhas.

— Não perdi as esperanças, japonesita. Mesmo parecendo um tremendo cretino, vou insistir e insistir até você vir morar comigo. Em Paris ou, se não gostar de Paris, onde você quiser. Como intérprete, posso trabalhar em qualquer lugar do mundo. Juro que vou fazer você feliz, japonesita. Já se passaram muitos anos, suficientes para não me restar a menor dúvida: amo tanto você que faria qualquer coisa para que continue ao meu lado, quando estivermos juntos. Gosta de gângsteres? Eu viro assaltante, sequestrador, estelionatário, narcotraficante, o que quiser.

Quatro anos sem saber de você, e agora quase não consigo falar, quase não consigo pensar, de tão comovido por tê-la aqui pertinho.

— Nada mal — riu, avançou o rosto e me deu nos lábios o beijo rápido de um passarinho.

Pediu chá e docinhos em japonês, que a garçonete fez repetir algumas vezes. Depois que trouxeram a infusão e de me servir uma xícara, respondeu tardiamente à minha pergunta:

— Não sei se é amor o que sinto por Fukuda. Mas nunca na vida dependi tanto de alguém como dependo dele. A verdade é que ele pode fazer comigo o que bem entender.

Não dizia isso com a alegria ou a euforia de alguém, como o Trujimán, que descobriu o amor-paixão. Antes, estava alarmada, espantada de que acontecesse uma coisa dessas com uma pessoa como ela, que se considerava acima de tais fraquezas. Em seus olhos cor mel escuro havia algo de angustiado.

— Bem, se ele pode fazer com você o que bem entender, é porque está apaixonada, finalmente. Espero que o tal Fukuda faça você sofrer do mesmo jeito que você me faz, há tantos anos, mulher glacial...

Senti que segurava a minha mão e a apertava.

— Não é amor, juro. Não sei o que é, mas isso não pode ser amor. Uma doença, ou melhor, um vício. Isso é Fukuda para mim.

A história que me contou talvez fosse verdadeira, mas certamente deixou muitos pontos na penumbra, e disfarçou, suavizou e embelezou outros. Para mim era difícil acreditar em qualquer coisa que ela dizia, pois desde que a conheci sempre me contou mais mentiras que verdades. E penso que, ao contrário do comum dos mortais, para a recente Kuriko era muito difícil diferenciar, a essa altura de sua vida, o mundo em que vivia daquele em que dizia viver. Como imaginei, havia conhecido Fukuda anos antes, numa das viagens que fez ao Oriente com David Richardson, que de fato tinha negócios com o japonês. Um dia, este disse à menina má que era uma pena que uma mulher como ela, com tanta personalidade, tão cosmopolita, estivesse acomodada como Mrs. Richardson, porque poderia fazer uma grande carreira no mundo dos negócios. A frase ficou ecoando em seus ouvidos. Quando sentiu que seu mundo vinha abaixo porque o ex-marido tinha descoberto seu casamento anterior com Robert Arnoux, telefonou para Fukuda, contou o que estava acontecendo e se ofereceu para trabalhar sob suas ordens, no que fosse. O japonês mandou uma passagem de avião de Londres a Tóquio.

— Quando você me telefonou do aeroporto de Paris para se despedir, estava vindo se encontrar com ele?

Confirmou.

— Sim, mas na realidade foi do aeroporto de Londres.

Na mesma noite que chegou ao Japão, Fukuda fez dela sua amante. Mas só a levou para morar com ele dois anos depois. Até então morou sozinha, num quartinho minúsculo de pensão, com um banheiro e uma quitinete, "mais apertado que o quarto da minha criada filipina em Newmarket". Se não viajasse tanto, "fazendo os serviços de Fukuda", teria enlouquecido de claustrofobia e solidão. Era amante de Fukuda, mas uma entre várias. O japonês nunca lhe escondeu que dormia com diferentes mulheres. Às vezes saía uma noite com ela, mas depois podia passar semanas sem convidá-la para ir à sua casa. A relação entre os dois era, nesses períodos, estritamente de uma empregada e seu patrão. Em que consistiam os "serviços" do senhor Fukuda? Contrabandear drogas, diamantes, quadros, armas, dinheiro? Muitas vezes, ela nem sabia. Levava e trazia o que ele preparava, em malas, pacotes, sacolas ou bolsas, e até agora — bateu na madeira da mesa — sempre passava pelas alfândegas, pelas fronteiras e pelos policiais sem nenhum problema. Viajando dessa maneira pela Ásia e a África, havia descoberto o que é o medo-pânico. Ao mesmo tempo, nunca vivera antes com tanta intensidade e tanta energia, sentindo, a cada viagem, que a vida era uma aventura maravilhosa. "Como é melhor viver assim que naquele limbo, naquela morte lenta rodeada de cavalos que é Newmarket!" Após dois anos trabalhando para ele, Fukuda premiou-a, satisfeito com seu desempenho, com uma promoção: "Agora já merece morar sob o mesmo teto que eu".

— Você vai acabar esfaqueada, assassinada, trancada anos e anos numa cadeia horrível — disse eu. — Ficou maluca? Se o que me contou é verdade, então o que está fazendo é uma estupidez. Quando a pegarem contrabandeando drogas ou coisa pior, você acha que esse gângster vai cuidar de você?

— Sei que não vai, ele mesmo me avisou — interrompeu. — Pelo menos, é muito franco comigo, viu? Se alguma vez você for presa, dane-se. Eu não a conheço, e nunca conheci. O problema é seu.

— Quanto amor por você, é impressionante.

— Ele não me ama. Nem a mim nem a ninguém. Nisso, é como eu. Mas tem mais personalidade e é mais forte do que eu.

Fazia mais de uma hora que estávamos ali, e começava a escurecer. Eu não sabia o que dizer. Estava arrasado. Era a primeira vez que ela me parecia totalmente entregue a um homem, de corpo e alma. Agora sim, estava bem claro: a menina má jamais seria sua, coisinha à toa.

— Você ficou com uma carinha triste — sorriu. — Está aborrecido com o que contei? Você é a única pessoa a quem eu poderia dizer isso. E eu estava precisando contar a alguém. Mas talvez tenha agido errado. Você me perdoa, se eu lhe der um beijo?

— Fico triste porque vejo que, pela primeira vez na vida, você ama alguém de verdade, e esse alguém não sou eu.

— Não, não, não é amor — repetiu, balançando a cabeça. — É mais complicado, é como uma doença, já disse. Isso me faz sentir viva, útil, ativa. Mas não feliz. É como uma possessão. Não ria, não estou brincando, às vezes me sinto possuída por Fukuda.

— Se tem tanto medo dele, imagino que não vai se atrever a fazer amor comigo. E eu vim a Tóquio especialmente para pedir que você me leve ao Château Meguru.

Ela estava muito séria enquanto me contava sua vida com Fukuda, mas agora, arregalando os olhos, deu uma gargalhada:

— E como diabos você, recém-chegado a Tóquio, sabe o que é o Château Meguru?

— Pelo meu amigo, o intérprete. Salomón chama a si mesmo de "Trujimán, o intérprete do Château Meguru". — Peguei sua mão e a beijei. — Não tem coragem, menina má?

Olhou o relógio e ficou pensativa por alguns momentos, calculando. De repente, decidida, pediu à garçonete para chamar um táxi.

— Não tenho é muito tempo — disse. — Mas me dá aflição ver sua cara de cachorrinho espancado. Vamos, e conste que estou me arriscando muito por fazer isso.

O Château Meguru era um motel que funcionava num edifício labiríntico, cheio de corredores e escadas escuras que conduziam a uns quartos equipados com sauna, hidromassagem, cama com colchão de água, espelhos nas paredes e no teto, aparelhos de rádio e de televisão ao lado de pilhas de vídeos pornográficos contendo fantasias para todos os gostos imagináveis, mas com uma marcada preferência pelo sadomasoquismo. Também, numa pequena vitrine, preservativos e vibradores de diferentes tamanhos e cheios de acessórios como cristas de galo, penachos e mitras, assim como uma rica parafernália de jogos sadomasoquistas, chicotes, máscaras, algemas e correntes. Assim como nos ônibus, ruas e parques, também aqui a limpeza era meticulosa e doentia. Ao entrar no quarto, tive a sensação de estar num laboratório ou numa estação espacial. Na verdade, custei a entender o entusiasmo de Salomón Toledano, que chamava aquelas alcovas tecnológicas e míni *sex shops* de éden dos prazeres.

Quando comecei a despir Kuriko, e vi, toquei em sua pele suave, e senti seu aroma, fui vencido, apesar dos esforços que fazia para me controlar, pela angústia que apertava o meu peito desde que soube de sua rendição incondicional a Fukuda. Caí em prantos. Ela me deixou chorar por um bom tempo, sem dizer nada. Quando me recompus, balbuciei umas desculpas e senti que ela acariciava de novo o meu cabelo.

— Não viemos aqui para ficar tristes — disse. — Faça-me carinho e diga que me ama, bobinho.

Quando ficamos nus vi que ela, de fato, tinha emagrecido muito. No peito e nas costas viam-se suas costelas, e a pequena cicatriz do ventre se ampliara. Mas suas formas continuavam harmoniosas e seus peitinhos, firmes. Beijei-a devagar, por muito tempo, em todo o corpo — o tênue perfume que sua pele exalava parecia emanar das vísceras —, sussurrando palavras de amor. Nada me importava. Nem mesmo que estivesse enfeitiçada por aquele japonês. O que me apavorava era a ideia de que, com as tarefas que ele lhe dava, acabasse destroçada a tiros ou encarcerada numa prisão africana. Mas eu moveria céus e terras para resgatá-la. Porque, como podia negar, cada dia a amava mais. E sempre a amaria, por mais que me traísse com mil fukudas, porque ela era a mulherzinha mais delicada e mais bonita da criação: minha rainha, minha princesinha, minha torturadora, minha mentirosinha, minha japonesita, meu único amor. Kuriko tinha tapado o rosto com o braço e não dizia nada, nem sequer me escutava, totalmente concentrada no seu prazer.

— Aquilo que eu gosto, bom menino — ordenou afinal, abrindo as pernas e atraindo minha cabeça para seu sexo.

Beijar, sorver, saborear a fragrância que saía do fundo do seu ventre me deixou feliz como antigamente. Por uns minutos eternos esqueci de Fukuda e das mil e uma aventuras que ela me contara, imerso numa exaltação quieta e febril, engolindo os doces sumos que sugava de suas vísceras. Depois de sentir que tinha gozado, subi sobre ela e, com a mesma dificuldade de tantas vezes, penetrei-a, sentindo que gemia e se encolhia. Estava muito excitado mas consegui me demorar dentro dela, imerso num frenesi vertiginoso, até que afinal ejaculei. Fiquei um bom tempo com ela soldada em mim, apertando-a com força. Acariciei-a, mordi seus cabelos, suas orelhas perfeitas, beijei-a, pedi desculpas por não ter conseguido me segurar por mais tempo.

— Há um remédio para não gozar tão rápido, para manter a ereção por muito tempo, horas — disse afinal, no meu ouvido, com a vozinha travessa de outros tempos. — Sabe qual? Não, você não tem ideia dessas coisas, santinho. Uns pós feitos com presa de elefante moída e chifre de rinoceronte. Não ria, não é bruxaria, é verdade. Vou lhe dar um tubinho de lembrança, para levar a Paris. Custam uma fortuna em toda a Ásia, fique sabendo. Com isso você vai se lembrar de Kuriko toda vez que transar com uma francesa.

Afastei minha cabeça do pescoço da menina má para ver seu rosto: estava linda, assim pálida, com olheiras azuladas e a languidez que o amor lhe provocava.

— Então é isso que você contrabandeia nas suas viagens pela Ásia e a África? Afrodisíacos preparados com presa de elefante e chifre de rinoceronte, para enganar os incautos? — perguntei, já sacudido pelas gargalhadas.

— É o melhor negócio do mundo, acredite se quiser — riu, contagiada. — Por culpa dos ecologistas, que conseguiram proibir a caça de elefantes, rinocerontes e não sei que outros animais. Agora, essas presas e chifres custam os olhos da cara nestes países daqui. Também trago outras coisas, que não vou lhe contar. Mas o grande negócio de Fukuda é esse. E agora preciso ir, bom menino.

— Não pretendo voltar para Paris — avisei, vendo-a caminhar nua, de costas, na ponta dos pés rumo ao banheiro. — Vou ficar morando em Tóquio e, se não puder matar Fukuda, eu me contento com ser o seu cão, assim como você é a cadela desse gângster.

— Au, au — latiu a chilenita.

Quando voltei ao hotel, havia um recado de Mitsuko. Queria me ver a sós, era um assunto urgente. Poderia telefonar para o seu escritório, amanhã cedo?

Liguei assim que me levantei e, entre intermináveis cortesias japonesas, a amiga do Trujimán sugeriu que tomássemos um café no bar do Hotel Hilton, no meio da manhã, porque precisava me dizer uma coisa importante. Mal desligamos, o telefone tocou. Era Kuriko. Havia contado a Fukuda que um velho amigo peruano estava em Tóquio, e o chefe da Yakuza me convidou, junto com o Trujimán e sua noiva, para tomar uns coquetéis em sua casa, à noite, e depois para um jantar-show, na sala de espetáculos musicais mais popular de Ginza. Eu tinha ouvido bem?

— E também avisei a ele que durante uns dias vou levar você para fazer um pouco de turismo. Não fez a menor objeção.

— Que generoso, que galante — respondi, indignado com o que acabava de ouvir. — Você, pedindo autorização a um homem! Quem diria, menina má.

— Você me fez ficar vermelha — sussurrou, um pouco perturbada. — Pensei que gostaria de saber que podemos nos ver todos os dias que passar em Tóquio.

— Estou com ciúmes. Não percebeu? Antes eu não ligava, porque você também não ligava para seus amantes ou maridos. Mas com esse japonês é diferente. Não devia ter me falado que ele pode fazer com você o que bem entender. Vou ficar com esse punhal cravado no coração até o túmulo.

Ela riu, como se eu tivesse contado uma piada.

— Agora não tenho tempo para suas breguices, bom menino. E vou acabar com esses ciúmes. Preparei um programa maravilhoso para o dia todo, você vai ver.

Pedi que me apanhasse ao meio-dia, no bar do Hilton, e fui ao encontro com Mitsuko. Ela já estava lá, fumando. Parecia nervosa. Tornou a pedir desculpas por seu atrevimento de me ligar, mas, disse, não tinha a quem se dirigir, "a situação ficou muito complicada, não sabia mais o que fazer". Talvez eu pudesse lhe dar um conselho.

— Tem a ver com você e Salomón? — perguntei, já suspeitando o que vinha a seguir.

— Pensei que o nosso caso seria um pequeno flerte — confirmou, soltando fumaça pelo nariz e pela boca ao mesmo tempo. — Uma aventura agradável, passageira, dessas que não comprometem. Mas Salomón não pensa assim. Quer transformar a coisa numa relação para a vida inteira. Está decidido a se casar comigo. Mas eu nunca vou me casar de novo. Já vivi um fracasso, sei o que é isso. Tenho uma carreira pela frente. Na verdade, ele está me deixando maluca com tanta teimosia. Não sei mais o que fazer para que isso termine de uma vez.

Não fiquei muito feliz ao confirmar minhas suspeitas. O Trujimán tinha mesmo construído castelos no ar e ia sentir a maior frustração da sua vida.

— Como vocês são tão amigos, e ele gosta tanto de você, eu pensei, enfim, espero que não se importe. Pensei que poderia me ajudar.

— Mas, de que maneira posso ajudar você, Mitsuko?

— Falando com ele. Explicando. Que eu nunca vou me casar com ele. Que não quero nem posso continuar essa relação da maneira que ele pretende. Na verdade, ele me sufoca, me oprime. Tenho muitas responsabilidades na empresa, e essa história está prejudicando o meu trabalho. Fiz muitos esforços para chegar aonde estou, na Mitsubishi.

Todos os fumantes de Tóquio pareciam ter-se concentrado no impessoal bar do Hotel Hilton. Nuvenzinhas de fumaça e um forte cheiro de tabaco impregnavam o local. Ouvia-se falar inglês em quase todas as mesas. Havia tantos estrangeiros quanto japoneses.

— Sinto muito, Mitsuko, mas não vou fazer isso. Não é um assunto que permita a intervenção de terceiros, é uma coisa entre vocês dois. Fale com ele, com toda a franqueza, e o quanto antes. Porque Salomón está muito apaixonado por você. Como nunca esteve antes por ninguém. E tem muitas fantasias. Ele pensa que você o ama também.

Contei um pouco do que o Trujimán me falava dela em suas cartas. Como tinha mudado, ao conhecê-la, o conceito do amor que trazia desde aquela longínqua experiência da sua juventude berlinense, quando a noiva polonesa o abandonou em plenos preparativos de casamento. Percebi que tudo o que eu dizia não a deixava nem um pouco aflita: já devia estar farta do pobre Trujimán.

— Eu compreendo essa moça — comentou, glacial. — Seu amigo, não sei como dizer em inglês, é opressivo, sufocante. Quando estamos juntos, às vezes me sinto numa prisão. Ele não me dá nenhum espaço para ser eu mesma, para respirar. Quer se encostar o tempo todo em mim. Eu já expliquei a ele que aqui, no Japão, não se costuma ser tão efusivo em público.

Falava de tal maneira que, em poucos minutos, cheguei à conclusão de que o problema era ainda mais grave: Mitsuko estava tão enjoada dos beijos e toques do Trujimán diante de qualquer um, e sabe-se lá de que assédios privados, que tinha chegado a detestá-lo.

— Então acha mesmo que eu devo falar com ele?

— Não sei, Mitsuko, não me faça dar conselhos sobre um assunto tão pessoal. Só quero que o meu amigo sofra o menos possível. E acho que, se você não vai continuar com ele, se decidiu mesmo romper o relacionamento, é preferível fazê-lo o mais cedo possível. Depois, seria pior.

Quando se despediu, com novas desculpas e cortesias, fiquei ali desgostoso e contrariado. Seria melhor não ter tido aquela conversa com Mitsuko, não saber que o meu amigo ia ser brutalmente acordado do sonho em que estava mergulhado e devolvido à crua realidade. Felizmente não tive de esperar muito: Kuriko apareceu na entrada do bar e fui ao seu encontro, feliz de sair daquele antro enfumaçado. Usava um chapeuzinho e um impermeável do mesmo tecido claro, quadriculado, com calças de flanela escura, um pulôver grená de gola rulê e mocassins esporte. Estava com o rosto mais fresco e mais jovem que na véspera. Uma adolescente de quarenta e tantos anos. Foi só vê-la para esquecer o meu mal-estar. Ela mesma me ofereceu os lábios para beijar, coisa que não costumava fazer, pois sempre era eu quem buscava a sua boca.

— Vamos, vou levar você aos templos xintoístas, os mais bonitos de Tóquio. Em todos há animais soltos, cavalos, galos, pombos. São considerados sagrados, reencarnações. E amanhã visitaremos os templos zen-budistas, com seus jardins de areia e pedras, que os monges limpam com ancinho e transformam todos os dias. Maravilhosos, também.

Foi um dia intenso, subindo e descendo de ônibus, do aerodinâmico metrô, às vezes de táxis. Entrei e saí de templos e pagodes, e de um enorme museu onde havia imitações de *huacos* peruanos porque — como explicava um cartaz — a instituição, respeitando as restrições que havia no Peru para tirar do país objetos do patrimônio arqueológico, não exibia peças originais. Mas não devo ter prestado muita atenção ao que via, porque meus cinco sentidos estavam concentrados em Kuriko, que quase não largava a minha mão e se mostrava insolitamente carinhosa. Fazia brincadeiras e trejeitos, e ria com ânimo, os olhos brilhantes, cada vez que me pedia no ouvido "Agora outra breguice, bom menino" e eu a satisfazia. No meio da tarde nos sentamos numa mesinha lateral do bar do Museu de Antropologia, para comer um sanduíche. Ela tirou o chapeuzinho quadriculado e ajeitou o cabelo. Estava bem curto e deixava à mostra todo o seu pescoço, gracioso, no qual se insinuava a cobrinha verde de uma veia.

— Qualquer um diria que você está apaixonada por mim, menina má. Acho que nunca, desde que nos conhecemos em Miraflores, como chilenita, você foi tão carinhosa comigo.

— Quem sabe me apaixonei por você e ainda não percebi — disse, passando a mão pelo meu cabelo e aproximando muito o rosto, para que eu visse bem que seus olhos estavam irônicos e insolentes. — O que você faria se eu dissesse que estou, e que nós podemos morar juntos?

— Teria um infarto e cairia para trás na mesma hora. Você está, Kiruko?

— Estou contente, porque podemos nos encontrar todos os dias enquanto você estiver em Tóquio. Andava preocupada, não sabia como ia fazer para encontrar você diariamente. Por isso tive coragem de contar a Fukuda. E olhe só como deu certo.

— O gângster magnânimo autorizou você a mostrar os encantos de Tóquio ao seu conterrâneo. Odeio o seu maldito chefe da Yakuza. Preferiria não conhecê-lo, não ter que vê-lo nunca. Esta noite vou passar maus momentos, vendo você com ele. Posso pedir um favor? Não encoste nele, não o beije na minha frente.

Kuriko começou a rir e tapou minha boca com a mão.

— Cale-se, bobão, ele nunca faria essas coisas, nem comigo nem com ninguém. Nenhum japonês faria. Aqui há uma diferença tão grande entre o que se faz em público e o que se faz em privado que todos ficam chocados com as coisas mais naturais para nós. Ele não é como você. Fukuda me trata como sua empregada. Às vezes, como sua puta. Você, em compensação, seja dita a verdade, sempre me tratou como uma princesa.

— Agora é você quem fala breguices.

Peguei sua carinha entre as mãos e a beijei.

— Também não precisava me dizer que esse japonês trata você como uma puta — sussurrei no seu ouvido. — Não entende que é como se me esfolasse vivo?

— Não falei nada. Vamos esquecer, apagar essa história.

Fukuda morava num bairro afastado do centro, uma zona residencial onde se alternavam edifícios de seis, oito andares, muito modernos, com casinhas tradicionais, de telhadinhos e jardins minúsculos, que pareciam em risco de ser esmagadas por seus altíssimos vizinhos. Era um apartamento no sexto andar de um edifício com porteiro uniformizado, que me acompanhou até o elevador. A porta se abria já no interior da residência e ali, depois de um pequeno saguão vazio, surgiu um salão de jantar, com uma enorme janela pela qual se vislumbrava um manto infinito de luzinhas cintilantes sob um céu sem estrelas. A sala estava mobiliada com sobriedade e viam-se uns pratos de cerâmica azul nas paredes, esculturas polinésias em prateleiras e, sobre uma mesa plana e longa, objetos esculpidos em marfim. Mitsuko e Salomón já estavam lá, com taças de champanhe nas mãos. A menina má usava um vestido longo, cor mostarda, que deixava seus ombros descobertos, com uma correntinha de ouro no pescoço. Estava maquiada para ir a uma festa, com o cabelo preso em duas bandas. Esse penteado, que eu nunca tinha visto, acentuava sua aparência oriental. Poderia passar por japonesa, agora mais do que nunca. Beijou-me no rosto e disse em espanhol ao senhor Fukuda:

— Este é Ricardo Somocurcio, o amigo de quem lhe falei.

O senhor Fukuda fez a indefectível reverência de saudação japonesa. E, num espanhol bastante compreensível, me cumprimentou assim, estendendo a mão:

— O chefe da Yakuza lhe dá boas-vindas.

A piada me deixou totalmente desconcertado, não só porque não esperava por isso — não podia imaginar que Kuriko iria contar a ele o que eu dissera —, mas porque o senhor Fukuda brincou — brincou? — sem sorrir, com a mesma cara inexpressiva e neutra, acartonada, que manteve a noite toda. Uma cara que parecia uma máscara. Quando atinei a dizer "Ah, você fala espanhol", negou com a cabeça e, a partir desse momento, só falou num inglês muito pausado e difícil, nas poucas vezes que falou. Afinal me ofereceu uma taça de champanhe e me indicou um assento, ao lado de Kuriko.

Era um homem baixinho, ainda mais baixo que Salomón Toledano, quase esquelético, a tal ponto que, ao lado da esbelta e miúda menina má, parecia raquítico. Eu fazia uma ideia tão diferente dele que tive a impressão de estar diante de um impostor. Usava óculos escuros, de vidros redondos e aros de metal, que não tirou a noite toda, o que aumentava o mal-estar que sua pessoa me causava, pois não sabia se os seus olhinhos — eu os imaginava frios e belicosos — estavam me observando ou não. Tinha cabelos grisalhos, grudados no crânio, talvez fixados com brilhantina, e penteados para trás à maneira dos cantores argentinos de tango dos anos 1950. Usava terno e gravata escuros, que lhe davam um certo ar fúnebre, e podia ficar imóvel e mudo por muito tempo, com suas mãos pequenas sobre os joelhos, como se estivesse petrificado. Mas o traço mais marcante no seu físico era, talvez, sua boca sem lábios que quase não se mexia quando falava, como os ventríloquos. Eu me sentia tão tenso e incômodo que, contrariando os meus hábitos — nunca pude beber muito, porque o álcool me faz efeito instantâneo —, nessa noite bebi em excesso. Quando o senhor Fukuda se levantou, indicando que devíamos partir, eu estava com três taças de champanhe no estômago e minha cabeça tinha começado a rodar. E, um tanto alheio à conversa que o Trujimán mantinha quase sozinho, falando das variantes regionais do japonês que estava começando a distinguir, eu me perguntava, estupefato: "O que tem este homenzinho velho e insignificante para que a menina má fale essas coisas dele?". O que será que dizia, que fazia com ela para que dissesse que ele é o seu vício, sua doença, que pode fazer dela o que bem entender, que está possuída por ele? Como não encontrava a resposta, sentia ainda mais ciúmes, mais fúria, mais desprezo por mim mesmo, e me amaldiçoava por ter cometido a insensatez de vir para o Japão. Mas, um segundo depois, olhando-a de soslaio, pensava que só daquela vez, no baile do Opéra de Paris, eu a vira tão desejável como nessa noite.

Havia dois táxis à nossa espera na porta do edifício. Fui sozinho com Kuriko, porque o senhor Fukuda assim determinou, com um simples gesto imperativo, enquanto entrava no outro táxi com o Trujimán e Mitsuko. Assim que partimos, senti que a menina má puxava a minha mão e a levava até as pernas, para que eu a tocasse.

— Ele não era tão ciumento? — perguntei, apontando para o outro táxi que nos ultrapassava. — Como deixa você vir sozinha comigo?

Ela não se deu por aludida.

— Não faça essa cara, bobinho — disse. — Será que não me ama mais?

— Odeio você — disse. — Nunca senti tanto ciúme como agora. Quer dizer que esse anão, esse aborto de homem é o grande amor da sua vida?

— Pare de falar bobagens e me beije.

Pôs os braços em volta do meu pescoço, ofereceu-me a boca e senti a pontinha da sua língua se enredando na minha. Deixou-se beijar longamente, respondendo com alegria aos meus beijos.

— Amo você, droga, amo você, adoro você — implorei, em seu ouvido. — Venha comigo, japonesita, venha, juro que seremos felizes.

— Cuidado, já estamos chegando — disse ela. E se afastou de mim, tirou da bolsa um lenço de papel e retocou a boca.
— Limpe os lábios, ficou um pouco de batom.

O teatro-restaurante era um *music hall* com um palco gigantesco e mesas e mesinhas escalonadas numa rampa que se abria como um leque, com uns imensos candelabros jogando uma luz potente sobre o enorme local. A mesa reservada por Fukuda ficava bastante perto do palco, e dali tínhamos uma visão magnífica. O espetáculo começou quase imediatamente após a nossa chegada. Rememorava os grandes sucessos da Broadway, com números às vezes de paródia, às vezes de mímica, sapateado e coreografias, com um corpo de baile multitudinário. Também havia palhaços, ilusionistas, contorcionistas e canções, em inglês e japonês. O apresentador parecia saber quase tantas línguas como o Trujimán mas, segundo este, falava mal todas elas.

Dessa vez também o senhor Fukuda, com gestos imperativos, escolheu nossos lugares. Voltou a me colocar ao lado de Kuriko. Assim que as luzes se apagaram — a mesa era iluminada por lâmpadas semiocultas entre os arranjos florais — senti o pé da menina má em cima do meu. Olhei para ela. Com o ar mais natural do mundo, estava falando com Mitsuko num japonês que, a julgar pelos esforços que a outra fazia para entender, devia ser tão aproximado como seu francês e seu inglês. Estava lindíssima naquela semipenumbra, com a pele brilhante, ligeiramente pálida, seus ombros redondos, seu pescoço alto, seus olhos cor de mel cheios de brilho e seus lábios definidos. Havia tirado o sapato para me fazer sentir a sola do seu pé, que ficou quase o jantar inteiro sobre o meu, movendo-se às vezes para esfregar meu tornozelo e me fazer sentir que estava ali, sabendo o que fazia, desafiando o seu amo e senhor. Este, solene, assistia ao espetáculo ou conversava com o Trujimán quase sem abrir a boca. Só uma vez, creio, dirigiu-se a mim para perguntar em inglês como iam as coisas no Peru e se eu conhecia gente da colônia japonesa que, pelo visto, era bastante grande lá. Respondi que não ia ao Peru havia muitos anos e que não sabia grande coisa do país em que nasci. Não conhecia nenhum japonês peruano, mas sabia que há muitos, pois o Peru foi o segundo país no mundo, logo depois do Brasil, que abriu suas fronteiras à imigração japonesa, no final do século XIX.

O jantar já tinha sido pedido e os pratos, umas miniaturas muito bem apresentadas e bastante insípidas de legumes, frutos do mar e carnes, sucediam-se, sem fim. Eu mal os provava, e só o fazia por obrigação. Em compensação, esvaziei várias minúsculas xícaras de porcelana em que o gângster nos servia um morno e adocicado saquê. Fiquei tonto antes de terminar a primeira parte do show. Mas, pelo menos, o mal-estar do começo havia desaparecido. Quando as luzes foram acesas, para minha surpresa, o pezinho descalço da menina má continuava ali, encostado no meu. Pensei: "Ela sabe que estou sofrendo horrores, de ciúme, e tenta me compensar". Conseguiu: toda vez que eu me virava, procurando não demonstrar o que sentia, e olhava para ela, concluía que nunca a tinha visto tão bonita nem tão desejável. Por exemplo, aquela orelhinha era um prodígio de arquitetura minimalista, com suas curvas suaves e o pequeno repuxado do lóbulo na parte superior.

A certa altura houve um pequeno incidente entre Salomón e Mitsuko que não sei como começou. Mas, de repente, ela se levantou e saiu sem se despedir de ninguém nem dar qualquer explicação. O Trujimán deu um pulo e foi atrás.

— O que houve? — perguntei ao senhor Fukuda, mas este ficou me olhando, imóvel, sem dizer nada.

— Ela não gosta de ser tocada nem beijada em público — disse Kuriko. — O seu amigo é um mão-boba. Mitsuko vai largá-lo a qualquer momento. Ela me disse.

— Se fizer isso, Salomón vai morrer. Ele está apaixonado por Mitsuko feito um bezerro. A mil por hora.

A menina má riu, com sua boca de lábios carnudos que agora estavam bem vermelhos pela maquiagem:

— Apaixonado feito um bezerro! A mil por hora! — repetiu. — Eu não ouvia há séculos essas coisas tão engraçadas. Será que ainda se fala assim no Peru, ou agora existem outros modismos para dizer que se está apaixonado?

E, passando do espanhol para o japonês, começou a explicar a Fukuda o que aquelas expressões queriam dizer. Ele a ouvia, rígido e insondável. Vez por outra, como um boneco articulado, erguia a sua xícara e a levava à boca, sem olhar; tomava um gole e depois a deixava na mesa. Inesperadamente, o Trujimán e Mitsuko voltaram pouco depois. Pareciam reconciliados, pois sorriam e vinham de mãos dadas.

— Nada como uma boa briga para manter o amor vivo — disse Salomón, com um sorriso de homem satisfeito, piscando um olho. — Mas de vez em quando o macho deve castigar a mulher, para ela não se achar o máximo.

Na saída, havia outra vez dois táxis esperando e, como na vinda, o senhor Fukuda indicou com um gesto que eu fosse sozinho com Kuriko num deles. Ele iria com Salomón e Mitsuko. Eu começava a simpatizar com o odiado japonês pelos privilégios que me concedia.

— Ao menos me dê o sapatinho do pé que ficou me roçando a noite toda. Vou dormir com ele, já que não posso dormir com você. E depois o ponho junto com a escova Guerlain.

Mas, para minha surpresa, quando chegamos ao edifício de Fukuda, Kuriko, em vez de se despedir, puxou a minha mão e me chamou para subir com ela e tomar "a saideira" no apartamento. No elevador a beijei, com desespero. Enquanto a beijava disse que nunca a perdoaria por estar tão bonita justamente nessa noite, quando eu tinha descoberto que suas orelhinhas eram umas incríveis criações minimalistas. Eu adorava essas orelhas e queria cortá-las, embalsamá-las e levá-las comigo pelo mundo afora, no bolso do meu casaco mais próximo do coração.

— Vamos, continue com suas breguices, seu cafona. — Parecia satisfeita, risonha, dona de si mesma.

Fukuda não estava na sala. "Vou ver se já chegou", murmurou ela, depois de me servir um uísque com gelo. Voltou pouco depois, com a cara acesa e uma expressão provocadora:

— Não veio. Você se deu bem, bom menino, porque significa que não vem mais. Vai passar a noite fora.

Não aparentava estar muito entristecida por ter sido abandonada pela sua doença, o seu vício. Ao contrário, a notícia parecia alegrá-la. Explicou que Fukuda costumava desaparecer assim, de repente, depois de um jantar ou um cinema, sem dizer nada. E no dia seguinte, quando voltava, não lhe dava a menor explicação.

— Quer dizer que foi passar a noite com outra? Tendo a mulher mais linda do mundo em casa, o imbecil é capaz de ir passar a noite com outra?

— Nem todos os homens têm bom gosto como você — disse Kuriko, caindo sentada no meu colo e enlaçando meu pescoço com os braços.

Enquanto a abraçava e acariciava e beijava seu pescoço, seus ombros e suas orelhas, pensava que não era possível que a sorte, ou os deuses, ou o que fosse, tivessem sido tão generosos comigo afastando o chefe da Yakuza e me proporcionando tanta felicidade.

— Tem certeza de que ele não volta? — perguntei a certa altura, num sobressalto de lucidez.

— Não, eu o conheço bem, se não veio é porque vai passar a noite toda fora. Por que, Ricardito? Está com medo?

— Não, medo não. Se você me pedir hoje que o mate, eu o mato. Nunca me senti tão feliz na vida, japonesita. E você nunca esteve tão linda como esta noite.

— Venha comigo.

Eu a segui, resistindo à vertigem. Os objetos da sala se mexiam à minha volta, em câmera lenta. Estava tão feliz que, ao passar pelo janelão de onde se avistava a cidade, pensei que se abrisse um dos vidros e me jogasse no vazio, flutuaria como uma pena sobre aquele interminável manto de luzes. Um corredor à meia-luz com gravuras eróticas nas paredes. Um quarto na penumbra, atapetado, onde tropecei e caí numa cama grande e macia, com muitos travesseiros. Sem que eu pedisse, Kuriko estava começando a se despir. E quando terminou veio me ajudar.

— O que está esperando, bobinho?

— Tem certeza de que ele não vai voltar?

Em vez de responder, colou seu corpinho ao meu, enroscou-se em mim e, procurando a minha boca, encheu-a com sua saliva. Eu nunca me senti tão excitado, tão comovido, tão feliz. Estava acontecendo realmente tudo aquilo? A menina má jamais se mostrara tão ardente, tão entusiasmada, jamais tinha tomado tantas iniciativas na cama. Sempre adotava uma atitude passiva, quase indiferente, parecendo resignar-se a ser beijada, acariciada e amada, sem participar. Agora, era ela quem me beijava e mordiscava o corpo todo e respondia às minhas carícias com uma presteza e uma decisão que me maravilhavam. "Não quer que faça o que você gosta?", murmurei. "Primeiro eu faço em você", respondeu, empurrando-me com umas mãozinhas carinhosas e me forçando a deitar de costas e abrir as pernas. Ficou de cócoras entre os meus joelhos e, pela primeira vez desde que fizemos amor naquele *chambre de bonne* do Hotel du Sénat, fez o que tantas vezes lhe pedi e ela nunca quis: pôs o meu sexo na boca e chupou. Eu mesmo me ouvia gemer, esmagado pelo incomensurável prazer que ia me desintegrando aos poucos, átomo por átomo, transformando-me em pura sensação, em música, em chama que crepita. Então, num daqueles segundos ou minutos de suspensão milagrosa, quando sentia que o meu ser inteiro estava concentrado no pedaço de carne agradecido que a menina má lambia, beijava, chupava e sorvia enquanto seus dedinhos me acariciavam os testículos, vi Fukuda.

Estava meio encoberto pelas sombras, parecia ter brotado nas trevas de um canto do quarto, ao lado de um grande aparelho de televisão, no máximo a dois ou três metros da cama onde Kuriko e eu fazíamos amor. Sentado numa cadeira ou banquinho, ele permanecia imóvel e mudo como uma esfinge, com seus eternos óculos escuros de gângster de cinema e as duas mãos na braguilha.

Puxando-a pelo cabelo, obriguei a menina má a soltar o meu sexo da sua boca — ouvi-a reclamar do puxão — e, completamente transtornado pela surpresa, o medo e a confusão, disse no seu ouvido, em voz muito baixa, estupidamente: "Mas ele está aqui, Fukuda está aqui". Em vez de pular da cama, ficar horrorizada, começar a correr, enlouquecer, gritar, ela fez a única coisa que jamais imaginaria, nem queria, que fizesse: após um segundo de hesitação, em que começou a virar a cabeça para o lado mas se arrependeu, rodeou meu corpo com os braços, colou-se em mim com todas as forças para me imobilizar naquela cama, procurou a minha boca e, mordendo meus lábios, passou-me saliva manchada com meu sêmen e disse, desesperada, cheia de pressa e angústia:

— E qual é o problema, se ele está ou não está aqui, bobinho? Você não está gozando, não estou fazendo você gozar? Não olhe para ele, esqueça dele.

Paralisado pelo assombro, entendi tudo: Fukuda não havia nos surpreendido, ele estava ali em cumplicidade com a menina má, desfrutando de um espetáculo preparado pelos dois. Eu tinha caído numa emboscada. As coisas surpreendentes que vinham acontecendo se esclareciam agora: foram cuidadosamente planejadas pelo japonês e executadas por ela, submissa às suas ordens e desejos. Entendi a razão de Kuriko estar tão efusiva comigo naqueles dois dias, principalmente naquela noite. Não tinha feito aquilo por mim, nem por ela, e sim por ele. Para agradar o seu amo. Para satisfação do seu senhor. Meu coração batia como se fosse explodir, eu mal podia respirar. O enjoo tinha passado, mas sentia meu pênis flácido, escorrendo, diminuindo, parecendo envergonhado. Afastei-a com um safanão e me ergui um pouco, contido por ela, gritando:

— Vou matar você, filho da puta! Maldito!

Mas Fukuda não estava mais no canto, nem no quarto, e agora o estado de ânimo da menina má já era outro e me xingava, com a voz e o rosto transfigurados de raiva:

— O que foi, idiota? Por que está fazendo esse escândalo? — me batia na cara, no peito, onde pudesse, com as duas mãos. — Não seja ridículo, não seja provinciano. Você sempre foi e sempre será um pobre-diabo, não se podia mesmo esperar nada diferente de um coisinha à toa.

Ao mesmo tempo que tentava afastá-la, eu procurava na penumbra a minha roupa no chão. Não sei como a encontrei, nem como me vesti e me calcei, nem quanto tempo durou toda aquela cena farsesca. Kuriko tinha parado de me bater mas, sentada na cama, gritava, histérica, intercalando soluços e ofensas:

— Pensava que eu ia fazer isso por você, seu morto de fome, fracassado, imbecil? Quem é você, quem pensa que é. Ah, você morreria se soubesse como desprezo, como odeio você, seu covarde.

Afinal acabei de me vestir e, quase correndo, voltei pelo corredor das gravuras eróticas, desejando que Fukuda estivesse me esperando na sala com um revólver na mão e dois guarda-costas armados de porretes, pois de qualquer forma eu pularia em cima dele, tentando arrancar aqueles óculos odiosos e cuspir na sua cara, para que me matassem o quanto antes. Mas não havia ninguém na sala, nem no elevador. Lá embaixo, na porta do edifício, tremendo de frio e de raiva, tive de esperar um bom tempo pelo táxi que o porteiro uniformizado chamou.

No meu quarto do hotel, deitei-me vestido. Eu estava fatigado, magoado e ofendido, e não tinha ânimo nem para tirar a roupa. Fiquei horas com a mente em branco, insone, sentindo-me um dejeto humano imbuído de uma inocência estúpida, de uma ingênua imbecilidade. Repetia sem parar, como um mantra: "A culpa é toda sua, Ricardo. Você a conhecia. Sabia do que era capaz. Ela nunca amou você, só desprezou. Por que está chorando, seu coisinha à toa? Por que reclama, por que se lamenta, seu babaca, burro, imbecil? Você é isso mesmo, tudo o que ela disse, e muito mais. Deveria estar contente e pensar, como fazem os malandros, os modernos, os inteligentes, que se deu bem. Não trepou com ela? Não foi bem chupado? Não gozou na boca? O que quer mais? Que diferença faz que aquele magrela, aquele Yakuza, estivesse lá, olhando você comer a puta dele? Que diferença faz o que aconteceu? Quem mandou se apaixonar por ela? A culpa é toda sua, de mais ninguém, Ricardito".

Quando o dia clareou me barbeei, tomei um banho, fiz a mala e liguei para a Japan Air Lines, tentando adiantar minha volta a Paris, que devia ser obrigatoriamente via Coreia. Consegui lugar no avião de meio-dia para Seul, de maneira que era o tempo exato de chegar ao aeroporto de Narita. Liguei para o Trujimán e me despedi, explicando que precisava voltar a Paris com urgência, para tratar de um bom contrato de trabalho que acabavam de me oferecer. Ele insistiu em me acompanhar, por mais que eu fizesse de tudo para dissuadi-lo.

Na recepção, já pagando a conta, recebi um telefonema. Quando ouvi a voz da menina má dizendo "Alô, alô", desliguei. Fui esperar o Trujimán na rua. Tomamos um ônibus que ia recolhendo passageiros em diferentes hotéis, de maneira que demoramos mais de uma hora para chegar a Narita. No trajeto, meu amigo me perguntou se eu tivera algum problema com Kuriko ou com Fukuda, e garanti que não, que minha despedida assim intempestiva se devia a um contrato excelente que o senhor Charnés me ofereceu por fax. Não acreditou, mas não insistiu.

E então, indo ao ponto que lhe interessava, começou a falar de Mitsuko. Ele sempre foi alérgico ao casamento, considerava que para qualquer ser livre como ele era uma espécie de renúncia. Mas, como Mitsuko insistia tanto, e era tão boa moça, e o tratava tão bem, estava pensando em sacrificar sua liberdade, fazer a vontade dela e se casar. "Pelo ritual xintoísta, se for preciso, querido."

Não tive coragem nem de insinuar que talvez fosse melhor esperar um pouco antes de dar um passo tão transcendental. Enquanto ele falava, eu me sentia dilacerado até a alma pensando em como ia sofrer quando, qualquer dia, Mitsuko decidisse lhe dizer que queria acabar a relação com ele, porque não o amava, tinha chegado mesmo a detestá-lo.

Em Narita, abraçando o Trujimán ao ouvir chamarem o voo para Seul, senti, absurdamente, que meus olhos se enchiam de lágrimas quando ouvi a pergunta:

— Você aceitaria ser testemunha no meu casamento, querido?

— Claro, meu velho, é uma grande honra.

Cheguei a Paris dois dias depois, transformado numa ruína física e moral. Não havia pregado os olhos nem comido nada nas últimas quarenta e oito horas. Mas também cheguei — tinha ruminado isso durante toda a viagem — decidido a não me deixar abater completamente, vencer a depressão que me corroía. Já sabia a receita. Aquilo se curava trabalhando e ocupando o tempo livre com afazeres pelo menos absorventes, se não pudessem ser criativos nem úteis. Com a sensação de que o meu corpo era arrastado pela minha vontade, pedi ao senhor Charnés que me arranjasse muitos contratos, porque precisava saldar uma dívida pesada. Ele arranjou, com a benevolência que sempre teve comigo, desde que o conheci. Nos meses seguintes fiquei pouco em Paris. Trabalhei em congressos e encontros de toda índole em Londres, Viena, Itália, nos países nórdicos e algumas vezes na África, na Cidade do Cabo e em Abidjan. Em todas as cidades, ia sempre me esfalfar num ginásio depois do trabalho, fazendo abdominais, correndo na esteira, pedalando na bicicleta fixa, nadando ou fazendo aeróbica. E continuei aperfeiçoando o meu russo, por minha conta, e traduzindo, devagarzinho, para me distrair, os contos de Ivan Bunin que, depois dos de Tchékhov, eram os meus preferidos. Quando tinha três traduzidos, mandei-os para o meu amigo Mario Muchnik, na Espanha. "Com a minha determinação de só publicar obras-primas, já quebrei quatro editoras", respondeu. "E, parece mentira, mas agora estou convencendo um empresário suicida a me financiar a quinta. Nessa, vou publicar o seu Bunin e até pagar direitos autorais suficientes para você tomar um café com leite. Aí vai o contrato." Essa atividade incessante foi me tirando, pouco a pouco, da balbúrdia emocional que a viagem a Tóquio me provocara. Mas não me eliminou certa tristeza íntima, certa decepção profunda, que me perseguiu durante muito tempo como um duplo, e que corroía como um ácido todo entusiasmo ou interesse que eu começasse a sentir por qualquer coisa ou pessoa. E em muitas noites tive o mesmo pesadelo sujo: contra um fundo de sombras espessas, via a figurinha raquítica de Fukuda, imóvel no seu banquinho, inexpressivo como um Buda, masturbando-se e ejaculando uma chuva de sêmen que caía sobre a menina má e sobre mim.

Uns seis meses depois, ao retornar a Paris de um congresso, encontrei na Unesco uma carta de Mitsuko. Salomón tinha se suicidado com um frasco de barbitúricos, no apartamento alugado onde morava. Sua morte foi uma surpresa para ela porque, quando, seguindo o meu conselho, teve coragem de falar com ele, pouco depois da minha partida de Tóquio, explicando que não podiam continuar juntos porque ela queria se dedicar por inteiro à sua profissão, Salomón entendeu muito bem. Foi muito compreensivo e não fez nenhuma cena. Mantiveram uma amizade distante, coisa inevitável com o ritmo de vida em Tóquio. Os dois se encontravam de vez em quando num salão de chá ou num restaurante e falavam frequentemente pelo telefone. Salomón lhe dissera que, quando terminasse o seu contrato com a Mitsubishi, não o pretendia renovar; queria voltar para Paris, "onde tinha um bom amigo". Por isso, ela e todos os que o conheciam ficaram desconcertados com aquela decisão de acabar com a própria vida. A empresa tinha assumido as despesas do enterro. Felizmente, Mitsuko não mencionava Kuriko em sua carta. Não respondi nem lhe dei pêsames. Limitei-me a guardar a carta, na mesma gaveta da mesinha de cabeceira onde ficavam o hussardo de chumbo que o Trujimán me deu no dia em que partiu para Tóquio e a escovinha de dentes Guerlain.

V. O menino sem voz

Até Simon e Elena Gravoski se mudarem para o edifício *art déco* da rue Joseph Granier, em todos os anos que eu morava ali não tinha feito amizades com os meus vizinhos. Pensei que tinha chegado a ser amigo de *monsieur* Dourtois, funcionário da SNCF, a companhia ferroviária francesa, casado com uma mulher de cabelo amarelado e aspecto sério, professora primária aposentada. Ele morava em frente a mim, e no corredor, na escada ou no vestíbulo de entrada intercambiávamos saudações ou um bom-dia até que, após vários anos, passamos a trocar apertos de mãos e comentários sobre o tempo, eterna preocupação dos franceses. Por essas conversas fugazes cheguei a pensar que éramos amigos, mas certa noite descobri que não, ao voltar para casa depois de um concerto de Victoria de los Ángeles no Théâtre de Champs Elysées e descobrir que tinha esquecido a chave dentro do apartamento. Naquele horário não havia chaveiro que pudesse me socorrer. Então me instalei o melhor que pude no corredor e esperei até as cinco da manhã, hora em que meu pontualíssimo vizinho saía para o trabalho. Imaginei que, quando me visse ali iria me oferecer para ficar na sua casa até que o dia clareasse. Mas quando, às cinco, *monsieur* Dourtois apareceu e eu lhe expliquei por que estava ali, com os ossos moídos pela noite de vigília, ele se limitou a lamentar a minha sorte, olhando o relógio e me avisando:

— Vai ter de esperar mais umas três ou quatro horas até que abra algum chaveiro, *mon pauvre ami*.

Tranquilizada assim sua consciência, foi embora. Quanto aos outros vizinhos do edifício, eu às vezes cruzava com eles na escada e esquecia imediatamente suas caras, e seus nomes se eclipsavam assim que os ouvia. Mas quando o casal Gravoski e Yilal, seu filho adotivo de nove anos, vieram morar no edifício, depois que os Dourtois se mudaram para Dordogne, foi diferente.

Simon, um físico belga, trabalhava como pesquisador no Instituto Pasteur, e Elena, venezuelana, era médica pediatra no Hospital Cochin. Os dois eram joviais, simpáticos, afáveis, curiosos e cultos, de modo que, desde o dia em que os conheci, em plena mudança, e me ofereci para dar uma ajuda e fornecer informações sobre o bairro, ficamos amigos. Tomávamos café juntos depois do jantar, trocávamos livros e revistas e às vezes íamos ao cinema La Pagode, que ficava por perto, ou levávamos Yilal ao circo, ao Louvre e a outros museus de Paris.

Simon estava beirando os quarenta anos, mas sua barba cerrada e vermelha e a barriguinha proeminente lhe davam um aspecto um pouco mais velho. Andava vestido de qualquer maneira, sempre com os bolsos do casacão inchados de cadernetas e papéis, e uma pasta cheia de livros. Usava uns óculos de míope que limpava o tempo todo numa gravata amassada. Era a própria encarnação do sábio relaxado e distraído. Elena, em compensação, um pouco mais jovem, era vaidosa e bem cuidada e não me lembro de tê-la visto alguma vez de mau humor. Tudo na vida a entusiasmava: seu trabalho no Hospital Cochin e os pequenos pacientes de quem sempre contava casos divertidos, mas também um artigo que tinha acabado de ler no *Le Monde* ou no *L'Express*, e se arrumava para ir ao cinema ou jantar num restaurante vietnamita num sábado qualquer como se fosse assistir à entrega do Oscar. Era baixinha, miúda, expressiva e exalava simpatia por todos os poros. Falavam entre si em francês, mas comigo empregavam o espanhol, que Simon dominava com perfeição.

Yilal tinha nascido no Vietnã, e isso era a única coisa que sabiam dele. Adotaram-no aos quatro ou cinco anos — nem sequer tinham certeza absoluta da sua idade — por intermédio da Cáritas, após um procedimento kafkiano no qual Simon fundamentava, em solilóquios divertidos, sua teoria da desintegração inevitável da humanidade devido à gangrena burocrática. Deram o nome Yilal ao menino por causa de um antepassado polonês de Simon, um personagem mítico que, segundo o meu vizinho, foi decapitado na Rússia pré-revolucionária por ter sido surpreendido em flagrante de adultério nada menos que com a czarina. Além de fornicador real, aquele antepassado era teólogo cabalista, místico, contrabandista, falsificador de moeda e enxadrista. O menino adotado era mudo. Sua mudez não se devia a qualquer deficiência orgânica — as cordas vocais estavam intactas —, mas sim a algum trauma de infância, talvez um bombardeio ou alguma outra cena terrível daquela Guerra do Vietnã que o deixara órfão. Tinham consultado vários especialistas e todos concordavam que, com o tempo, o menino recuperaria o uso da palavra, mas no momento não valia a pena forçá-lo a enfrentar tratamentos. As sessões terapêuticas eram um tormento para ele e só pareciam reforçar, no seu espírito abalado, a vontade de se aferrar ao silêncio. Frequentou durante alguns meses um colégio de surdos-mudos, mas saiu porque os próprios professores aconselharam os pais a passá-lo para um colégio normal. Yilal não era surdo. Tinha um ouvido aguçado e a música o distraía: acompanhava os compassos com o pé e fazia movimentos com as mãos ou a cabeça. Elena e Simon se dirigiam a ele verbalmente e o menino respondia com sinais e gestos expressivos, ou às vezes por escrito, num pequeno quadro-negro que usava pendurado no pescoço.

Era magrinho e um pouco adoentado, mas não porque comesse mal. Tinha um apetite excelente e quando eu aparecia na sua casa com uma caixinha de chocolates ou um bolo, seus olhos brilhavam e devorava as guloseimas com cara de felicidade. Mas, de maneira geral, era um menino retraído e dava a impressão de viver numa sonolência que o afastava da realidade circundante. Podia ficar muito tempo com o olhar perdido, fechado em seu mundo particular, como se tudo em volta estivesse meio borrado.

Não era muito carinhoso, dava a impressão de que os dengos o incomodavam e que se submetia a eles mais resignado que contente. Da sua figura emanava qualquer coisa de suave e frágil. Os Gravoski não tinham televisão — na época, muitos parisienses da classe intelectual ainda consideravam que a televisão não devia entrar nas suas casas porque era anticultural —, mas Yilal não compartilhava tais preconceitos e pedia aos pais que comprassem um aparelho, como as famílias dos seus colegas de colégio. Eu então propus que, se eles faziam mesmo questão de que esse objeto empobrecedor da sensibilidade não entrasse em sua casa, Yilal viesse de vez em quando à minha para ver um jogo de futebol ou um programa infantil. Aceitaram, e a partir de então, depois de fazer os deveres, três ou quatro vezes por semana Yilal atravessava o corredor e se enfiava na minha casa para ver algum programa que seus pais ou eu sugeríamos. Durante essa hora que passava na minha sala, com os olhos presos na telinha, vendo desenhos animados ou algum programa de perguntas e respostas ou de esportes, ele parecia petrificado. Seus gestos e expressões denunciavam sua entrega total às imagens. Às vezes, ao terminar o programa, ficava mais um pouco comigo e conversávamos. Quer dizer, ele me fazia perguntas sobre todas as coisas imagináveis e eu respondia, ou então lia em voz alta um poema ou uma história do seu livro de leituras ou da minha própria biblioteca. Acabei me afeiçoando a ele, mas procurava não demonstrar demais, porque Elena me preveniu: "Temos de tratá-lo como um menino *normal*. Nunca como vítima ou como inválido, porque isso lhe faria um grande mal". Quando eu não estava trabalhando na Unesco e tinha contratos fora de Paris, deixava a chave do apartamento com os Gravoski para que Yilal não perdesse seus programas.

Quando voltei de uma dessas viagens de trabalho, a Bruxelas, Yilal me mostrou no seu quadro a seguinte mensagem: "Quando estava viajando, ligou a menina má". A frase estava escrita em francês, mas "menina má" em espanhol: *niña mala*.

Era a quarta vez que ela telefonava, nos dois anos que haviam transcorrido desde o episódio do Japão. A primeira, três ou quatro meses depois da minha intempestiva partida de Tóquio, foi quando eu ainda estava lutando para me recuperar daquela experiência que me deixara uma ferida que às vezes ainda supurava na memória. Eu estava na biblioteca da Unesco, fazendo uma consulta, e a bibliotecária me transferiu uma ligação da sala de intérpretes. Antes de dizer "alô", reconheci sua voz:

— Ainda está zangado comigo, bom menino?

Desliguei, sentindo minha mão tremer.

— Más notícias? — perguntou a bibliotecária, uma georgiana com quem eu costumava comunicar-me em russo. — Como ficou pálido.

Precisei me trancar num banheiro da Unesco para vomitar. Passei o resto do dia aturdido por conta daquela ligação. Mas tinha tomado a decisão de não voltar a ver a menina má, nem pensar nela, e ia fazer isso. Só assim poderia me curar desse lastro que vinha determinando a minha vida desde aquele dia que, para dar uma ajuda ao meu amigo Paúl, fui buscar três aspirantes a guerrilheiras no aeroporto de Orly. Conseguia esquecê-la até certo ponto. Entregue ao trabalho, às obrigações que eu mesmo me impunha — entre as quais sempre se destacava aperfeiçoar o meu russo —, às vezes passava semanas sem me lembrar dela. Mas, de repente, alguma coisa me trazia sua figura à memória e era como se uma solitária se enquistasse nas minhas vísceras e começasse a devorar meu entusiasmo, minhas energias. Eu caía num enorme abatimento e não havia como tirar da cabeça aquela imagem de Kuriko me cobrindo de carícias, com um fogo que jamais demonstrara antes, para satisfazer seu amante japonês que nos contemplava, masturbando-se nas sombras.

 O segundo telefonema me alcançou no Hotel Sacher, de Viena, durante a única aventura que tive naqueles dois anos, com uma colega de trabalho numa reunião da Junta de Energia Atômica. Minha inapetência sexual era absoluta desde o episódio de Tóquio, a tal ponto que cheguei a me perguntar se não tinha ficado impotente. Estava quase acostumado a viver sem sexo, quando Astrid, uma intérprete dinamarquesa, no mesmo dia que a conheci me propôs com uma naturalidade que me desarmou: "Se você quiser, podemos nos ver esta noite". Era alta, ruiva, atlética, sem complicações, e tinha olhos tão claros que pareciam líquidos. Jantamos uns *Tafelspitz* com cerveja no Café Central, dentro do Palais Ferstel, Herrengasse, um lugar com colunas de mesquita turca, teto abobadado e mesas de mármore avermelhado, e depois, sem necessidade de acordo prévio, fomos transar no luxuoso Hotel Sacher, onde ambos estávamos hospedados porque dava bons descontos aos participantes da reunião. Era uma mulher ainda atraente, embora a idade começasse a deixar algumas marcas no seu corpo branquíssimo. Fazia amor sem que o sorriso saísse de sua cara, mesmo na hora do orgasmo. Gozei e ela também, mas me pareceu que essa maneira de fazer amor, tão saudável, tinha mais a ver com ginástica do que com aquilo que o falecido Salomón Toledano chamou, numa de suas cartas, de "o perturbador e lascivo prazer das gônadas". Na segunda e última vez que fomos para a cama, o telefone tocou na minha cabeceira assim que acabamos as acrobacias e Astrid começava a me contar a proeza de sua filha, em Copenhague, que passou de bailarina clássica a acrobata de circo. Levantei o fone, disse alô e ouvi uma voz de gatinha carinhosa:

— Vai desligar outra vez, coisinha à toa?

Mantive o aparelho por alguns segundos no ouvido, enquanto amaldiçoava mentalmente a Unesco por ter fornecido o meu telefone em Viena, mas desliguei quando ela, após uma pausa, começou a dizer: "Puxa, pelo menos desta vez...".

— Histórias de um velho amor? — adivinhou Astrid. — Quer que eu vá ao banheiro para você falar mais sossegado?

Não, não, era uma história superacabada. Desde aquela noite não tive mais nenhuma relação sexual e, na verdade, o assunto não me preocupava em absoluto. Aos meus quarenta e sete anos tinha chegado à conclusão de que um homem pode levar uma vida perfeitamente normal sem fazer amor. Porque minha vida era bastante normal, embora vazia. Trabalhava muito e fazia bem o meu trabalho, para preencher o tempo e receber um salário, não porque me interessasse — isso já era coisa rara —, e mesmo os meus estudos de russo e a quase infinita tradução dos contos de Ivan Bunin, que eu desfazia e refazia, eram atividades mecânicas, que só muito de vez em quando me pareciam divertidas. Mesmo o cinema, os concertos, a leitura, os discos eram apenas maneiras de ocupar o tempo e não atividades que me entusiasmassem, como antes. Também por esse motivo eu sentia rancor de Kuriko. Por sua culpa, eu perdera as ilusões que fazem da existência algo mais do que uma soma de rotinas. Às vezes me sentia um velho.

Talvez por causa desse estado de ânimo, a chegada de Elena, Simon e Yilal Gravoski ao edifício da rue Joseph Granier foi providencial. A amizade dos meus vizinhos injetou um pouco de humanidade e emoção na minha existência sem graça. O terceiro telefonema da menina má foi para a minha casa em Paris, pelo menos um ano depois da ligação para Viena.

Foi num alvorecer, às quatro ou cinco da manhã, e os toques do aparelho me tiraram do sono, assustado. Tocou tantas vezes que, afinal, abri os olhos e procurei tateando o telefone:

— Não desligue — na sua voz se misturavam súplica e cólera. — Preciso falar com você, Ricardo.

Desliguei e, naturalmente, já não consegui pregar os olhos pelo resto da noite. Fiquei angustiado, e me senti mal até ver por fim, pela claraboia sem cortinas do meu quarto, uma alvorada cor de rato raiar no céu de Paris. Por que insistia em me telefonar de tempos em tempos? Porque eu devia ser uma das poucas coisas estáveis na sua vida agitada, o idiota fiel e apaixonado, sempre lá, esperando ser chamado para fazer a sua ama sentir que ainda era o que sem dúvida já estava deixando de ser, o que em breve não seria mais: jovem, bonita, amada, cobiçável. Ou, quem sabe, estava precisando de mim. Não era impossível. De repente tinha aparecido alguma brecha na sua vida que o coisinha à toa podia preencher. E, com sua personalidade gélida, não hesitava em me procurar, convencida de que não havia dor, humilhação, que ela, com seu poder infinito sobre meus sentimentos, não fosse capaz de apagar em dois minutos de conversa. Conhecendo-a, eu não tinha dúvida de que nunca daria o braço a torcer; continuaria insistindo, a cada certo número de meses, de anos. Não, você estava enganada. Eu não ia atender o telefone, peruanita.

Agora tinha ligado pela quarta vez. De onde?, perguntei a Elena Gravoski. Para minha surpresa, ela disse que não havia atendido essa ligação nem qualquer outra durante a minha viagem a Bruxelas.

— Então foi Simon. Ele não falou nada?

— Nem põe os pés no seu apartamento, chega do Instituto quando Yilal já está jantando.

Mas, então, será que Yilal é que tinha *falado* com a menina má?

Elena empalideceu um pouco.

— Não pergunte isso a ele — disse, abaixando a voz. Estava branca feito papel. — Não faça a menor alusão a esse recado.

Era possível que Yilal tivesse *falado* com Kuriko? Era possível que, quando seus pais não estavam por perto, não podiam vê-lo nem ouvi-lo, o menino quebrasse sua mudez?

— Não pensemos nisso, não falemos disso — repetiu Elena, fazendo um esforço para recompor a voz e aparentar naturalidade. — O que tem de acontecer, há de acontecer. No seu devido tempo. Se tentarmos forçar as coisas, pioramos tudo. Sempre soube que ia acontecer, que vai acontecer. É melhor mudarmos de assunto, Ricardo. Que história é essa de menina má? Quem é ela? Conte-me, vamos.

Estávamos tomando um café na sua casa, depois do jantar, e falando baixo para não distrair Simon que, no quarto ao lado, seu escritório, conferia um relatório que iria apresentar num seminário no dia seguinte. Yilal tinha ido dormir havia um bom tempo.

— Uma velha história — respondi. — Nunca a contei a ninguém, nunca. Mas, sabe, acho que sim, acho que vou contar a você, Elena. Para que se esqueça do que houve com Yilal.

E contei. Do princípio ao fim, desde os já distantes dias da minha infância, quando a chegada de Lucy e Lily, as falsas chilenitas, alvoroçou as ruas tranquilas de Miraflores, até aquela noite de amor apaixonado, em Tóquio — a mais bela noite de amor da minha vida —, que se cortou bruscamente com a visão do senhor Fukuda, nas sombras daquele quarto, observando-nos com seus óculos escuros e as mãos ocupadas na braguilha. Não sei por quanto tempo falei. Não sei em que momento Simon apareceu, sentou-se ao lado de Elena e, silencioso e atento como ela, ficou me escutando. Não sei em que momento as lágrimas brotaram dos meus olhos e, envergonhado com essa efusão sentimental, fiz silêncio. Levei um bom tempo para me acalmar. Enquanto balbuciava umas desculpas, vi Simon levantar-se e voltar com taças e uma garrafa de vinho.

— É a única coisa que tenho, vinho, e ainda por cima um Beaujolais bem barato — desculpou-se, dando um tapinha no meu ombro. — Creio que casos como este merecem uma bebida mais nobre.

— Uísque, vodca, rum ou conhaque, é claro! — disse Elena. — Esta casa é um desastre. Nunca temos o que deveríamos ter. Somos uns anfitriões lamentáveis, Ricardo.

— Atrapalhei seu relatório de amanhã com a minha catarse, Simon.

— Coisa bem mais interessante que o meu relatório — declarou. — Aliás, esse apelido que ela lhe deu cabe em você feito uma luva. Não no sentido pejorativo, mas no literal. Isso é o que você é, *mon vieux*, queira ou não queira: um bom menino.

— Sabe que é uma história de amor maravilhosa? — exclamou Elena, olhando-me com surpresa. — Porque é isso, no fundo. Uma maravilhosa história de amor. Este belga triste nunca me amou assim. Quem me dera, rapaz.

— Gostaria de conhecer essa Mata Hari — disse Simon.

— Vai ter de passar por cima do meu cadáver — ameaçou Elena, puxando-lhe a barba. — Você tem fotos dela? Posso ver?

— Nenhuma. Que eu me lembre, jamais tiramos uma foto juntos.

— Na próxima vez que ela telefonar, por favor, atenda — pediu Elena. — Essa história não pode terminar assim, com um telefone tocando e tocando, como no pior filme de Hitchcock.

— E além disso — Simon baixou a voz — você tem de perguntar se Yilal *falou* mesmo com ela.

— Estou morto de vergonha por ter feito essa cena — pedi desculpas outra vez. — O choro e tudo isso, quero dizer.

— Você não percebeu, mas Elena também derramou umas boas lágrimas — disse Simon. — Até eu mesmo teria entrado na dança, se não fosse belga. Minhas raízes judaicas me soltam o choro. Mas prevaleceu o valão. Um belga não cai nessas emotividades de sul-americanos tropicais.

— Pela menina má, por essa mulher fantástica! — Elena ergueu a taça. — Que vida tão monótona essa que eu tive, meu Deus.

Tomamos a garrafa inteira de vinho e, com as risadas e brincadeiras, acabei me sentindo melhor. Nos dias e semanas seguintes, meus amigos Gravoski, para não me constranger, não fizeram a menor referência ao que lhes contara. E, nesse meio tempo, decidi, de fato, que eu atenderia se a peruanita telefonasse de novo. Para saber se tinha *falado* com Yilal quando ligou antes. Só por isso? Não. A partir do momento em que confessei meus amores a Elena Gravoski, como se compartilhar essa história com alguém a limpasse de toda a carga de rancor, ciúmes, humilhação e suscetibilidade, comecei a esperar aquele telefonema com ansiedade e a temer que, por causa dos meus foras dos últimos dois anos, ele não ocorresse. Eu aplacava meus sentimentos de culpa dizendo que de modo algum aquilo seria uma recaída. Falaria com ela como um amigo distante, e minha frieza seria a melhor prova de que realmente me havia libertado.

A espera, aliás, teve um efeito bastante positivo no meu estado de ânimo. Entre um contrato e outro na Unesco ou fora de Paris, terminei a tradução dos contos de Ivan Bunin, fiz a última revisão e escrevi um pequeno prólogo antes de enviar o manuscrito ao meu amigo Mario Muchnik. "Já era hora", respondeu ele. "Já temia que a arteriosclerose ou a demência senil me viessem antes que o seu Bunin". Quando eu estava em casa no horário em que Yilal via seu programa de televisão, lia histórias para ele. Não gostou muito dos contos traduzidos por mim e os ouviu mais por educação que por interesse. Em compensação, adorava os romances de Júlio Verne. Num ritmo de dois capítulos por dia, li vários ao longo daquele outono. O que mais lhe agradou — ele dava pulos de alegria com os episódios — foi *A Volta ao Mundo em Oitenta Dias*. Mas também ficou fascinado com *Miguel Strogoff, o Correio do Czar*. Tal como Elena me pedira, nunca lhe perguntei por aquele telefonema que só ele podia ter atendido, por mais que a curiosidade me devorasse. Nas semanas e meses que se seguiram àquele recado que me escreveu no seu quadro, nunca notei o menor indício de que Yilal fosse capaz de falar.

A nova ligação veio dois meses e meio depois da anterior. Eu estava no chuveiro, preparando-me para ir à Unesco, quando ouvi o telefone tocar e tive o palpite: "É ela". Corri para o quarto e levantei o aparelho, deixando-me cair na cama, molhado como estava:

— Vai desligar também desta vez, bom menino?

— Como está, menina má?

Houve um curto silêncio e, depois, uma risadinha:

— Puxa, por fim se digna a responder. A que se deve esse milagre, posso saber? Já passou a fúria ou ainda me odeia?

Tive vontade de desligar, ao perceber um tom ligeiramente zombeteiro e um arzinho de triunfo nas suas palavras.

— Para que está me ligando? — perguntei. — Para que ligou todas essas vezes?

— Preciso falar com você — disse, mudando de tom.

— Onde está agora?

— Estou aqui, em Paris, faz um tempo. Podemos nos ver, por alguns minutos?

Fiquei gelado. Eu tinha certeza absoluta de que ela continuava em Tóquio, ou em algum país distante, e que nunca voltaria a pôr os pés na França. Saber que estava aqui e que eu podia vê-la a qualquer momento me deixou num estado de confusão total.

— É só um instantinho — insistiu, pensando que o meu silêncio antecipava uma recusa. — O que tenho a dizer é muito pessoal, prefiro não falar pelo telefone. Meia hora, só isso. Não é muito para uma velha amiga, certo?

Marquei um encontro com ela para dali a dois dias, depois da minha saída da Unesco, às seis da tarde, no La Rhumerie, de Saint Germain-des-Prés (esse bar sempre se chamou La Rhumerie Martiniquaise, mas nos últimos tempos tinha perdido o gentílico por alguma misteriosa razão). Quando desligamos, meu coração trovejava no peito. Antes de voltar para o chuveiro precisei ficar algum tempo sentado, de boca aberta, até que a respiração se normalizasse. O que fazia ela em Paris? Trabalhinhos especiais a mando de Fukuda? Abrir o mercado europeu para os exóticos afrodisíacos de presas de elefante e chifres de rinoceronte? Quem sabe precisava de mim nas suas operações de contrabando, lavagem de dinheiro e outros negócios mafiosos? Tinha sido uma estupidez atender o telefone. A velha história estava para se repetir. Nós íamos conversar, mais uma vez eu me renderia ao poder que ela sempre teve sobre mim, viveríamos um breve e falso idílio, eu criaria todo tipo de ilusões e, na hora menos esperada, ela ia desaparecer e eu, machucado e zonzo, ficaria lambendo minhas feridas como aconteceu em Tóquio. Até o próximo capítulo!

Não contei nada a Elena e Simon a respeito do telefonema nem do encontro, e passei aquelas quarenta e oito horas em estado sonambúlico, entre espasmos de lucidez e uma névoa mental que se dissipava de tanto em tanto para que eu pudesse me entregar a uma sessão de masoquismo com insultos: seu imbecil, cretino, tudo o que acontece, já aconteceu e há de acontecer com você é bem merecido.

O encontro foi num desses dias cinzentos e úmidos do final de outono parisiense, quando quase não há mais folhas nas árvores nem luz no céu, o mau humor das pessoas piora com o mau tempo e pela rua se veem homens e mulheres enfurnados em seus casacos, cachecóis, luvas e guarda-chuvas, cheios de pressa e de ódio contra o mundo. Ao sair da Unesco procurei um táxi, mas, como chovia e não havia esperança de conseguir, optei pelo metrô. Saltei na estação de Saint Germain, e da porta do La Rhumerie divisei-a sentada na varanda, com uma xícara de chá e uma garrafinha de Perrier na mesa. Quando me viu, ela se levantou e ofereceu as bochechas:

— Podemos nos dar uma *accolade,* ou nem isso?

O local estava cheio de gente típica do bairro: turistas, *playboys* de corrente no pescoço, coletes chiques e requintados paletós, moças com decotes audazes e minissaias, algumas maquiadas para ir a uma sessão de gala. Pedi um *grog*. Ficamos em silêncio, olhando-nos com certo desconforto, sem saber o que dizer.

A transformação de Kuriko era notável. Não apenas parecia ter perdido dez quilos — tinha o aspecto de um esqueleto de mulher —, mas também aparentava ter dez anos mais que na inesquecível noite de Tóquio. Estava vestida com modéstia e descuido, como só a tinha visto naquela remota manhã em que fui buscá-la no aeroporto de Orly, a pedido de Paúl. Usava um casacão puído que podia ser de homem e uma calça de flanela desbotada, da qual emergiam uns sapatões gastos e sem brilho. Estava despenteada e, nos seus dedos magérrimos, as unhas mal cortadas, sem lixar, pareciam roídas. Os ossos da sua testa, dos pômulos e do queixo sobressaíam, esticando a pele muito pálida e com uns acentuados traços verdosos. Seus olhos tinham perdido o brilho e neles havia qualquer coisa de assustadiço, que lembrava certos bichinhos tímidos. Não usava qualquer enfeite nem maquiagem.

— Quanto trabalho para ver você — disse, por fim. Esticou a mão, tocou no meu braço e tentou dar um daqueles sorrisos faceiros de antigamente, que dessa vez não lhe saiu bem. — Pelo menos me diga se já passou a fúria e agora me odeia um pouquinho menos.

— Não vamos falar disso — respondi. — Nem hoje nem nunca. Para que me telefonou tantas vezes?

— Você me deu meia hora, certo? — disse ela, soltando meu braço e se endireitando. — Então temos tempo. Conte-me de você. Como vão suas coisas? Tem uma amante? Ainda ganha a vida fazendo a mesma coisa?

— Coisinha à toa até morrer — e ri sem vontade, mas ela continuava me olhando muito séria.

— Com o passar dos anos você ficou suscetível, Ricardo. Antes, o seu rancor não duraria tanto tempo — nos seus olhinhos, por um segundo, cintilou a antiga luz. — Continua dizendo breguices para as mulheres, ou não faz mais isso?

— Desde quando você está em Paris? O que faz aqui? Trabalhando para o gângster japonês?

Negou com a cabeça. Achei que ia rir mas, pelo contrário, sua expressão se endureceu e seus lábios grossos, nitidamente destacados no rosto, tremeram, agora também um pouco murchos, como toda ela.

— Fukuda me abandonou, há mais de um ano. Por isso vim para Paris.

— Agora entendo por que está neste estado calamitoso — ironizei. — Nunca imaginaria ver você assim, tão descuidada.

— Estive bem pior — reconheceu ela, com aspereza. — Em certo momento, pensei que ia morrer. Nas duas últimas vezes que tentei falar com você, foi por isso. Queria, pelo menos, que fosse você quem cuidasse do meu funeral. Queria pedir para me cremarem. Fico apavorada com a ideia de que os vermes vão comer o meu cadáver. Enfim, já passou.

Falava com tranquilidade, mas podia-se pressentir em suas palavras uma fúria reprimida. Não parecia estar fazendo um número de autocompaixão, para me impressionar, a menos que interpretasse com uma habilidade suprema. Parecia descrever um estado de coisas com objetividade, a distância, como um policial ou um escrivão.

— Você tentou se suicidar quando foi abandonada pelo grande amor da sua vida?

Negou com a cabeça e balançou os ombros:

— Ele sempre disse que um dia se cansaria de mim e me largaria. Eu estava preparada. Não falava por falar. Mas o momento não foi o melhor, assim como os motivos que deu para me mandar embora.

Sua voz tremeu e a boca se deformou numa expressão de ódio. Seus olhos se encheram de faíscas. Seria tudo aquilo mais uma farsa, para me comover?

— Se o assunto for desagradável, vamos falar de outra coisa — disse eu. — O que faz em Paris, de que vive? O gângster pelo menos lhe deu alguma indenização, para passar uns tempos sem apertos?

— Estive presa em Lagos, durante dois meses que me pareceram um século — respondeu, como se eu, de repente, não estivesse mais ali. — É a cidade mais horrível, mais feia, com as pessoas mais malvadas do mundo. Nunca pense em ir a Lagos. Quando finalmente consegui sair da cadeia, Fukuda me proibiu de voltar para Tóquio. "Você está queimada, Kuriko." Queimada nos dois sentidos da palavra, ele queria dizer. Porque eu já estava fichada pela polícia internacional. E queimada, porque, provavelmente, os negros da Nigéria me haviam transmitido aids. Desligou na minha cara, depois de me dizer que nunca mais o procurasse, nem escrevesse ou telefonasse. Ele me largou assim; como uma cadela sarnenta. Nem sequer pagou minha passagem até Paris. É um homem frio e prático, que sabe o que lhe interessa. E eu já não lhe interessava mais. Ele é o mais oposto a você que há no mundo. Por isso, Fukuda é rico e poderoso e você é, e será sempre, um coisinha à toa.

— Obrigado. Afinal de contas, o que acaba de me dizer é um elogio.

Seria verdade tudo aquilo? Ou mais uma das fabulosas mentiras que marcavam todas as etapas da sua vida? Já estava recomposta. Segurava uma xícara de chá com as duas mãos e ia bebendo aos golinhos, soprando o líquido. Era duro vê-la tão acabada, tão malvestida, com tantos anos a mais.

— É verdade todo esse dramalhão? Não será mais uma das suas histórias? Você esteve presa mesmo?

— Presa e, pior, estuprada pela polícia de Lagos — acrescentou, cravando os olhos em mim como se eu fosse o culpado pela sua desgraça. — Uns negros cujo inglês não se entendia, porque falavam *pidgin english*. Assim David dizia que era o meu inglês, quando queria me agredir: *pidgin english*. Mas não me passaram aids. Só chato e um cancro. Palavra horrível, não é? Já ouviu alguma vez? Talvez você nem saiba o que é isso, santinho. Cancro, úlceras infecciosas. Uma coisa nojenta, mas não grave, se for tratada a tempo, com antibióticos. Mas na maldita Lagos trataram mal, e a infecção quase me matou. Pensei mesmo que ia morrer. Por isso procurei você. Agora, felizmente, já estou bem.

O que ela contava podia ser verdade ou mentira, mas não era pose a imensa ira que impregnava tudo o que dizia. Se bem que, com ela, sempre havia a possibilidade de ser representação. Uma pantomima fantástica? Eu me sentia desconcertado, confuso. Esperava qualquer coisa desse encontro, menos uma história como aquela.

— Lamento muito que tenha passado por esse inferno — disse afinal, para dizer alguma coisa, porque o que dizer diante de uma revelação daquelas? — Se for verdade o que contou. Pois é, tenho um problema terrível em relação a você. É que já ouvi tantas das suas histórias que não é fácil acreditar em alguma.

— Não me importa se não acredita em mim — disse, segurando outra vez o meu braço e se esforçando para parecer cordial. — Sei que continua ofendido, que nunca vai perdoar o que houve em Tóquio. Não faz mal. Não quero que sinta pena de mim. Nem quero dinheiro. O que quero, na realidade, é poder telefonar para você de vez em quando e sair às vezes para tomar um café, como agora. Só isso.

— Por que não me diz a verdade? Por uma vez na sua vida. Vamos, diga a verdade.

— A verdade é que pela primeira vez estou me sentindo insegura, sem saber o que fazer. Muito só. Nunca me aconteceu nada parecido, embora também tenha passado momentos difíceis antes. Para seu governo, eu vivo doente de medo. — Falava com uma aspereza orgulhosa, num tom e com uma atitude que pareciam desmentir o que dizia. Olhava nos meus olhos, sem pestanejar. — O medo é uma doença, também. Que paralisa, que anula. Eu não sabia e agora sei. Conheço algumas pessoas aqui em Paris, mas não confio em ninguém. Em você, sim. Esta é a verdade, acredite se quiser. Posso telefonar de vez em quando? Podemos nos encontrar às vezes, num bistrô, como hoje?

— Não há problema. Claro que sim.

Conversamos quase uma hora, até que escureceu totalmente e se acenderam as vitrines das lojas, as janelas dos edifícios de Saint Germain e os faróis vermelhos e amarelos dos automóveis, formando um rio de luzes que fluía devagar pelo Boulevard, em frente à varanda de La Rhumerie. Então, lembrei. Quem tinha atendido o telefonema na minha casa, na vez anterior? Não se lembrava?

Olhou-me com ar intrigado, sem entender. Mas depois assentiu:

— Lembro, uma mulherzinha. Pensei que você tinha uma amante, mas depois achei que devia ser uma empregada. Filipina?

— Um menino. Falou com você? Tem certeza?

— Disse que você estava viajando, acho. Nada, duas palavras. Deixei um recado, estou vendo que ele deu. E por que tudo isso, agora?

— Ele falou com você? Tem certeza?

— Duas palavras — repetiu ela, assentindo. — De onde saiu esse menino? Você o adotou?

— Chama-se Yilal. Tem nove ou dez anos. É vietnamita, filho de dois vizinhos, meus amigos. Tem certeza de que falou com você? Porque esse menino é mudo. Seus pais e eu nunca ouvimos sua voz.

Ficou desconcertada e, por um bom tempo, entrecerrando os olhos, consultou a memória. Fez vários gestos afirmativos com a cabeça. Sim, sim, lembrava com toda clareza. Tinham falado em francês. Sua voz era tão fininha que lhe pareceu feminina. Meio chiada, meio exótica. Trocaram poucas palavras. Que eu não estava, que tinha viajado. E quando lhe pediu para me avisar que tinha sido "a menina má" — ela falou em espanhol, *niña mala* —, a vozinha interrompeu, "o quê, o quê?". Precisou soletrar "*niña mala*". Lembrava muito bem. O menino tinha falado, não havia a menor dúvida.

— Então, você fez um milagre. Graças a você Yilal começou a falar.

— Se eu tiver esses poderes, vou usá-los. As feiticeiras devem ganhar um bocado de dinheiro na França, imagino.

Quando nos despedimos na entrada do metrô Saint Germain, pouco depois, e lhe pedi seu telefone e seu endereço, não quis dizer. Ela me procuraria.

— Você nunca vai mudar. Sempre mistérios, sempre histórias, sempre segredos.

— Foi bom ver você e conversar um pouco, finalmente — desconversou. — Não vai mais desligar o telefone na minha cara, espero.

— Depende de como você se comportar.

Ela se ergueu nas pontas dos pés e senti que sua boca se franzia num rápido beijo em meu rosto.

Depois desapareceu na boca do metrô. De costas, tão magrinha, sem saltos, não parecia ter envelhecido tanto como de frente.

Continuava garoando e fazendo frio, mas em vez de pegar o metrô, ou um ônibus, preferi caminhar. Era meu único esporte agora; minhas atividades na academia tinham durado poucos meses. A ginástica me entediava, e mais ainda o tipo de pessoas com quem convivia fazendo esteira, barras ou exercícios aeróbicos. Já andar pela cidade, cheia de segredos e de maravilhas, me distraía. E num dia de fortes emoções como aquele, uma longa caminhada, mesmo que debaixo de guarda-chuva, água e vento, só poderia me fazer bem.

Das coisas que a menina má me contou, a única absolutamente verdadeira, sem dúvida, era que Yilal tinha trocado algumas frases com ela. O filho dos Gravoski, portanto, podia falar; talvez já o tivesse feito antes, com gente que não conhecia, no colégio, na rua. Era um pequeno mistério, que mais cedo ou mais tarde ele revelaria aos seus pais. Imaginei a alegria de Simon e Elena quando escutassem aquela vozinha fina, um pouco chiada, que a menina má me havia descrito. Subindo o Boulevard Saint Germain em direção do Sena, pouco antes da livraria Julliard descobri uma pequena loja de soldadinhos de chumbo que me fez lembrar de Salomón Toledano e seus desafortunados amores japoneses. Entrei e comprei uma caixinha para Yilal, com seis cavaleiros da guarda imperial russa.

O que mais haveria de verdade na história da menina má? Provavelmente, que Fukuda a deixara em má situação e que esteve — talvez ainda estivesse — doente. Isto era visível, bastava ver seus ossos saltados, sua palidez, suas olheiras. E a história de Lagos? Talvez fosse verdade que teve problemas com a polícia. Era um risco que corria, nos negócios sujos em que seu amante japonês a envolvera. Ela mesma não me contara, em Tóquio, toda entusiasmada? A ingênua pensava que essas aventuras de contrabandista e traficante, arriscando a liberdade nas viagens africanas, davam tempero à sua vida, que assim se tornava mais interessante e divertida. Eu me lembrava das suas palavras: "Fazendo essas coisas, vivo mais". Pois bem, quem brinca com fogo termina se chamuscando, mais cedo ou mais tarde. Se ela realmente estivera presa, era bem possível que a polícia a houvesse estuprado. A Nigéria tinha fama de ser o paraíso da corrupção, uma satrapia militar, a polícia de lá devia ser podre. Estuprada por sabe Deus quantos, brutalizada durante horas e horas numa toca imunda, contagiada por uma doença venérea e piolhos na virilha, e depois atendida por uns curiosos que usavam sondas sem desinfetar. Fui tomado por uma sensação de vergonha e de cólera. Se ela havia passado por tudo aquilo, ou mesmo só parte daquilo, e esteve realmente à beira da morte, então a minha reação tão fria, de incrédulo, tinha sido mesquinha, a reação de um ressentido que só queria vingar o seu orgulho ferido por aquela história ruim de Tóquio. Eu deveria ter dito alguma coisa carinhosa, fingido que acreditava nela. Porque, mesmo que a história do estupro e da prisão fossem mentiras, ela de fato estava fisicamente arrasada. E, sem dúvida, meio morta de fome. Você se comportou mal, Ricardito. Muito mal, se fosse mesmo verdade que ela recorreu a mim porque se sentia só e insegura, e eu era a única pessoa no mundo em quem confiava. E isso, com certeza, devia ser verdade. Ela nunca me amou, mas tinha confiança em mim, o carinho que se sente por um criado leal. De todos os seus amantes e casinhos eventuais, eu era o mais desinteressado, o mais devoto. O abnegado, o dócil, o babaca. Por isso ela escolheu você para cuidar que cremassem o seu cadáver, Ricardito. E, depois, jogar as cinzas no Sena ou guardá-las numa pequena urna de porcelana de Sèvres, na sua mesinha de cabeceira?

Cheguei à rue Joseph Granier molhado da cabeça aos pés e quase morto de frio. Tomei um banho quente, vesti roupa seca e fiz um sanduíche de queijo e presunto que comi com um iogurte de frutas. Com a minha caixinha de soldados de chumbo debaixo do braço, fui bater na porta dos Gravoski. Yilal já estava deitado e eles acabavam de jantar um espaguete com manjericão. Ofereceram-me um prato, mas só aceitei uma xícara de café. Enquanto Simon examinava os soldadinhos de chumbo e pilheriava dizendo que com esses presentes eu queria tornar Yilal um militarista, Elena notou algo estranho no meu jeito retraído.

— Alguma coisa aconteceu, Ricardo — afirmou, vasculhando os meus olhos. — A menina má telefonou?

Simon levantou a cabeça dos soldadinhos e cravou a vista em mim.

— Acabei de passar uma hora com ela, sentados num bistrô. Está morando em Paris. Parece um farrapo humano e deve estar passando apertos, porque se veste feito uma mendiga. Diz que o japonês a abandonou depois que foi presa pela polícia de Lagos, numa das suas viagens à África para ajudá-lo nos seus tráficos. E que a estupraram. Que pegou chato e um cancro. E que, depois, num hospital de última categoria, quase acabam com ela. Pode ser verdade. Pode ser mentira. Não sei. Diz que Fukuda a largou por medo de que a Interpol a tivesse fichado e os negros, lhe transmitido aids. Verdade ou invenção? Não posso saber.

— A saga fica cada dia mais interessante — exclamou Simon, atônito. — Seja verdade ou não, é uma história formidável.

Ele e Elena se entreolharam e depois me olharam, e eu sabia muito bem em que pensavam. Fiz que sim:

— Ela lembra muito bem do telefonema para a minha casa. Foi atendida, em francês, por uma vozinha fina, chiada, que parecia ser de uma asiática. Pediu para repetir várias vezes "menina má" em espanhol. Isso, ela não pode ter inventado.

Vi que Elena se transfigurava. Piscava os olhos, muito rápido.

— Eu sempre achei que era verdade — murmurou Simon. Tinha a voz alterada e o rosto vermelho, como se estivesse sufocado de calor. Coçava a barba ruiva com insistência. — Eu pensei, pensei, e cheguei à conclusão de que tinha de ser verdade. Como Yilal iria inventar essa história de "menina má". Que felicidade você nos dá com esta notícia, *mon vieux*.

Elena concordava, segurando meu braço. Sorria e soluçava ao mesmo tempo.

— Eu também sabia que Yilal falou com ela — disse, soletrando cada palavra. — Mas, por favor, não vamos fazer nada. Nem dizer nada ao menino. Tudo virá por si só. Se tentarmos forçar, pode haver um retrocesso. É ele quem tem de fazer isso, romper essa barreira com o próprio esforço. Ele vai fazer, na hora certa, e será muito em breve, vocês vão ver.

— Este é o momento de ir apanhar o conhaque — Simon piscou um olho. — Está vendo, *mon vieux*, tomei minhas precauções. Agora estamos preparados para as surpresas que você nos dá, de vez em quando. Um excelente Napoléon, vai ver!

Tomamos uma taça de conhaque quase sem falar, imersos nas nossas próprias reflexões. A bebida me fez bem, porque a caminhada na chuva me deixara com frio. Quando me despedi, Elena foi comigo até o corredor:

— Não sei, acabo de pensar — disse. — Talvez a sua amiga precise de atendimento médico. Pergunte a ela. Se quiser, eu posso arrumar no Hospital Cochin, com os *copains*. Sem pagar nada, quero dizer. Imagino que não tenha seguro nem nada parecido.

Agradeci. Perguntaria na próxima vez que falasse com ela.

— Se for verdade, deve ter sido terrível para a coitada — murmurou. — Uma coisa assim deixa cicatrizes horrorosas na memória.

No dia seguinte, voltei o mais cedo possível da Unesco, para encontrar Yilal. Ele estava assistindo a um programa de desenhos animados e tinha ao seu lado os seis cavaleiros da guarda imperial russa, formados em linha. Mostrou o seu quadro: "Obrigado pelo lindo presente, tio Ricardo". Estendeu a mão, sorrindo. Fui ler o *Le Monde* enquanto ele, com a atenção hipnótica de costume, mergulhava no programa. Depois, em vez de ler alguma coisa para ele, eu lhe falei de Salomón Toledano. Contei sobre sua coleção de soldadinhos de chumbo, que eu vi invadindo todos os cantos da sua casa, e sobre sua incrível facilidade para aprender idiomas. Era o melhor intérprete que já existiu no mundo. Quando, no seu quadro-negro, o menino perguntou se eu podia levá-lo à casa de Salomón para ver as batalhas napoleônicas e eu expliquei que já tinha morrido, muito longe de Paris, no Japão, Yilal ficou triste. Mostrei o hussardo guardado na minha mesinha, que ele me deu no dia em que viajou para Tóquio. Pouco depois, Elena veio buscá-lo.

Para não pensar demais na menina má, fui ao cinema, no Quartier Latin. Na sala escura e aquecida, cheia de estudantes, de um cinema na rue Champolion, enquanto acompanhava meio distraído as aventuras de um *western* clássico de John Ford, *Nos Tempos da Diligência*, aparecia e reaparecia na minha cabeça a imagem deteriorada, arruinada, da chilenita. Naquele dia, e durante todo o resto da semana, ela não saiu da minha mente, assim como a pergunta para a qual nunca encontrava resposta: teria dito a verdade? Era real a história de Lagos? E a de Fukuda?

A convicção de que jamais resolveria essa questão com plena certeza me deixava atormentado.

Telefonou oito dias depois, para a minha casa, também de manhã bem cedo. Depois de perguntar como estava — "Bem, agora estou bem, como já disse" —, convidei-a para jantar nessa mesma noite. Aceitou e marcamos no velho Le Procope, da rue de l'Ancienne Comédie, às oito. Cheguei antes dela e esperei-a numa mesinha ao lado da janela que dava para a passagem de Rohan. Apareceu logo depois. Mais bem-vestida que da última vez, sem deixar de parecer pobre: embaixo do feio casacão assexuado estava com um vestido azul-escuro, sem decote nem mangas, e usava sapatos de salto baixo, cheios de gretas, recém-engraxados. Para mim era estranhíssimo vê-la sem anéis, relógio, pulseiras ou brincos, nem maquiagem. Pelo menos tinha arrumado as unhas. Como conseguira emagrecer tanto? Parecia a ponto de quebrar em qualquer escorregão.

Pediu um caldo e um peixe grelhado e só tomou um gole de vinho durante a refeição. Mastigava devagar, com inapetência, e custava a engolir. Estava mesmo bem?

— Meu estômago diminuiu e quase não tolero comida — explicou. — Com duas ou três garfadas já me sinto cheia. Mas este peixe está uma delícia.

Acabei bebendo sozinho a jarra inteira de Côtes du Rhône. Quando o garçom trouxe o café para mim e o chá de verbena para ela, eu lhe disse, apertando sua mão:

— Pelo amor de Deus, eu imploro, jure que é verdade tudo o que me contou outro dia no La Rhumerie.

— Nunca mais você vai acreditar em nada do que eu disser, já sei. — Tinha um ar cansado, de fastio, e não parecia lhe importar muito se eu acreditava nela ou não. — Não falemos mais disso. Eu contei tudo, para você me deixar vê-lo de vez em quando. Porque, por mais que não acredite, falar com você me faz bem.

Tive vontade de beijar sua mão, mas me contive. Falei sobre a proposta de Elena. Ela ficou me olhando, desconcertada.

— Mas ela sabe de mim, de nós?

Disse que sim. Elena e Simon sabiam de tudo. Num impulso, eu tinha contado toda a "nossa" história. Eram ótimos amigos, não havia nada a temer deles. Não iriam denunciá-la à polícia como traficante de afrodisíacos.

— Não sei por que fiz essas confidências a eles. Talvez porque também precise, como todo mundo, compartilhar com alguém de vez em quando as coisas que me angustiam ou me deixam feliz. Vai aceitar a proposta de Elena?

Não parecia muito empolgada. Olhava inquieta para mim, como se desconfiasse de uma cilada. Aquela luz cor de mel escuro havia desaparecido de seus olhos. Como também a malícia, a irreverência.

— Preciso pensar — disse, afinal. — Vamos ver como me sinto. Agora estou bem. A única coisa que quero é tranquilidade, descanso.

— Não é verdade que você esteja bem — insisti. — Parece um fantasma. Com essa magreza, uma simples gripe pode levá-la para o cemitério. E não estou com a menor vontade de fazer esse trabalhinho sinistro de incinerar você etc. Não quer ficar bonita outra vez?

Deu uma risada.

— Ah, então quer dizer que agora estou feia. Obrigada pela franqueza. — Apertou minha mão que ainda estava no seu braço e, por um segundo, seus olhos se animaram. — Mas você continua apaixonado por mim, não é mesmo, Ricardito?

— Não, não estou mais. E nunca mais vou me apaixonar por você. Mas não quero que morra.

— Deve ser verdade que não me ama mais, porque ainda não me disse uma única breguice — reconheceu, fazendo uma careta meio engraçada. — O que preciso fazer para reconquistar você?

Riu com a faceirice dos velhos tempos e seus olhos se encheram de brilhos travessos mas, de repente, sem qualquer transição, senti que sua mão afrouxava na minha. Seus olhos ficaram brancos, a face lívida, e abriu a boca, aparentando falta de ar. Se eu não estivesse ao seu lado, sustentando-a, teria caído no chão. Esfreguei suas têmporas com o guardanapo molhado, dei-lhe um golinho de água para beber. Ela se recuperou um pouco, mas continuava muito pálida, quase branca. E agora havia um pânico animal em seus olhos.

— Vou morrer — balbuciou, cravando as unhas no meu braço.

— Não vai morrer. Deixei que você fizesse comigo todas as canalhices do mundo, desde que éramos crianças, mas essa, de morrer, não. Isso eu proíbo.

Sorriu, sem forças.

— Já era hora de me dizer alguma coisa bonita. — Sua voz era quase inaudível. — Senti falta disso, embora você também não acredite.

Quando, um pouco depois, tentei levantá-la, suas pernas tremiam e ela se deixou cair na cadeira, exausta. Pedi a um garçom do Le Procope que chamasse um dos táxis do ponto da esquina da Saint Germain e me ajudasse a levá-la até a rua. Carregamos a menina má pela cintura. Quando ela me ouviu dizer ao motorista que nos levasse ao hospital mais próximo — o Hotel Dieu, na Cité, não é? —, agarrou-se a mim com desespero: "Não, não, hospital de jeito nenhum, não, não". Fui obrigado a me corrigir e pedir ao motorista que nos levasse à rue Joseph Granier. No trajeto até a minha casa — vinha encostada no meu ombro —, ela voltou a perder os sentidos por alguns segundos. Seu corpo ficou mole e se esparramou no assento. Ao erguê-la, senti todos os ossinhos das suas costas. Na porta do edifício *art déco*, chamei Simon e Elena pelo interfone, pedindo que descessem para me ajudar.

Levamos a menina má até o meu apartamento e a deitamos na cama. Meus amigos não me perguntaram nada, mas olhavam para ela com uma curiosidade voraz, como se tivesse ressuscitado. Elena lhe emprestou uma camisola e tomou sua temperatura e a pressão arterial. Não tinha febre, mas sua pressão estava muito baixa. Quando recuperou totalmente a consciência, Elena lhe deu aos golinhos uma xícara de chá fervendo, com dois comprimidos que, explicou, eram simples vitaminas. Ao se despedir, disse que não via qualquer perigo iminente, mas que, se a menina má passasse mal durante a noite, fosse acordá-la. Ela mesma ligaria para o Hospital Cochin pedindo uma ambulância. Depois desses desmaios, era preciso fazer uma avaliação médica completa. Elena ajeitaria tudo, mas ia levar pelo menos dois ou três dias.

Quando voltei para o quarto, ela estava com os olhos muito abertos.

— Você deve estar amaldiçoando a hora que atendeu o meu telefonema — disse. — Eu só apareço para lhe criar problemas.

— Desde que eu conheço você, não tem feito outra coisa além de me criar problemas. É o meu destino. E não há nada a fazer contra o destino. Olhe, está aqui, se precisar. É a sua. Mas, veja bem, depois você me devolve.

E tirei da mesa de cabeceira a escovinha Guerlain. Ela a examinou, divertida.

— Quer dizer que continua guardando? É a segunda gentileza desta noite. Que luxo. Onde vai dormir, posso saber?

— O sofá da sala é um sofá-cama, de maneira que pode perder as esperanças. Não há a menor possibilidade de que eu durma com você.

Riu outra vez. Mas esse pequeno esforço deixou-a cansada e, encolhendo-se sob o lençol, fechou os olhos. Então a agasalhei com os cobertores e pus também meu roupão sobre seus pés. Fui escovar os dentes, vesti o pijama e abri o sofá-cama da salinha. Quando voltei ao quarto, ela já dormia, respirando com normalidade. A claridade da rua que se filtrava pela claraboia iluminava o seu rosto: ainda muito pálido, com o nariz fino e, entre mechas de cabelo, viam-se as lindas orelhinhas. Estava com a boca entreaberta, as asas do nariz palpitando, e sua expressão era lânguida, de total abandono. Quando passei os lábios pelo seu cabelo senti seu hálito no rosto. Fui me deitar. Caí no sono quase imediatamente, mas acordei duas vezes durante a noite, e em ambas me levantei nas pontas dos pés para vê-la. Dormia, respirando normalmente. A pele do rosto estava muito esticada e seus ossos sobressaíam. Com a respiração, seu peito fazia os cobertores subirem e descerem, ligeiramente. Fiquei adivinhando seu pequeno coração, e imaginava como batia cansado.

Na manhã seguinte, estava preparando o café da manhã quando a ouvi levantar-se. Apareceu na cozinha, onde eu passava o café, enrolada no meu roupão. Ficava enorme no seu corpo, parecia um palhaço. Seus pés descalços eram de uma menina.

— Dormi quase oito horas — disse, abismada. — Não me acontecia há séculos. Ontem à noite eu desmaiei, certo?

— Pura pose, foi só para eu trazer você à minha casa. Pelo visto, conseguiu. E até se meteu na minha cama. Conhece as histórias de Kiko e Caco, menina má?

— Estraguei a noite, não foi, Ricardito?

— E o dia também. Porque você vai ficar aqui, na cama, enquanto Elena acerta as coisas no Hospital Cochin para fazer esse *checkup* completo. Nem se discute. Chegou a hora de impor a minha autoridade sobre você, menina má.

— Nossa, que progresso. Fala como se fosse meu amante.

Mas dessa vez não consegui que ela sorrisse. Olhava para mim com o rosto desfigurado e os olhos murchos. Estava engraçada, com o cabelo emaranhado e aquele roupão arrastando pelo chão. Então me aproximei dela e a abracei. Senti-a muito frágil, tremendo. Pensei que se apertasse um pouco mais o abraço, ela se quebraria, como um passarinho.

— Você não vai morrer — garanti no seu ouvido, beijando-lhe de leve o cabelo. — Tem de fazer esses exames e, se houver algo errado, você vai se curar. E ficar bonita outra vez, quem sabe assim consegue me deixar apaixonado de novo por você. E agora, venha, vamos tomar o café, não quero chegar tarde na Unesco.

Quando estávamos tomando nosso café com torradas, entrou Elena, já de saída para o trabalho. Tornou a tirar a temperatura e a pressão, e estavam melhor que na noite anterior. Mas recomendou que ficasse o dia todo na cama e só comesse coisas leves. Tentaria ajeitar tudo no hospital para que pudessem interná-la amanhã mesmo. Perguntou à menina má se precisava de alguma coisa, e ela lhe pediu uma escova de cabelo.

Antes de sair, eu lhe mostrei as provisões que havia na geladeira e no aparador, mais do que suficientes para que preparasse um caldo de galinha ou um macarrão com manteiga ao meio-dia. Eu me encarregaria do jantar, na volta. Se passasse mal, devia me chamar imediatamente, na Unesco. Ela concordava sem dizer nada, olhando em volta com uma expressão desligada, como se não entendesse muito bem o que se passava.

Telefonei no começo da tarde. Estava se sentindo bem. E feliz com o banho de espuma na minha banheira, porque fazia pelo menos seis meses que só tomava banho em lugares públicos, sempre às pressas. De tarde, quando voltei, encontrei-a com Yilal, absortos num filme de Laurel e Hardy que, dublado em francês, parecia absurdo. Mas ambos pareciam estar se divertindo e festejavam as palhaçadas do gordo e do magro. Ela estava usando um dos meus pijamas e, por cima, o roupão tamanho gigante dentro do qual parecia perdida. Estava bem penteada, com a cara fresca e sorridente.

Yilal me perguntou no seu quadro, apontando para a menina má: "Você vai se casar com ela, tio Ricardo?".

— Nem morto — disse eu, fazendo cara de horror. — Isso é o que ela quer. Há anos que tenta me seduzir. Mas eu não dou bola.

"Dê bola", respondeu Yilal, escrevendo depressa em seu quadro. "É simpática e será boa esposa".

— O que você fez para conquistar essa criança, guerrilheira?

— Contei coisas do Japão e da África. Ele é muito bom em geografia. Conhece as capitais melhor do que eu.

Nos três dias que a menina má permaneceu na minha casa, antes que Elena conseguisse vaga no Hospital Cochin, minha hóspede e Yilal ficaram íntimos. Jogavam damas, riam e brincavam como se fossem da mesma idade. Divertiam-se tanto juntos que, apesar de ficarem com a televisão ligada para manter as aparências, na realidade nem olhavam para a tela, concentrados no jokenpô, um jogo de mãos que eu não via desde a minha infância miraflorense: a pedra tritura a tesoura, o papel embrulha a pedra e a tesoura corta o papel. Às vezes, ela começava a ler histórias de Júlio Verne para Yilal, mas, depois de algumas linhas, saía do texto e começava a desatinar o enredo até que Yilal arrancava o livro das suas mãos, sacudido pelas gargalhadas. Jantamos essas três noites na casa dos Gravoski. A menina má ajudava Elena a cozinhar e a lavar os pratos. Enquanto isso, conversavam e faziam brincadeiras. Era como se nós quatro fôssemos dois casais amigos da vida inteira.

Na segunda noite, ela insistiu em dormir no sofá-cama e me devolver o quarto. Tive de aceitar, porque me ameaçou dizendo que iria embora. Nesses dois primeiros dias estava de bom ânimo; pelo menos é o que me parecia, ao anoitecer, quando voltava da Unesco e a encontrava brincando com Yilal de igual para igual. No terceiro dia, ainda estava escuro quando acordei, certo de ter ouvido alguém chorando. Escutei mais um pouco e não havia dúvida: era um pranto baixinho, entrecortado, com intervalos de silêncio. Fui para a sala de jantar e a encontrei encolhida em sua cama, tampando a boca, molhada de lágrimas.

Tremia dos pés à cabeça. Limpei seu rosto, alisei o cabelo, dei-lhe um copo d'água.

— Está passando mal? Quer que eu vá acordar Elena?

— Vou morrer — disse, bem baixinho, choramingando. — Fui contagiada lá em Lagos, ninguém sabe o que é. Dizem que não é aids, mas o que é então? Não tenho mais forças para nada. Nem para comer, nem para andar, nem para levantar o braço. Era a mesma coisa com Juan Barreto lá em Newmarket, lembra? E estou com uma secreção o tempo todo lá embaixo que parece pus. Mas não é só a dor. É que agora, desde o que houve em Lagos, sinto muito nojo do meu corpo e de tudo o mais.

Ficou soluçando um bom tempo, reclamando do frio, apesar de estar bem agasalhada. Eu lhe enxugava os olhos, dava golinhos de água na boca, arrasado por uma sensação de impotência. O que fazer, o que dizer, para tirá-la desse estado? Até que senti finalmente que havia adormecido. Voltei para o meu quarto com o peito apertado. Sim, ela estava mesmo muito doente, talvez com aids, e quem sabe iria acabar como o pobre Juan Barreto.

Nessa tarde, quando voltei do trabalho, já estava toda preparada para se internar no Hospital Cochin na manhã seguinte. Havia trazido suas coisas num táxi e guardara uma mala e uma maleta no *closet*. Reclamei com ela. Por que não tinha me esperado para buscar sua bagagem? Sem hesitar, respondeu que sentia vergonha da espelunca onde estava morando.

Na manhã seguinte, levando apenas a maleta, partiu com Elena. Ao se despedir, murmurou uma frase no meu ouvido que me deixou feliz:

— Você é a melhor coisa que me aconteceu na vida, bom menino.

Os dois dias que estavam previstos para a bateria de exames se ampliaram para quatro e em nenhum deles pude vê-la. O hospital era muito rígido com os horários, e quando eu saía da Unesco já era tarde para a visita. Não consegui sequer falar com ela pelo telefone. De noite, Elena me contava o que tinha conseguido saber. Ela suportava com dignidade os exames, análises, interrogatórios e espetadas. Elena trabalhava em outro pavilhão mas dava um jeito de vê-la duas vezes por dia. Além disso, o professor Bourrichon, titular de medicina interna, uma das sumidades do hospital, havia se interessado pelo caso. No fim da tarde, em casa, quando ainda encontrava Yilal em frente ao aparelho de televisão, lia no seu quadro a pergunta: "Quando ela vai voltar?".

No quarto dia, à noite, depois de servir o jantar e botar Yilal na cama, Elena voltou à minha casa para dar notícias. Embora ainda faltassem os resultados de alguns exames, naquela tarde o professor Bourrichon adiantara algumas conclusões. A hipótese de aids estava excluída, de maneira terminante. Ela sofria de uma desnutrição extrema e um estado agudo de abatimento depressivo, de perda do impulso vital. Precisava de um tratamento psicológico imediato, que a ajudasse a recuperar a "alegria de viver"; sem isso, qualquer programa de recuperação física seria ineficaz. O estupro provavelmente era verídico; tinha marcas de rasgões e cicatrizes, tanto na vagina quanto no ânus, e uma ferida que supurava, resultado de um instrumento metálico ou de madeira — ela não lembrava — introduzido à força, que tinha machucado uma das paredes vaginais, perto do útero. Parecia surpreendente que essa ferida, malcuidada, não houvesse provocado uma septicemia. Seria necessário fazer uma intervenção cirúrgica para limpar o abscesso e suturar a ferida. Porém o mais delicado no seu quadro clínico era o forte estresse, que a deixava arrasada, consequência da experiência de Lagos e da incerteza de sua situação atual. Estava insegura, não tinha apetite e sofria ataques de terror. Seus desmaios eram consequência daquele trauma. O coração, o cérebro e o estômago funcionavam perfeitamente.

— Vão fazer essa pequena operação no útero amanhã cedo — acrescentou Elena. — O doutor Pineau, o cirurgião, é meu amigo e não cobrará nada. Só vai ser preciso pagar o anestesista e os remédios. Uns três mil francos, mais ou menos.

— Não há problema, Elena.

— Afinal, as notícias não são tão ruins assim, não é mesmo? — ela me animou. — Podia ser bem pior, tendo em vista a carnificina que esses selvagens fizeram com a coitada. O professor Bourrichon recomenda que ela passe um tempo numa clínica de repouso, com bons psicólogos. Que não caia nas mãos de um desses lacanianos que podem metê-la num labirinto e complicar a situação mais do que está. O problema é que essas clínicas costumam ser bastante caras.

— Eu consigo o que for preciso. O importante é encontrar um bom especialista, que a tire deste estado e a ajude a voltar a ser aquela que era, não o cadáver em que se transformou.

— Vamos encontrar, prometo — Elena sorriu, dando uma palmadinha no meu braço. — É o grande amor da sua vida, não é, Ricardo?

— O único, Elena. A única mulher que amei, desde menina. Fiz o impossível para esquecê-la, mas na verdade é inútil. Sempre a amarei. Para mim a vida não vai ter sentido se ela morrer.

— Que sorte a dela, inspirar um amor assim — riu minha vizinha. — *Chapeau!* Vou pedir a receita. Simon tem razão: esse apelido que ela pôs em você é a sua cara.

Na manhã seguinte pedi licença na Unesco para permanecer no Hospital Cochin durante a pequena operação. Esperei num corredor soturno, de teto muito alto, por onde corria um vento gelado e circulavam enfermeiras, médicos, pacientes e, de vez em quando, doentes deitados em macas com tanques de oxigênio ou frascos de plasma suspensos sobre as cabeças. Havia um cartaz de "Proibido fumar" ao qual ninguém parecia prestar atenção.

O doutor Pineau conversou comigo por alguns minutos, na frente de Elena, enquanto tirava as luvas de borracha e com um sabão espumoso lavava minuciosamente as mãos num jato de água que expelia fumaça. Era um homem bastante jovem, seguro de si mesmo, que não usava meios-termos para falar:

— Ela vai ficar perfeitamente bem. Mas, veja bem, já sabe o seu estado. Está com a vagina ferida, propensa a inflamar e sangrar. O ânus também está machucado. Qualquer coisa pode irritá-la e abrir as feridas. Você vai ter de se controlar, amigo. Fazer amor com muito cuidado, e não muito frequentemente. Pelo menos nestes dois primeiros meses, recomendo contenção. De preferência, nem tocar nela. E, se não for possível, só com extrema delicadeza. Ela sofreu uma experiência traumática. Não foi um simples estupro; foi, para falar claro, um verdadeiro massacre.

Fiquei ao lado da menina má quando a levaram do centro cirúrgico para a grande sala comum, onde a puseram num espaço isolado por dois biombos. Era um lugar muito amplo, mal iluminado, com paredes de pedra e tetos côncavos e escuros que faziam pensar em ninhos de morcego, azulejos implacavelmente limpos e um forte cheiro de desinfetante e lixívia. Estava ainda mais pálida que antes, cadavérica, e com os olhos entrecerrados. Quando me reconheceu, esticou o braço. Peguei sua mão entre as minhas, e me pareceu tão fininha e pequena quanto a de Yilal.

— Estou bem — disse, com firmeza, antes que eu perguntasse como se sentia. — O doutor que me operou era muito simpático. E bonitão.

Beijei seu cabelo, suas lindas orelhinhas.

— Espero que não tenha flertado com ele. Você é bem capaz.

Fez pressão com a mão e, quase imediatamente, caiu no sono. Dormiu a manhã inteira e só acordou no começo da tarde, reclamando de dor. Por instruções do médico, uma enfermeira veio lhe dar uma injeção. Pouco depois apareceu Elena, de avental branco, trazendo um casaquinho. Vestiu-o por cima da camisola. A menina má quis saber de Yilal e sorriu quando ouviu que o filho dos Gravoski perguntava por ela o tempo todo. Fiquei ao seu lado boa parte da tarde e a acompanhei enquanto comia, numa pequena bandeja de plástico: uma sopinha de legumes e um pedaço de frango fervido com batatas cozidas. Levava a comida à boca sem muita vontade, só para satisfazer minha insistência.

— Sabe por que todo mundo aqui me trata tão bem? — perguntou. — Por causa de Elena. As enfermeiras e médicos a adoram. É muito popular no hospital.

Pouco depois mandaram embora as visitas. Nessa noite, na casa dos Gravoski, Elena me trouxe notícias. Havia pesquisado e conversado com o professor Bourrichon. Este sugeriu uma pequena clínica privada, em Petit Clamart, não muito longe de Paris, aonde já havia mandado alguns pacientes, vítimas de depressão e desequilíbrios nervosos provocados por maus-tratos, com excelentes resultados. O diretor tinha sido seu colega de faculdade. Se quiséssemos, podia falar com ele sobre o caso da menina má.

— Você não sabe como fico grato, Elena. Parece o lugar certo. Vamos levá-la, o quanto antes.

Elena e Simon se entreolharam. Estávamos tomando o nosso habitual café, depois de jantarmos uma omelete, um pouco de presunto e salada com um copo de vinho.

— Temos dois problemas — disse Elena, pouco à vontade. — O primeiro, você sabe, esse lugar é uma clínica particular, e bastante cara.

— Tenho algumas economias e, se não bastarem, faço um empréstimo. Se for preciso, vendo este apartamento. Dinheiro não é problema, o importante é que ela fique bem. Qual era o outro?

— O passaporte que ela apresentou no Hospital Cochin é falso — explicou Elena, com uma expressão e um tom de voz que pareciam pedir desculpas. — Tive de fazer malabarismos para que a administração não a denunciasse à polícia. Mas ela tem de sair do hospital amanhã mesmo e nunca mais voltar, infelizmente. E não descarto a possibilidade de que, assim que puser os pés na rua, avisem às autoridades.

— Essa moça nunca vai deixar de me surpreender — exclamou Simon. — Estão vendo como as nossas vidas são medíocres em comparação com a dela?

— A questão dos documentos poderia ser resolvida? — Elena me perguntou. — Imagino que deve ser difícil, naturalmente. Não sei, mas isso pode ser um grande obstáculo na clínica do doutor Zilacxy, em Petit Clamart. Não vão aceitá-la se descobrirem que sua situação na França é ilegal. E podem até chamar a polícia.

— Imagino que a menina má nunca na vida teve documentos em ordem — disse eu. — Aposto que não tem um passaporte, e sim vários. Pode ser que algum deles pareça menos falso que os outros. Vou perguntar a ela.

— Assim, acabamos todos na cadeia — Simon soltou uma gargalhada. — Elena vai ser impedida de exercer a medicina e eu, afastado do Instituto Pasteur. E então começaremos por fim a viver a verdadeira vida.

Terminamos rindo os três juntos e essa risada partilhada com meus dois amigos me fez bem. Foi a primeira noite das últimas quatro que dormi sem interrupções até o despertador tocar. No dia seguinte, quando voltei da Unesco, encontrei a menina má na minha cama e o buquê de flores que eu lhe enviara, num vaso de água sobre a mesinha de cabeceira. Agora se sentia melhor, sem dores. Elena a trouxera do Hospital Cochin e a ajudou a subir, mas depois voltou para o trabalho. Yilal estava com ela, muito contente com a recém-chegada. Quando o menino saiu, a menina má falou em voz baixa, como se o filho dos Gravoski ainda pudesse ouvi-la:

— Peça para Simon e Elena virem tomar o café aqui, esta noite. Depois de botarem Yilal na cama. Vou ajudar. Quero agradecer por tudo o que Elena fez por mim.

Não deixei que ela se levantasse para me ajudar. Preparei o café e pouco depois os Gravoski bateram na porta. Levei a menina má, carregada — não pesava nada, talvez tanto quanto Yilal —, para se sentar conosco na sala e a agasalhei com um cobertor. Então, antes mesmo de cumprimentá-los, ela soltou a notícia com os olhos radiantes:

— Não caiam para trás de susto, por favor. Esta tarde, depois que Elena nos deixou sozinhos, Yilal me abraçou e me disse em espanhol, bem claro: "Ama muito você, menina má". Disse "ama", não amo.

E, para que não restasse a menor dúvida de que estava dizendo a verdade, fez uma coisa que eu não via desde os meus tempos de aluno do Colégio Champagnat, em Miraflores: levou à boca os dedos em cruz e os beijou dizendo: "Juro, ele falou exatamente isso, letra por letra".

Elena começou a chorar e, enquanto derramava umas lágrimas grossas, também ria, abraçada à menina má. E Yilal disse mais alguma coisa? Não. Quando tentou puxar uma conversa com ele, o menino voltou para o seu mutismo e respondeu em francês com a ajuda do pequeno quadro-negro. Mas essa frase, pronunciada com o mesmo fiapo de vozinha que ela já ouvira no telefone, demonstrava de uma vez por todas que Yilal não era mudo. Durante algum tempo não falamos de outra coisa. Tomamos o café, e Simon, Elena e eu bebemos um uísque de malte que estava guardado na minha despensa desde tempos imemoriais. Os Gravoski determinaram a estratégia a seguir. Nem eles nem eu devíamos demonstrar que sabíamos de nada. Como o menino tinha tomado a iniciativa de se dirigir à menina má, esta, da maneira mais natural possível, sem fazer qualquer pressão, tentaria estabelecer um novo diálogo, fazendo perguntas, dirigindo-se a ele sem olhá-lo de frente, de maneira distraída, evitando cuidadosamente que Yilal se sentisse vigiado ou submetido a uma prova.

Depois, Elena falou com a menina má sobre a clínica do doutor Zilacxy, em Petit Clamart. Era um lugar pequeno, numa área bem cuidada e cheia de árvores, e o diretor, amigo e colega de faculdade do professor Bourrichon, era um psicólogo e psiquiatra de prestígio, especializado em tratar pacientes com depressão e transtornos nervosos decorrentes de acidentes, maus-tratos e traumas diversos, assim como de anorexia, alcoolismo e dependência de drogas. As conclusões das avaliações eram terminantes. A menina má precisava se isolar por algum tempo num lugar apropriado, em repouso absoluto, onde, ao mesmo tempo que seguiria um programa dietético e de exercícios para recuperar as forças, receberia apoio psicológico, que a ajudasse a apagar as reverberações daquela experiência horrível na sua mente.

— Quer dizer que estou doida? — perguntou.

— Isso sempre esteve — respondi. — Mas agora, além do mais, está anêmica e deprimida, e disso podem curá-la nessa clínica. Doida de pedra vai continuar sendo até o fim dos seus dias, se é isso o que a preocupa.

Não riu da gracinha mas, mesmo ainda um pouco reticente, rendeu-se à minha insistência e aceitou que Elena marcasse uma entrevista com o diretor da clínica de Petit Clamart. Nossa vizinha nos acompanharia. Quando os Gravoski se despediram, a menina má olhou para mim angustiada e cheia de recriminações:

— E quem vai pagar essa clínica? Você sabe muito bem que eu não tenho onde cair morta.

— Só pode ser o babaca de sempre — respondi, ajeitando seus travesseiros. — Você é minha louva-a-deus, sabia? Um inseto fêmea que devora o macho enquanto fazem amor. Ele morre feliz, parece. É o meu caso, exatamente. Não se preocupe com o dinheiro. Não sabe que sou rico?

Segurou um dos meus braços com as duas mãos.

— Você não é rico, é um pobre coisinha à toa — disse, furiosa. — Se fosse, eu não teria ido para Cuba, nem para Londres, nem para o Japão. Teria ficado com você daquela vez, quando me levou para conhecer Paris e comer naqueles restaurantes horríveis, de mendigos. Sempre troquei você por uns ricos que se mostraram um lixo. E acabei assim, um desastre. Está contente por me ouvir reconhecer isso? Gosta de ouvir? Você faz essas coisas para demonstrar que é superior a todos eles, mostrar o que eu perdi com você? Por que faz, posso saber?

— Sei lá por quê, menina má. Talvez para receber indulgências e ir para o céu. Também pode ser que ainda esteja apaixonado por você. E agora, chega de adivinhações. Vamos dormir. O professor Bourrichon disse que, até estar totalmente recuperada, você deve tentar dormir pelo menos oito horas diárias.

Dois dias depois, terminou meu contrato temporário com a Unesco e pude dedicar o dia inteiro a ela. No Hospital Cochin haviam prescrito uma dieta à base de verduras, peixes e carnes cozidas, frutas e sopas de legumes, e proibido o álcool, mesmo o vinho, assim como o café e todos os temperos fortes. Devia fazer exercícios e caminhar ao menos uma hora por dia. De manhã, depois do café — eu ia comprar *croissants* recém-saídos do forno numa padaria da École Militaire —, dávamos um passeio, de braços dados, ao pé da Torre Eiffel, pelo Champs de Mars, pela École Militaire e, às vezes, se o tempo permitisse e ela estivesse disposta, bordejávamos os cais do Sena até a Place de la Concorde. Eu deixava que ela conduzisse a conversa, evitando, apenas, que me falasse de Fukuda ou do episódio de Lagos. Nem sempre era possível. Então, quando ela teimava em tocar no assunto, eu me limitava a ouvir o que queria contar, sem fazer perguntas. Pelas coisas que insinuava, de tanto em tanto, nesses quase monólogos, deduzi que sua captura na Nigéria acontecera quando estava partindo do país. Mas sua história, desencaixada, sempre transcorria numa espécie de nebulosa. Já tinha passado pela alfândega do aeroporto e estava na fila de passageiros, dirigindo-se para o avião. Dois policiais a tiraram dali, com boas maneiras; a atitude deles mudou por completo assim que a meteram numa camionete com os vidros pintados de negro e, principalmente, quando a fizeram descer num edifício fedorento, onde havia celas com grades que cheiravam a excremento e urina.

— Acho que não foram eles que me descobriram, aquela polícia não era capaz de descobrir nada — dizia, uma e outra vez.
— Alguém me denunciou. Mas quem, quem? Às vezes penso

que foi o próprio Fukuda. Mas por que faria isso? Não tem pé nem cabeça, certo?

— Que importância tem isso agora. Já passou. Esqueça, enterre. Não é bom você ficar se torturando com essas lembranças. O importante é que sobreviveu, e em pouco tempo vai estar completamente curada. E nunca mais vai se meter nessas confusões em que perdeu metade da vida.

No quarto dia, uma quinta-feira, Elena nos disse que o doutor Zilacxy, diretor da clínica de Petit Clamart, iria nos receber na segunda ao meio-dia. O professor Bourrichon tinha falado com ele pelo telefone e lhe passara todos os resultados dos exames médicos da menina má, assim como suas receitas e conselhos. Na sexta-feira, fui conversar com o senhor Charnés, convocado pela secretária da agência de tradutores e intérpretes que ele dirigia. Ofereceu-me um contrato de trabalho por duas semanas, em Helsinki, bem pago. Aceitei. Quando voltei para casa, assim que abri a porta, ouvi vozes e risadinhas no quarto. Fiquei quieto, com a porta entreaberta, escutando. Falavam em francês e uma das vozes era a da menina má. A outra, fininha, chiada, um pouco hesitante, só podia ser de Yilal. Minhas mãos ficaram úmidas, de repente. Permaneci em êxtase. Não cheguei a entender o que diziam, mas estavam jogando algum jogo, talvez damas, talvez jokenpô, e, a julgar pelas risadinhas, também estavam se divertindo muito. Não tinham me ouvido entrar. Fechei a porta da rua bem devagar e avancei até o quarto, exclamando bem alto, em francês:

— Aposto que estão jogando damas e que a menina má ganha.

Houve um silêncio instantâneo, e quando dei mais um passo e entrei no dormitório vi o tabuleiro de damas aberto no meio da cama e os dois sentados em cantos opostos, ambos inclinados sobre as peças. A figurinha de Yilal me olhava com os olhos relampejando de orgulho. E então, abrindo muito a boca, disse em francês:

— Yilal ganha!

— Sempre me ganha, não tem jeito — aplaudiu a menina má. — Este garotinho é um verdadeiro campeão.

— Vamos ver, vamos ver, quero ser o juiz desta partida — disse eu, sentando-me numa quina da cama e esquadrinhando o tabuleiro. Tentava fingir a mais absoluta naturalidade, como se nada de extraordinário estivesse acontecendo, mas quase não podia respirar.

Inclinado sobre as peças, Yilal observava, estudando o movimento seguinte. Por um instante, meu olhar e o da menina má se cruzaram. Ela sorriu e me deu uma piscadinha.

— Ganha outra vez! — exclamou Yilal, aplaudindo.

— De fato, *mon vieux*, ela não tem como escapar. Você ganhou. Aperte aqui!

Apertei sua mão e a menina má lhe deu um beijo.

— Nunca mais vou jogar damas com você, estou cansada de tanto levar surras — disse ela.

— Conheço um jogo mais divertido ainda, Yilal — improvisei. — Por que não damos a Elena e Simon a maior surpresa da sua vida? Vamos montar uma cena que os seus pais nunca vão esquecer, pelo resto dos seus dias. Você gostaria?

O menino fez uma expressão cautelosa e continuou imóvel, esperando que eu continuasse, sem se comprometer. Enquanto eu expunha esse plano que ia inventando à medida que o descrevia, ele me ouvia intrigado e um tanto temeroso, sem coragem de rejeitá-lo, atraído e repelido ao mesmo tempo pela minha proposta. Quando terminei, ficou parado e em silêncio ainda por um bom tempo, olhando para a menina má, olhando para mim.

— O que acha, Yilal? — insisti, sempre em francês. — Damos essa surpresa a Simon e Elena? Garanto que não vão se esquecer pelo resto da vida.

— Está bem — disse a vozinha de Yilal, concordando com a cabeça. — Damos essa surpresa.

Fizemos como eu tinha improvisado, em meio à emoção e ao desconcerto que me tomaram ao *ouvir* Yilal. Quando Elena veio buscá-lo, a menina má e eu pedimos que voltassem depois do jantar, ela, Simon e o menino, porque tínhamos uma sobremesa deliciosa e queríamos que provassem. Elena, um pouco surpresa, disse que estava bem, mas só um pouquinho, senão no dia seguinte o dorminhoco do Yilal não conseguiria acordar. Saí como um pé de vento para a esquina da École Militaire, onde ficava a confeitaria dos *croissants*, na *avenue* de La Bourdonnais. Por sorte, estava aberta. Comprei um bolo com muito creme e, por cima, uns morangos gordos e vermelhos. Na excitação em que estávamos, mal provamos a dieta de verduras e peixe que eu partilhava com a convalescente.

Quando Simon, Elena e Yilal — já de chinelos e roupão — chegaram, estávamos com o café pronto e o bolo cortado em fatias, à sua espera. Notei imediatamente pela expressão de Elena que ela desconfiava de alguma coisa. Simon, por sua vez, preocupado com um artigo de um cientista e dissidente russo que tinha lido aquela tarde, estava no mundo da lua e nos contava, com o creme da enjoativa sobremesa sujando a sua barba, que esse homem visitara há algum tempo o Instituto Pasteur e que todos os pesquisadores e cientistas ficaram impressionados com sua modéstia e seu valor intelectual. Então, seguindo o disparatado roteiro que eu havia arquitetado, a menina má perguntou, em espanhol:

— Quantos idiomas vocês acham que Yilal fala?

Percebi que, no ato, Simon e Elena, imóveis, abriam um pouco os olhos, parecendo perguntar: "O que está havendo aqui?".

— Acho que dois — declarei. — Francês e espanhol. E vocês? Quantos idiomas Yilal fala, Elena? Quantos você acha, Simon?

Os olhinhos de Yilal iam dos seus pais para mim, de mim para a menina má e de novo para os pais. Estava muito sério.

— Não fala nenhum idioma — balbuciou Elena, olhando para nós e evitando dirigir a vista para o menino. — Pelo menos por enquanto.

— Eu acho que... — disse Simon e se calou, aflito, pedindo com o olhar que lhe indicássemos o que devia dizer.

— Na realidade, não interessa o que nós achamos — interveio a menina má. — Só o que Yilal disser. Como é, Yilal? Quantos idiomas você fala?

— Fala francês — disse a voz fininha e chiada. E, depois de uma pausa muito breve, mudando de idioma: — Yilal fala espanhol.

Elena e Simon continuaram de olhos fixos nele, emudecidos. O bolo que estava na mão de Simon escorregou do seu prato e aterrissou na calça. O menino começou a rir, pôs a mão em cima da boca e, apontando a perna do Simon, exclamou em francês:

— Suja calça.

Elena se havia levantado e agora, ao lado do menino, olhando arrebatada para ele, acariciava a sua cabeça e passava a outra mão pelos seus lábios, uma e outra vez, como uma devota acariciando a imagem do santo padroeiro. Mas quem estava mais comovido era Simon. Sem conseguir falar nada, olhava para o filho, para a mulher, para nós, atarantado, parecendo pedir que não o acordássemos, que o deixássemos sonhar.

Nessa noite Yilal não disse mais nada. Pouco depois seus pais o levaram e a menina má, assumindo o papel de dona de casa, fez um embrulho com a metade do bolo que sobrava e insistiu para os Gravoski levarem. Eu estendi a mão para Yilal quando nos despedimos:

— Tudo deu certo, não foi, Yilal? Fico lhe devendo um presente, porque você se saiu muito bem. Outros seis soldadinhos de chumbo, para a sua coleção?

Fez movimentos afirmativos com a cabeça. Quando fechamos a porta atrás deles, a menina má exclamou:

— Neste momento, eles são o casal mais feliz da Terra.

Muito mais tarde, quando eu já estava adormecendo, vi uma silhueta que se insinuava na sala de jantar e, silenciosa, avançou até o meu sofá-cama. Pegou a minha mão:

— Vamos, venha comigo — ordenou.

— Não posso nem devo — respondi, levantando-me e indo atrás dela. — O doutor Pineau proibiu. Durante dois meses, pelo menos, não posso tocar em você, muito menos fazer amor. E não vou tocar, nem fazer amor, até que esteja saudável. Entendido?

Já estávamos deitados na sua cama e ela se aconchegou em mim e encostou a cabeça no meu ombro. Senti seu corpo, que era só pele e osso, e seus pequenos pés gelados se esfregaram nas minhas pernas, e um calafrio me percorreu da cabeça aos calcanhares.

— Não quero que faça amor comigo — sussurrou, beijando meu pescoço. — Quero que me abrace, que me dê calor e que espante o medo que eu sinto. Estou morrendo de pavor.

Seu corpinho, uma forma cheia de arestas, tremia feito vara verde. Abracei-a, esfreguei suas costas, braços, cintura, e por um bom tempo fiquei dizendo coisas doces no seu ouvido. Eu nunca deixaria que ninguém a machucasse de novo, ela precisava ser determinada para se restabelecer logo e recuperar as forças, a vontade de viver e de ser feliz. E para ficar bonita outra vez. Ela ouvia, muda, grudada em mim, transpassada às vezes por sobressaltos que a faziam gemer e se contorcer. Muito depois, senti que adormecia. Mas ao longo de toda aquela noite, na minha vigília, eu a senti gemer e estremecer, vítima dos seus constantes ataques de pânico. Quando a via assim, tão desamparada, lembrava do que acontecera em Lagos, e então sentia tristeza, cólera, um desejo feroz de vingança contra seus algozes.

A visita à clínica de Petit Clamart, do doutor André Zilacxy, francês de ascendência húngara, foi um verdadeiro passeio campestre. Nesse dia um sol radiante fazia brilhar os altos plátanos e álamos do bosque, nos arredores de Petit Clamart, onde ficava a clínica, ao fundo de um parque com estátuas lascadas e um lago com cisnes. Chegamos ao meio-dia e o doutor Zilacxy nos levou imediatamente ao seu consultório. O lugar era uma antiga mansão senhorial do século XIX, de dois andares, com escadaria de mármore e varandas gradeadas, toda reformada por dentro e acrescida recentemente de um pavilhão com enormes vidraças, talvez um solário ou ginásio com piscina. Pelas janelas do consultório viam-se ao longe pessoas caminhando sob as árvores e, entre elas, jalecos brancos de enfermeiras ou médicos. Zilacxy parecia também sair do século XIX, com sua barbinha aparada em ângulo reto emoldurando um rosto mirrado e uma careca reluzente. Vestia um terno preto, colete cinza, um colarinho duro que parecia postiço e, em vez de gravata, uma fita dobrada em quatro presa com um alfinete vermelho. Usava um relógio de bolso, com corrente dourada.

— Falei com meu colega Bourrichon e li o relatório do Hospital Cochin — disse, entrando no assunto de chofre, como se não pudesse perder tempo com banalidades. — Vocês têm sorte, a clínica está sempre lotada, há gente que espera muito tempo para ser internada. Mas como a senhora é um caso especial, pois vem recomendada por um velho amigo, vamos conseguir uma vaga.

Tinha um ótimo timbre vocal e maneiras elegantes, um tanto teatrais, de se mover e de mostrar as mãos. Disse que a "paciente" receberia uma alimentação especial, determinada por uma nutricionista, para recuperar o peso perdido, e que um treinador orientaria pessoalmente seus exercícios físicos. Seu médico de cabeceira seria a doutora Roullin, especialista em traumas da índole daquele de que foi vítima. Poderia receber visitas duas vezes por semana, entre cinco e sete da noite. Além do tratamento com a doutora Roullin, participaria de sessões de terapia de grupo, que ele mesmo dirigia. A menos que houvesse alguma objeção de sua parte, a hipnose poderia ser empregada no tratamento, sob seu controle. E — fez uma pausa para anunciar um esclarecimento importante — se a paciente, a qualquer altura do tratamento, chegar a sentir-se "decepcionada", pode interrompê-lo imediatamente.

— Nunca aconteceu — acrescentou, estalando a língua. — Mas a possibilidade existe, e alguma vez pode vir a ocorrer.

Também disse que, na conversa com o professor Bourrichon, concluíram que a paciente deveria permanecer na clínica, a princípio, pelo menos durante quatro semanas. Depois, veriam se era recomendável prolongar a permanência ou continuar a recuperação em casa.

Respondeu a todas as perguntas de Elena e minhas — a menina má não abriu a boca, limitou-se a ouvir como se não fosse com ela — a respeito do funcionamento da clínica, seus colaboradores e, depois de uma brincadeira a respeito de Lacan e suas fantasiosas combinações de estruturalismo e Freud que, explicou sorrindo, para nos tranquilizar, "não oferecemos no nosso *menu*", pediu a uma enfermeira que levasse a menina má ao gabinete da doutora Roullin. Ela estava à sua espera, para conversar um pouco e mostrar o estabelecimento.

Quando ficamos a sós com o doutor Zilacxy, Elena abordou com cautela o delicado assunto do custo de um mês de tratamento. E se apressou a explicar que a paciente não tinha seguro nem um patrimônio pessoal, e quem assumiria o pagamento seria o amigo aqui presente.

— Cem mil francos, aproximadamente, sem contar a medicação que, bem, é difícil saber de antemão, deve significar mais uns vinte ou trinta por cento, no máximo — Fez uma pequena pausa e tossiu antes de prosseguir: — É um preço especial, porque a senhora veio recomendada pelo professor Bourrichon.

Olhou para o relógio, levantou-se e disse que, se decidíssemos aceitar, seria preciso passar pela administração e preencher os formulários.

Três quartos de hora depois a menina má apareceu. Estava contente com a conversa com a doutora Roullin, que lhe pareceu muito sensata e simpática, e com a visita à clínica. O quartinho que ocuparia era pequeno, confortável, bem bonito, com vista para o parque, e todas as instalações, o refeitório, a sala de ginástica, a piscina aquecida, o pequeno auditório onde se faziam palestras e passavam documentários e filmes, eram muito modernos. Sem discutir mais nada, fomos à administração. Assinei um documento em que me comprometia a assumir todos os gastos e dei um cheque de dez mil francos como depósito. A menina má entregou um passaporte francês à administradora e esta, uma mulher muito magrinha, com um coque e um olhar inquisidor, pediu sua carteira de identidade. Elena e eu nos entreolhamos inquietos, esperando uma catástrofe.

— Não tenho ainda — disse a menina má, com absoluta naturalidade. — Morei muitos anos no estrangeiro e acabo de voltar para a França. Sei que preciso tirar. Vou fazer isso o quanto antes.

A administradora anotou os dados do passaporte numa caderneta e o devolveu.

— Pode se internar amanhã — concluiu. — Chegue antes de meio-dia, por favor.

Aproveitando o dia bonito, um tanto frio mas dourado e com o céu limpíssimo, demos uma longa caminhada pela floresta de Petit Clamart, sentindo as folhas mortas do outono ranger sob os nossos pés. Almoçamos num pequeno bistrô na beira do bosque, onde uma lareira crepitante aquecia o ambiente e avermelhava os rostos dos fregueses. Elena precisava ir trabalhar, de maneira que nos deixou na entrada de Paris, em frente à primeira estação de metrô que vimos. Durante todo o trajeto até a École Militaire, ela ficou calada, com sua mão presa na minha. Às vezes a sentia estremecer. Assim que entramos no apartamento da rue Joseph Granier, a menina má me fez sentar na poltrona da sala e se deixou cair no meu colo. Estava com o nariz e as orelhas gelados e tremia de tal maneira que não podia articular uma palavra. Seus dentes batiam.

— A clínica vai lhe fazer bem — disse, acariciando o seu pescoço, os ombros, esquentando com o hálito suas orelhas geladas. — Lá vão cuidar de você, fazer recuperar o peso, acabar com esses ataques de medo. Vão deixar você bonita para se tornar outra vez o diabinho que sempre foi. E, se não gostar da clínica, volte para cá, na mesma hora. No instante que você quiser. Não é uma prisão, é um lugar de descanso.

Apertada contra mim, não dizia nada, mas ficou tremendo um bom tempo antes de se acalmar. Então, preparei um chá com limão. Conversamos, enquanto ela ia fazendo sua mala. Eu lhe entreguei um envelope onde havia guardado mil francos em notas, para levar consigo.

— Não é um presente, é um empréstimo — brinquei. — Você paga quando ficar rica. Com juros altos.

— Quanto vai custar tudo isso? — perguntou, sem me olhar.

— Menos do que eu pensava. Uns cem mil francos. O que importam cem mil francos se posso ver você bonita outra vez? Faço isso por puro interesse, chilenita.

Não falou por um bom tempo e continuou fazendo a mala, emburrada.

— Fiquei tão feia assim? — perguntou, de repente.

— Horrível — disse eu. — Você vai me desculpar, mas está um verdadeiro horror de mulher.

— Mentira — disse, e de virada jogou uma sandália que se chocou contra o meu peito. — Não devo estar tão feia porque esta noite, na cama, você passou o tempo todo de pinto duro. Estava morrendo de vontade de fazer amor. Acha que não percebi, santinho?

Deu uma risada e a partir desse momento seu ânimo melhorou. Quando terminou de fazer a mala, veio sentar-se outra vez no meu colo, pedindo que eu a abraçasse e fizesse uma massagem suave nas suas costas e nos braços. E ainda estava assim, dormindo profundamente, quando, por volta das seis, Yilal entrou para ver seu programa de televisão. Desde a noite da surpresa que fizemos aos seus pais, ele se permitia falar com eles e conosco, mas só em certos momentos, porque o esforço o deixava muito cansado. E sempre voltava para o seu quadro-negro, que continuava usando pendurado no pescoço, com dois ou três gizes numa bolsinha. Nessa noite não ouvimos sua voz até que se despediu, em espanhol, com um: "Boa-noite, amigos".

Depois do jantar, fomos tomar o café na casa dos Gravoski e eles prometeram visitar a menina má na clínica, dizendo-lhe para telefonar se precisasse de alguma coisa enquanto eu estivesse na Finlândia. Quando voltamos para casa, não me deixou abrir o sofá-cama:

— Por que não quer dormir comigo?

Eu a abracei e apertei contra o meu corpo.

— Sabe muito bem por quê. É um martírio estar com você nua ao meu lado, desejando seu corpo como eu desejo, e não poder encostar nele. Não notou ontem à noite?

— Você não tem jeito — disse ela, indignada, como se eu a tivesse insultado. — Se fosse Fukuda, faria amor comigo a noite inteira, sem ligar a mínima se eu ia me esvair em sangue ou morrer.

— Eu não sou Fukuda. Também não notou isso, ainda?

— É claro que notei — repetiu ela, jogando os braços no meu pescoço. — E, por isso, esta noite você vai dormir comigo. Porque não há nada que eu adore tanto como martirizar você. Não tinha reparado?

— *Hélas*, sim — disse eu, beijando seu cabelo. — Reparei perfeitamente, até demais, há um bocado de tempo, e o pior é que não me vingo. Até parece que gosto. Somos o casal perfeito: a sádica e o masoquista.

Dormimos juntos e quando ela tentou me acariciar peguei suas mãos e afastei-as.

— Até ficar completamente curada, nós vamos ser puros feito dois anjinhos.

— Nossa, você é mesmo um *vrai con*. Pelo menos me abrace forte para espantar o medo.

Na manhã seguinte tomamos o trem na estação Saint Lazare e, durante toda a viagem até Petit Clamart, ela permaneceu muda e cabisbaixa. Quando nos despedimos na porta da clínica, ficou agarrada a mim como se nunca mais fôssemos nos ver e molhou minha cara com suas lágrimas.

— Desse jeito, vai acabar se apaixonando por mim.

— Aposto o que quiser que isso nunca vai acontecer, Ricardito.

Fui para Helsinki nessa mesma tarde e, nas duas semanas que fiquei lá, trabalhando, falei russo sem parar todos os dias, de manhã e de tarde. Era uma reunião tripartida, com delegados da Europa, Estados Unidos e Rússia, para traçar uma política de ajuda e cooperação dos países ocidentais ao que ia restando das ruínas da União Soviética. Havia comissões que tratavam de economia, instituições, política social, cultura e esportes, e em todas elas os delegados russos se expressavam com uma liberdade e uma espontaneidade inconcebíveis pouco tempo antes com aqueles monótonos robôs *apparatchik* que o governo de Brejnev, e mesmo de Gorbatchóv, mandavam para as reuniões internacionais. As coisas estavam mudando por lá, era evidente. Senti vontade de voltar a Moscou e à rebatizada São Petersburgo, que não visitava havia vários anos.

Os intérpretes sempre tinham muito trabalho, quase não havia tempo para passear. Era minha segunda viagem a Helsinki. A primeira tinha sido na primavera, quando era possível andar pelas ruas e apreciar nos arredores os bosques de abetos salpicados de lagos e as lindas aldeias de casas de madeira desse país onde tudo é belo: a arquitetura, a natureza, as pessoas, especialmente os velhos. Agora, em contraste, com a neve e a temperatura de vinte graus abaixo de zero, eu preferia, nas horas livres, ficar no hotel lendo ou praticando os misteriosos rituais da sauna que me produziam um delicioso efeito anestésico.

Dez dias depois de chegar a Helsinki, recebi uma carta da menina má. Estava bem instalada na clínica de Petit Clamart e se adaptava sem dificuldade. Não fazia uma dieta e sim superalimentação, mas, como praticava bastante exercício no ginásio — e, além disso, nadava, ajudada por um professor, porque nunca tinha aprendido a nadar, só a flutuar e a se deslocar na água como um cachorrinho —, isso lhe abria o apetite. Já tivera duas sessões com a doutora Roullin, que era bastante inteligente e a entendia muito bem. Quase não houve oportunidade de conversar com os outros pacientes; só trocava cumprimentos com alguns deles, na hora das refeições. A única com quem tinha conversado, duas ou três vezes, era uma garota alemã, anoréxica, muito tímida e assustadiça, mas boa pessoa. Da sessão de hipnose com o doutor Zilacxy só lembrava que, ao acordar, estava muito serena e descansada. Dizia também que sentia a minha falta e que não fizesse "muitas porcarias nessas saunas finlandesas que, como todo o mundo sabe, são uns grandes centros de degeneração sexual".

Quando voltei a Paris, duas semanas depois, a agência do senhor Charnés me ofereceu quase imediatamente outro contrato de cinco dias, em Alexandria. Só fiquei um dia na França, de maneira que não pude ir visitar a menina má. Mas falamos pelo telefone, ao entardecer. Estava bem-disposta, contente sobretudo com a doutora Roullin que, disse, estava lhe fazendo "um bem enorme", e divertida com a terapia de grupo dirigida pelo professor Zilacxy, "parecida com as confissões dos padres, mas em grupo e com sermões do doutor". O que ela queria que eu trouxesse do Egito? "Um camelo." E continuou, séria: "Já sei o quê: um desses vestidos de baile com a barriga de fora das dançarinas árabes". Pretendia me gratificar, quando saísse da clínica, com um espetáculo de dança do ventre só para mim? "Vou lhe fazer umas coisas que você nem sabe que existem, santinho." Quando eu disse que sentia muitas saudades dela, respondeu: "Eu também, acho". Estava melhorando, sem dúvida.

Nessa noite fui jantar na casa dos Gravoski e dei a Yilal uma dúzia de soldadinhos de chumbo que comprara para ele numa loja de Helsinki. Elena e Simon explodiam de felicidade. Se bem que o menino, às vezes, ainda mergulhava no mutismo e não abria mão do seu quadro, a cada dia se soltava um pouco mais, não só com eles, mas também no colégio, onde os colegas, que antes o apelidavam de "Mudo", agora o chamavam de "Periquito". Era questão de paciência; logo estaria totalmente normal. Os Gravoski tinham visitado a menina má duas ou três vezes, e a acharam perfeitamente ambientada na clínica. Elena falara com o professor Zilacxy pelo telefone e este leu em voz alta umas linhas em que a doutora Roullin fazia uma avaliação muito positiva dos progressos da doente. Estava ganhando peso e paulatinamente tinha mais controle sobre os nervos.

Na tarde seguinte parti rumo ao Cairo, onde, depois de cinco longas horas de voo, tive de tomar outro avião, de uma linha egípcia, para Alexandria. Cheguei exausto. Assim que me instalei no meu pequeno quarto de um hotelzinho misérrimo chamado The Nile — era culpa minha, eu tinha escolhido o mais barato que ofereciam aos intérpretes —, sem ânimo para abrir as malas, caí no sono e dormi oito horas seguidas, coisa bem difícil de me acontecer.

No dia seguinte, que tinha livre, fui andar pela antiga cidade fundada por Alexandre e visitei o museu de antiguidades romanas, as ruínas do anfiteatro e dei um longo passeio pela bela avenida costeira, salpicada de cafés, restaurantes, hotéis e lojas para turistas, onde fervilhava uma multidão rumorosa e cosmopolita. Sentado numa dessas varandas que me faziam pensar no poeta Kavafis — sua casa, no desaparecido e agora arabizado bairro grego, não podia ser visitada, um cartazinho em inglês dizia que estava sendo reformada pelo consulado da Grécia —, escrevi uma longa carta à enferma, dizendo que fiquei contente ao saber que ela estava bem na clínica de Petit Clamart e propondo, se ela se comportasse bem e saísse da clínica totalmente restabelecida, levá-la para se bronzear ao sol durante uma semana em alguma praia no sul da Espanha. Gostaria de ter uma lua de mel com este coisinha à toa?

Passei a tarde revendo toda a documentação da reunião que ia começar no dia seguinte. Trataria da cooperação e do desenvolvimento econômico de todos os países da bacia do Mediterrâneo: França, Espanha, Grécia, Itália, Turquia, Chipre, Egito, Líbano, Argélia, Marrocos e Líbia. Israel tinha sido excluído. Foram cinco dias exaustivos, sem tempo para nada, imerso em palestras e debates confusos e enfadonhos que, apesar de produzirem montanhas de papel impresso, eu sabia que não serviriam para nada de prático. Um dos intérpretes árabes da conferência, natural de Alexandria, me ajudou, no último dia, a conseguir a encomenda da menina má: um vestido de dançarina árabe, cheio de véus e pedrarias. Imaginei-a com ele no corpo, arqueando-se ao luar como uma palmeira na areia do deserto, ao compasso de *chirimías*, flautas, crótalos, tamborins, bandolins, címbalos e outros instrumentos musicais árabes, e a desejei.

Um dia depois de chegar a Paris, antes mesmo de ir ver os Gravoski, fui visitá-la na clínica de Petit Clamart. Era um dia cinza e chuvoso, e a floresta vizinha estava quase inteiramente desfolhada e queimada pelo inverno. O parque do lago de pedra, agora sem cisnes, estava coberto por uma neblina úmida e tristonha. Levaram-me para um salão bastante amplo onde havia algumas pessoas sentadas em poltronas, formando o que pareciam ser grupos familiares. Esperei ao lado de uma janela, de onde se divisava o lago, e de repente a vi entrar, de roupão, chinelos e uma toalha na cabeça à maneira de turbante.

— Fiz você esperar, desculpe, estava na piscina, nadando — disse, erguendo-se para me beijar no rosto. — Não tinha ideia de que viria. Só recebi ontem a sua cartinha de Alexandria. Vamos mesmo de lua de mel a uma praia no sul da Espanha?

Sentamos no mesmo lado e ela aproximou sua cadeira da minha até que os nossos joelhos se tocaram. Deu-me as duas mãos e assim ficamos, com os dedos entrelaçados, durante a hora que durou nossa conversa. A mudança era notável. Ela estava recuperada, de fato, e seu corpo tinha formas outra vez, a pele do seu rosto já não revelava os ossos, nem os pômulos estavam afundados. A vivacidade e a malícia de antigamente reapareciam nos seus olhos cor de mel escuro, e na sua testa serpenteava a veia azul. Ela movia os lábios grossos com uma faceirice que me recordava a menina má dos tempos pré-históricos. Achei-a segura, tranquila, contente por estar se sentindo bem e porque, garantiu, só muito de vez em quando tinha aqueles ataques de medo que nos dois últimos anos quase a levaram à loucura.

— Não precisa me dizer que está melhor — disse eu, beijando suas mãos e devorando-a com os olhos. — Basta olhar. Está linda outra vez. Fico tão impressionado por ver você assim que nem sei o que dizer.

— E isso que estou saindo da piscina — respondeu, procurando meus olhos de maneira provocadora. — Espere até me ver pintada, bem-vestida e maquiada. Você vai cair para trás, Ricardito.

Nessa noite contei aos Gravoski, com quem jantei, a melhora incrível da menina má após três semanas de tratamento. Eles a haviam visitado no domingo anterior e tiveram a mesma impressão. Continuavam felizes com Yilal. O menino se soltava cada vez mais para falar, em casa e no colégio, embora em determinados dias se fechasse de novo no silêncio. Mas não havia a menor dúvida: não era possível voltar atrás. Havia saído da prisão em que ele mesmo se refugiara, e estava cada vez mais reintegrado à comunidade dos seres falantes. De tarde, ele tinha se dirigido a mim em espanhol: "Você tem de me contar das pirâmides, tio Ricardo".

Dediquei os dias seguintes a limpar, arrumar e embelezar o apartamento da rue Joseph Granier, para receber a paciente. Mandei lavar e passar as cortinas e os lençóis, contratei uma senhora portuguesa para me ajudar a varrer e encerar o chão, espanar as paredes, lavar a roupa, e comprei flores para os quatro vasos da casa. Pus o embrulho com o vestido de baile egípcio na cama do quarto, com um cartãozinho risonho. Na véspera do dia em que ela ia voltar da clínica, eu estava ansioso como um garoto que vai sair pela primeira vez com uma menina.

Fomos buscá-la no carro de Elena, acompanhados por Yilal, que não iria à escola nesse dia. Apesar da chuva e do ar cinzento, eu tinha a sensação de que o céu soltava jorros de luz dourada sobre a França. Ela já estava preparada, esperando-nos na entrada da clínica, com a mala no chão. Tinha se penteado com cuidado, e pintou um pouco os lábios, passou *blush* nas bochechas, fez as mãos e aumentou as pestanas com rímel. Estava usando um casaco que eu não tinha visto até então, azul-marinho, com um cinto de fivela grande. Quando a viu, Yilal ficou com os olhos iluminados e correu para abraçá-la. Enquanto o porteiro colocava a bagagem no carro de Elena, passei pela administração e a mulher de coque me entregou a conta. O total equivalia mais ou menos ao que o doutor Zilacxy tinha previsto: 127 mil e 315 francos. Eu tinha cento e cinquenta mil na minha conta, reservados para esse fim. Vendi todos os bônus do Tesouro em que depositava as minhas economias e consegui dois empréstimos, um da cooperativa sindical de que era membro, cujos juros eram mínimos, e outro do meu próprio banco, a Société Générale, com juros mais elevados. Tudo indicava que era um excelente investimento, a paciente parecia muitíssimo melhor. A administradora me pediu que telefonasse para a secretária do diretor e marcasse uma entrevista, pois o doutor Zilacxy queria falar comigo. Acrescentou: "a sós".

Foi uma noite linda. Jantamos na casa dos Gravosky, tudo muito leve, mas com uma garrafa de champanhe, e assim que voltamos para casa nos abraçamos e beijamos por muito tempo. A princípio com ternura, depois com avidez, com paixão, com desespero. Minhas mãos auscultavam todo o seu corpo e a ajudaram a tirar a roupa. Era maravilhoso: sua silhueta, sempre magra, tinha curvas outra vez, formas sinuosas, e era delicioso sentir nas minhas mãos e nos meus lábios, quentes, suaves, bem formados, seus peitinhos de mamilos eretos e pequenas corolas granuladas. Não me cansava de aspirar o perfume de suas axilas depiladas. Quando ficou nua, ergui-a nos braços e a levei para o quarto. Olhou enquanto eu me despia com aquele sorrisinho zombeteiro de antigamente:

— Vai querer fazer amor? — provocou, falando como se cantasse. — Mas ainda não passaram os dois meses que o médico recomendou.

— Esta noite não me importa — respondi. — Você está linda demais, se eu não fizesse amor com você, morreria. Porque amo você com toda a minha alma.

— Já estava estranhando que ainda não me tivesse dito nenhuma breguice — riu ela.

Enquanto beijava todo o seu corpo, devagar, começando pelos cabelos e terminando na sola dos pés, com delicadeza infinita e imenso amor, senti-a ronronar, encolher-se e se esticar, excitada. Quando beijei seu sexo senti-o muito úmido, pulsando, inchado. Suas pernas se apertaram em torno de mim, com força. Mas, assim que a penetrei, deu um uivo e, aos prantos, fez uma expressão de dor.

— Está doendo, está doendo — choramingou, e me empurrou com as duas mãos. — Queria satisfazer você esta noite, mas não posso, está me rasgando, dói muito.

Chorava beijando a minha boca com angústia, e seus cabelos e suas lágrimas lhe entravam pelos olhos e o nariz. Começou a tremer como fazia durante os ataques de pavor. Pedi desculpas, por ter sido um bruto, um irresponsável, um egoísta. Eu a amava, não queria fazê-la sofrer, para mim ela era a coisa mais preciosa, mais doce e terna da vida. Como a dor não cedia, eu me levantei, nu como estava, trouxe do banheiro uma toalhinha embebida em água morna e passei-a no seu sexo com suavidade, até que, pouco a pouco, foi melhorando. Depois nos cobrimos com a colcha e ela quis que eu gozasse na sua boca, mas resisti. Estava arrependido por tê-la feito sofrer. Até que estivesse completamente curada, a situação desta noite não iria se repetir: nós levaríamos uma vida casta, porque sua saúde era mais importante que o meu prazer. Ela me ouvia sem dizer nada, grudada em mim e totalmente imóvel. Mas, muito tempo depois, antes de adormecer, com seus braços ao redor do meu pescoço e os lábios colados nos meus, sussurrou: "Sua cartinha de Alexandria, eu a li dez vezes, pelo menos. Dormia com ela todas as noites, apertadinha entre as minhas pernas".

Na manhã seguinte liguei da rua para a clínica de Petit Clamart e a secretária do doutor Zilacxy marcou uma entrevista para dois dias depois. Ela também enfatizou que o diretor queria me ver a sós. De tarde fui à Unesco explorar as possibilidades de um novo contrato, mas o chefe de intérpretes me disse que até o fim do mês não haveria nada e me propôs uma reunião de três dias, em Bordéus. Não aceitei. A agência do senhor Charnés tampouco tinha nada de imediato para mim em Paris ou arredores, mas, como meu antigo patrão viu que eu estava precisando de trabalho, deu-me uma pilha de documentos para traduzir, do russo e do inglês, bastante bem pagos. De modo que me instalei para trabalhar na salinha de casa, com minha máquina de escrever e meus dicionários. Estabeleci um horário de escritório. A menina má me trazia xícaras de café e se ocupava das comidas. De tanto em tanto, como faria uma recém-casada cheia de cuidados com seu marido, vinha se pendurar nos meus ombros e me dava um beijo pelas costas, no pescoço ou na orelha. Mas quando Yilal chegava ela se esquecia por completo de mim e ia brincar com o menino como se fossem da mesma idade. De noite, depois do jantar, ouvíamos discos antes de dormir, e às vezes ela adormecia nos meus braços.

Não contei a ela que marcara a entrevista na clínica de Petit Clamart e saí de casa a pretexto de uma reunião para um possível trabalho, numa empresa dos subúrbios de Paris. Cheguei à clínica meia hora antes do combinado, morto de frio, e esperei na sala de visitas, vendo uma neve frouxa cair sobre a grama. O mau tempo havia apagado o lago de pedra e as árvores.

O doutor Zilacxy, vestido da mesma maneira que da primeira vez que o vi, um mês antes, estava acompanhado pela doutora Roullin. Simpatizei com ela de cara. Era uma mulher gorda, ainda jovem, com olhos inteligentes e um sorriso amável que quase não saía dos seus lábios. Trazia uma pasta, que passava de uma mão para a outra, ritmicamente. Os dois tinham me recebido em pé e, embora houvesse cadeiras no consultório, não me convidaram para sentar.

— Como a achou? — perguntou-me o diretor à guisa de cumprimento, dando a mesma impressão que da primeira vez, de alguém que não tem tempo a perder com rodeios.

— Excelente, muito bem, doutor — respondi. — É outra pessoa. Está recomposta, recuperou as formas e as cores. Parece muito tranquila. E desapareceram aqueles ataques de pavor que tanto a atormentavam. Ela está muito grata a vocês. E eu também, naturalmente.

— Bem, bem — disse o doutor Zilacxy, movendo as mãos como um ilusionista e se mexendo no lugar. — Mas quero lhe prevenir que, nessas coisas, não se pode confiar nas aparências.

— Em que coisas, doutor? — interrompi, intrigado.

— Nas coisas da mente, meu amigo — sorriu ele. — Se preferir chamar de espírito, não faço objeção. Ela está fisicamente bem. Seu organismo se recuperou, de fato, graças à vida disciplinada, ao bom regime alimentar e aos exercícios. Agora, vai ser preciso que siga as nossas instruções em relação à comida. E não deve interromper a ginástica e a natação, que lhe fizeram muito bem. Mas, no aspecto psíquico, o senhor vai precisar ter muita paciência. Ela está bem orientada, acho, mas o caminho que falta percorrer é longo.

Olhou para a doutora Roullin, que até então não havia aberto a boca. Ela confirmou com a cabeça. Seus olhos penetrantes tinham algo que me assustou. Vi que abriu a pasta e a folheou, depressa. Iriam me dar uma notícia ruim? Só agora o diretor me indicou as cadeiras. Eles também se sentaram.

— Sua amiga sofreu muito — disse a doutora Roullin, com tanta amabilidade que parecia querer dizer uma coisa diferente. — Ela está com um verdadeiro tumulto na cabeça. Consequência de como foi machucada. De como ainda sofre.

— Mas, psicologicamente ela também parece muito melhor — disse eu, para dizer alguma coisa. Os preâmbulos dos dois médicos acabaram me assustando. — Bem, suponho que, depois de uma experiência como a de Lagos, nenhuma mulher se recupera totalmente.

Houve um pequeno silêncio e outra rápida troca de olhares entre o diretor e a doutora. Pela vidraça que se abria para o parque, os flocos que caíam eram agora mais densos e mais brancos. O jardim, as árvores, o lago tinham desaparecido.

— Esse estupro provavelmente nunca ocorreu, senhor — sorriu a doutora Roullin, com afabilidade. E fez um gesto que parecia de desculpas.

— É uma fantasia construída para proteger alguém, para apagar pistas — acrescentou o doutor Zilacxy, sem me dar tempo de reagir. — A doutora Roullin suspeitou disso na primeira entrevista que tiveram. E depois confirmamos quando eu a adormeci. O curioso é que ela inventou essa história para proteger alguém que, durante muito tempo, anos, usou e abusou dela de maneira sistemática. O senhor sabia disso, não é verdade?

— Quem era o senhor Fukuda? — perguntou a doutora Roullin, com suavidade. — Ela fala dele com ódio e, ao mesmo tempo, com reverência. O marido? Uma aventura?

— Um amante — balbuciei. — Um personagem sórdido, de negócios sujos, com quem viveu vários anos em Tóquio. Ela me disse que esse homem a abandonou quando soube que tinha sido estuprada pelos policiais que a detiveram, em Lagos. Pensou que estava contagiada com aids.

— Outra fantasia, esta para proteger a si mesma — sacudiu as mãos o diretor da clínica. — E esse homem não a mandou embora. Foi ela quem fugiu dele. Os terrores vêm daí. São uma mistura de medo e de remorso, por ter deixado para trás uma pessoa que exercia um domínio quase absoluto sobre ela, que a destituíra de autonomia, de orgulho, de autoestima e, quase, de razão.

Eu abri a boca, pasmado. Não sabia o que dizer.

— Medo de que ele a perseguisse para se vingar e castigá-la — encadeou a doutora Roullin, no mesmo tom amável e discreto. — Mas o simples fato de decidir escapar dele foi uma grande coisa, senhor. Um sinal de que o tirano não tinha destruído por completo a sua personalidade. Ela conservava, no fundo, sua dignidade. Seu livre-arbítrio.

— Mas, e as feridas, as chagas — perguntei, e me arrependi no mesmo instante, adivinhando o que iriam responder.

— Ele a submetia a todo tipo de vexames, para se divertir — explicou o diretor, sem muitos rodeios. — Era refinado e técnico ao mesmo tempo, na administração dos seus prazeres. O senhor precisa ter uma noção clara do que ela passou, para poder ajudá-la. Sou obrigado a lhe informar detalhes desagradáveis. Só assim vai poder dar a ela todo o apoio de que necessita. Ele a chicoteava com umas cordas que não deixam marca. Também a emprestava aos amigos e guarda-costas, em meio a orgias, para ficar olhando, porque era *voyeur*. O pior, possivelmente, o que deixou a marca mais forte na sua memória, eram os gases. Isso o excitava muito, pelo visto. Ele a fazia beber uns pós que a enchiam de gases. Era uma das fantasias que mais gratificavam esse excêntrico cavalheiro: vê-la nua, de quatro, como um cachorro, soltando gases.

— Ele não destroçou apenas o ânus e a vagina, senhor — disse a doutora Roullin, com a mesma suavidade e sem desistir do sorriso. — Destroçou sua personalidade. Tudo o que havia nela de digno e de decente. Por isso, repito: ela sofreu e ainda vai sofrer muito, por mais que as aparências mostrem o contrário. E às vezes agirá de maneira irracional.

Eu estava com a garganta seca e, como se houvesse lido meu pensamento, o doutor Zilacxy me ofereceu um copo de água com bolhinhas.

— Pois bem, é preciso dizer tudo. Não se engane, senhor. Ela não foi iludida. Era uma vítima voluntária. Aguentou tudo, sabendo muito bem o que fazia. — Os olhinhos do diretor, de repente, começaram a me sondar com insistência, medindo minha reação. — Pode chamar isso de amor tortuoso, paixão barroca, perversão, pulsão masoquista ou, simplesmente, de submissão a uma personalidade esmagadora, diante da qual ela não conseguia opor nenhuma resistência. Foi uma vítima complacente, aceitou de bom grado todos os caprichos desse cavalheiro. Isto, agora que toma consciência, é o que a deixa mais enfurecida, desesperada.

— Essa vai ser a convalescença mais lenta, mais difícil — disse a doutora Roullin. — Recuperar sua autoestima. Ela aceitou tudo, quis ser uma escrava, ou quase isso, e foi tratada como tal, entende? Até que, um belo dia, nem sei como, não sei por quê, e ela também não sabe, percebeu o perigo. Sentiu, adivinhou que se continuasse daquele jeito ia acabar muito mal, aleijada, louca ou morta. E então fugiu. Nem sei de onde tirou forças. Ela tem de ser admirada por isso, posso afirmar. Quem chega a esse extremo de dependência, quase nunca se liberta.

— Mas o pânico foi tão grande, que ela inventou toda essa história de Lagos, o estupro dos policiais e que esse homem a abandonou com medo da aids. E ela mesma chegou a acreditar nisso. Viver nessa ficção a deixava mais segura, menos ameaçada do que viver na realidade. Para qualquer pessoa é mais difícil viver na verdade que na mentira. Ainda mais para alguém na sua situação. Vai ser muito duro para ela se acostumar de novo à verdade.

Ele se calou e a doutora Roullin também permaneceu em silêncio. Ambos olhavam para mim com uma curiosidade indulgente. Eu tomava golinhos de água, incapaz de dizer qualquer coisa. Estava congestionado, suando muito.

— O senhor pode ajudá-la — disse a doutora Roullin, depois de um tempo. — E não é tudo, meu senhor. Vai se surpreender ao ouvir isto, mas provavelmente seja a única pessoa no mundo que pode ajudá-la. Muito mais que nós, posso afirmar. O perigo mais grave é que ela se refugie em seu eu profundo, numa espécie de autismo. O senhor pode ser a ponte de comunicação entre ela e o mundo.

— Ela confia no senhor, e acho que em mais ninguém — reforçou o diretor. — Na sua frente ela se sente, como posso dizer...

— Suja — completou, baixando os olhos por um instante, educadamente, a doutora Roullin. — Porque, para ela, acredite, o senhor é uma espécie de santo.

O risinho que soltei soou muito falso. Eu me senti bobo, estúpido, tive vontade de mandar aqueles dois ao diabo e dizer que ambos justificavam a minha eterna desconfiança dos psicólogos, psiquiatras, psicanalistas, padres, feiticeiros e xamãs. Eles me olhavam como se lessem meus pensamentos e me perdoassem por eles. O imperturbável sorriso da doutora Roullin continuava ali.

— Se o senhor tiver paciência e, sobretudo, muito carinho, ela pode se curar também do espírito, como se recuperou fisicamente — disse o diretor.

Perguntei, porque não sabia mais o que perguntar, se a menina má precisava voltar para a clínica.

— Muito pelo contrário — disse a sorridente doutora Roullin. — Ela deve se esquecer de nós, esquecer que esteve aqui, que esta clínica existe. Começar a vida de novo, e da estaca zero.

Uma vida muito diferente da que teve, com alguém que a ame e respeite. Como o senhor.

— Só mais uma coisa, meu senhor — disse o diretor, levantando-se e indicando assim que a entrevista terminava ali. — Pode lhe parecer estranho. Mas ela, e todos os que passam boa parte da vida encerrados em fantasias construídas para abolir a vida de verdade, sabem e não sabem o que estão fazendo. A fronteira se eclipsa por um tempo e depois reaparece. Quer dizer: às vezes sabem e outras vezes não sabem o que fazem. Este é o meu conselho: não tente forçá-la a aceitar a realidade. Ajude-a, mas não a obrigue, não a apresse. Esse aprendizado é longo e difícil.

— Pode ser contraproducente e até causar uma recaída — disse, com um sorriso enigmático, a doutora Roullin. — Ela, pouco a pouco, por seu próprio esforço, tem de ir se reacomodando, aceitando de novo a vida de verdade.

Não entendi muito bem o que queriam dizer, nem tentei descobrir. Queria ir embora, sair dali e não me lembrar mais do que tinha ouvido. Sabendo muito bem que seria impossível. No trem suburbano, de volta a Paris, senti um profundo abatimento. A angústia me fechava a garganta. Não era surpreendente que ela tivesse inventado a história de Lagos. Afinal, não tinha passado a vida inventando coisas? Mas me doía saber que as feridas na vagina e no ânus tinham sido causadas por Fukuda, que comecei a odiar com todas as minhas forças. Submetendo-a a que práticas? Ele a sodomizava com ferros, com esses vibradores dentados que ofereciam aos clientes no Château Meguru? Eu sabia que a imagem da menina má, nua, de quatro, com o estômago inchado por aqueles pozinhos, soltando saraivadas de peidos porque essa visão e esses ruídos e aromas produziam ereções no gângster japonês — só nele, ou também oferecia esses espetáculos aos seus asseclas? —, iria me perseguir meses, anos, talvez pelo resto da vida. Era isso que a menina má chamava, e com que excitação febril definiu em Tóquio, de viver intensamente? Ela havia se prestado a tudo. Mais do que vítima, tinha sido cúmplice de Fukuda. Havia nela então uma coisa tão obscura e tortuosa como no horrível japonês. Mas claro que me considera um santo, um imbecil que acaba de se endividar para que ela se cure e, passado algum tempo, possa cair fora com alguém mais rico ou mais interessante que o pobre coisinha à toa! Mas, apesar de todos esses rancores e fúrias, só queria chegar logo em casa para vê-la, tocá-la, dizer que a amava mais do que nunca. Coitadinha. Como tinha sofrido. Era um milagre que estivesse viva. Eu ia dedicar o resto da minha vida a tirá-la desse buraco. Imbecil!

Em Paris, minha maior preocupação foi esforçar-me para parecer natural e evitar que a menina má desconfiasse do que me passava pela cabeça. Quando entrei, Yilal lhe estava ensinando a jogar xadrez. Ela reclamava, dizendo que aquilo era muito difícil e obrigava a pensar demais, o jogo de damas era mais simples e mais divertido. "Não, não, não", insistia a vozinha chiada do menino. "Yilal vai lhe aprender." "Yilal vai lhe ensinar, não aprender", corrigia ela.

Quando o menino foi embora, comecei a trabalhar nas traduções, para disfarçar meu estado de ânimo, e fiquei batendo na máquina até a hora do jantar. Como a mesa estava tomada pelos meus papéis, comíamos na cozinha, numa pequena bancada com dois tamboretes. Ela havia preparado uma omelete de queijo e uma salada.

— O que há? — perguntou de repente, enquanto comíamos. — Você está esquisito. Foi à clínica, não foi? Por que não me contou nada? Disseram alguma coisa ruim?

— Não, muito pelo contrário — afirmei. — Você está bem. O que me disseram é que, agora, você precisa se esquecer da clínica, da doutora Roullin e do passado. Foram eles mesmos que disseram: esqueça deles, para que sua melhora seja completa.

Vi nos seus olhos que ela sabia que eu estava escondendo alguma coisa, mas não insistiu. Fomos tomar o café na casa dos Gravoski. Nossos amigos estavam muito excitados. Simon tinha recebido uma proposta para passar dois anos na Universidade de Princeton, fazendo pesquisas, num programa de intercâmbio com o Instituto Pasteur. Ambos adoraram a ideia de ir para Nova Jersey: passando dois anos nos Estados Unidos, Yilal aprenderia inglês e Elena poderia trabalhar no Hospital de Princeton. Estavam vendo se o Hospital Cochin lhe daria uma licença de dois anos, sem vencimentos. Como eles falavam o tempo todo, eu quase não tinha necessidade de abrir a boca. Só precisava ouvir, ou melhor, fingir que ouvia, e lhes fiquei muito grato por isso.

As semanas e meses seguintes foram de muito trabalho. Para ir saldando as dívidas e ao mesmo tempo pagar as despesas cotidianas que, agora, com a menina má morando comigo, haviam aumentado, tive de aceitar todos os contratos que me ofereciam e, ao mesmo tempo, de noite, ou bem cedo de manhã, dedicar duas ou três horas por dia a traduzir documentos para o escritório do senhor Charnés que, fiel ao seu costume, sempre se esforçava para me dar uma ajuda. Eu ia e vinha pela Europa, trabalhando em reuniões e congressos de toda espécie, e levava comigo as traduções, que fazia de noite, em hotéis e pensões, numa maquininha portátil. Não me importava o excesso de trabalho. A verdade é que eu me sentia feliz, vivendo com a mulher que amava. Ela parecia completamente recuperada. Jamais falávamos de Fukuda, nem de Lagos, nem da clínica de Petit Clamart. Íamos ao cinema, de vez em quando ouvíamos música numa *cave* de jazz de Saint Germain e, aos sábados, jantávamos num restaurante não muito caro.

Meu único luxo era com a ginástica, porque sabia que iria fazer bem à menina má. Inscrevi-a numa academia da *avenue* Montaigne que tinha piscina térmica e que ela frequentava com entusiasmo, várias vezes por semana, para nadar e ter aulas de aeróbica com um instrutor. Agora que havia aprendido, a natação era seu esporte favorito. Quando eu estava fora, costumava passar boa parte do tempo com os Gravoski que, finalmente, já com a licença de Elena concedida, preparavam a viagem para os Estados Unidos na primavera. Às vezes eles a levavam para ver um filme, uma exposição, ou iam jantar fora. Yilal conseguira ensinar a menina má a jogar xadrez e lhe dava as mesmas surras que com damas.

Um dia, ela veio me dizer que, como já se sentia perfeitamente bem, o que parecia verdade pelo bom aspecto que tinha e o amor à vida que parecia ter recuperado, queria procurar um emprego, para não desperdiçar o tempo e me ajudar nas despesas da casa. Detestava ver que eu me matava trabalhando e ela não fazia nada além de ir à academia e brincar com Yilal.

Mas, quando começou a procurar trabalho, surgiu o problema dos documentos. Tinha três passaportes: um peruano, vencido, um francês e outro inglês, os dois últimos falsos. Em lugar algum lhe dariam um emprego decente, sendo ilegal. E muito menos nesses tempos em que vinha aumentando, em toda a Europa ocidental, e sobretudo na França, a paranoia contra os imigrantes de países do terceiro mundo. Os governos restringiam os vistos e começavam a perseguir os estrangeiros sem documento de trabalho.

O passaporte inglês, que estampava uma foto com uma maquiagem que alterava quase totalmente o seu rosto, estava em nome de Mrs. Patricia Steward. Explicou que, desde que seu ex-marido David Richardson provou a bigamia e anulou seu casamento inglês, ela automaticamente perdeu a cidadania britânica que obtivera por se casar. Tinha medo de utilizar o passaporte francês, conseguido graças ao marido anterior, porque não sabia ao certo se *monsieur* Robert Arnoux decidira finalmente denunciá-la, movendo uma ação penal contra ela ou acusando-a de bigamia ou qualquer outra coisa para se vingar. Fukuda lhe havia fornecido, para suas viagens africanas, além do passaporte inglês, um outro, francês, com o nome de madame Florence Milhoun; a fotografia a mostrava muito nova e com um penteado bem diferente do que usava normalmente. Com esse passaporte havia entrado na França da última vez. Eu temia que, se descobrissem, ela seria expulsa do país ou algo pior.

Apesar desse obstáculo, a menina má continuou se informando, respondendo aos anúncios publicados no *Les Échos*, sobretudo de empregos em agências de turismo ou firmas de relações públicas, galerias de arte e empresas que trabalhassem com a Espanha e a América Latina e necessitassem de pessoal com conhecimentos de espanhol. Eu não achava nada fácil que, em sua precária condição legal, ela conseguisse algum emprego regular, mas não queria desiludi-la e incentivava a sua busca.

Poucos dias antes da partida dos Gravoski para os Estados Unidos, num jantar de despedida que oferecemos a eles no La Closerie de Lilas, de repente, ao ouvir a menina má comentando como era difícil conseguir um trabalho sem os documentos, Elena teve uma ideia:

— E por que não se casam? — Dirigiu-se a mim: — Você tem nacionalidade francesa, não é mesmo? Pois então, case com ela, e a sua mulher também adquire a nacionalidade. Acabaram os problemas legais, garoto. Ela vai ser uma francesinha dentro da lei.

Falava sem pensar, de brincadeira, e Simon foi atrás: só que esse casamento tinha de esperar um pouco, porque ele queria estar presente e ser testemunha do noivo. Como não voltariam à França em menos de dois anos, nós precisávamos arquivar o projeto até então. A menos que decidíssemos nos casar em Princeton, Nova Jersey, e nesse caso ele seria não apenas testemunha, mas também padrinho etc. Já em casa, meio a sério meio de brincadeira, perguntei à menina má enquanto ela trocava de roupa:

— E se seguirmos o conselho de Elena? Ela tem razão: se nos casamos, a sua situação fica resolvida no ato.

Terminou de vestir a camisola e virou-se para me olhar, com as mãos na cintura, um sorrisinho zombeteiro no rosto e uma atitude de galo de briga. Respondeu com toda a ironia de que era capaz:

— Está me pedindo mesmo para me casar com você?

— Bem, acho que sim — tentei brincar. — Se você quiser. Para resolver os problemas legais, sabe. Para não expulsarem você da França, qualquer dia desses, como imigrante ilegal.

— Eu só me caso por amor — respondeu, soltando faíscas pelos olhos e batendo no chão com o pé direito mais à frente. — Nunca me casarei com um bocó que me faça uma proposta de casamento grosseira como esta que você acaba de fazer.

— Se você quiser, fico de joelhos e imploro, com a mão no coração, que seja minha mulherzinha adorada até o fim dos tempos — disse, confuso, sem saber se ela ainda estava brincando ou agora falava sério.

A camisolinha de organdi deixava transparecer seus peitos, seu umbigo e o matinho escuro dos pêlos do seu púbis. Chegava até os joelhos, e não cobria seus ombros nem seus braços. Estava com o cabelo solto e a cara acesa pela representação que tinha iniciado. O clarão do abajur lhe batia nas costas e formava uma auréola dourada em torno de sua silhueta. Estava muito atraente, audaz, e eu a desejava.

— Pois faça isso — ordenou. — De joelhos, com a mão no peito. Diga as melhores breguices do seu repertório, vamos ver se me convence.

Caí de joelhos e lhe implorei para se casar comigo, enquanto beijava seus pés, seus tornozelos, seus joelhos, acariciava suas nádegas, e a comparava com a Virgem Maria, as deusas do Olimpo, Semíramis e Cleópatra, a Nausícaa de Ulisses, a Dulcineia de Quixote, e dizia que ela era mais bonita e atraente que

Claudia Cardinale, Brigitte Bardot e Catherine Deneuve juntas. Por fim peguei-a pela cintura e a levei para a cama. Enquanto eu a acariciava e a amava, ela me dizia rindo, no ouvido: "Sinto muito, mas já recebi pedidos de casamento melhores que o seu, senhor coisinha à toa". Sempre que fazíamos amor, eu precisava tomar grandes precauções para não machucá-la. E, apesar de fingir acreditar que ela estava cada vez melhor, o passar do tempo me convencera do contrário, aquelas feridas em sua vagina nunca desapareceriam totalmente e limitariam a nossa vida sexual para sempre. Muitas vezes eu evitava penetrá-la e, quando o fazia, era com extremo cuidado, saindo quando sentia que seu corpo se crispava e sua cara se deformava numa expressão de dor. Mas, mesmo assim, esses amores difíceis e às vezes incompletos me faziam gozar imensamente. Dar-lhe prazer com a minha boca e as minhas mãos, e receber o mesmo dela, justificava a minha vida, fazia eu me sentir o mais privilegiado dos mortais. Ela, embora frequentemente conservasse a atitude distante que sempre teve na cama, às vezes parecia se animar e participava com entusiasmo e ardor. Eu lhe dizia: "Por mais que você não queira admitir, acho que começou a me amar". Nessa noite, exaustos, quando já estávamos mergulhando no sono, ainda lembrei:

— Você não me deu uma resposta, guerrilheira. Esta deve ser a décima quinta declaração de amor que eu faço. Vai se casar comigo ou não?

— Não sei — respondeu, muito séria, abraçada a mim. — Preciso pensar mais.

Os Gravoski viajaram para os Estados Unidos num dia ensolarado de primavera, e com os primeiros brotos verdes surgindo nos castanheiros, faias e choupos de Paris. Fomos nos despedir deles no aeroporto Charles de Gaulle. Quando a menina má abraçou Yilal, seus olhos se encheram de lágrimas. Os Gravoski deixaram conosco a chave do apartamento, para que déssemos uma olhada de vez em quando e evitássemos que se acumulasse muita poeira. Eram ótimos amigos, os únicos com quem tínhamos uma amizade visceral ao estilo sul-americano, e naqueles dois anos de ausência íamos sentir muito a falta deles. Como achei a menina má tão abatida com a partida de Yilal, propus que, em vez de voltar para casa, fôssemos dar um passeio ou ver um filme. Depois eu a levaria para jantar num bistrôzinho da Île Saint Louis que ela adorava. Tinha se afeiçoado tanto a Yilal que, enquanto dávamos uma volta pelos arredores da Notre Dame, a caminho do restaurante, eu disse brincando que, se ela quisesse, depois de casar-nos podíamos adotar um menino.

— Descobri em você uma vocação de mãe. Sempre pensei que não queria ter filhos.

— Quando eu estava em Cuba com esse comandante Chacón, fiz uma laqueadura de trompas, porque ele queria ter um filho e essa ideia me apavorava — respondeu secamente. — Agora me arrependo.

— Vamos adotar um — incentivei. — Não dá no mesmo, por acaso? Você não viu a relação que Yilal tem com os pais?

— Não sei se dá no mesmo — murmurou, e senti que sua voz se tornara hostil. — E além do mais, nem sei ainda se quero me casar com você. Vamos mudar de assunto, por favor.

Ficou muito mal-humorada e eu senti que, sem querer, tinha tocado em um ponto dolorido da sua intimidade. Tentei distraí-la e a levei para ver a catedral, um espetáculo que, apesar de todos os meus anos em Paris, nunca deixava de me deslumbrar. E essa noite, mais que nunca. Uma luz suave, com uma aura ligeiramente rosada, banhava as pedras de Notre Dame. A construção parecia leve pela simetria perfeita de suas partes, que se equilibravam e sustentavam com delicadeza, para que nada se desajustasse nem se soltasse. A história e a luz depurada depositavam nessa fachada sucessivas alusões e ressonâncias, imagens e referências. Havia muitos turistas, tirando fotos. Seria aquela a mesma catedral que foi cenário de tantos séculos da história da França, a mesma que inspirou o romance de Victor Hugo que me deixou tão exaltado quando o li, ainda menino, em Miraflores, na casa da tia Alberta? Era a mesma e também outra, incorporando mitologias e fatos mais recentes. Belíssima, dava impressão de estabilidade e permanência, de ter escapado da usura do tempo. A menina má me ouvia fazer o elogio de Notre Dame como quem ouve chover, imersa em seus próprios pensamentos. Durante o jantar ficou cabisbaixa, zangada, e quase não provou a comida. E nessa noite foi dormir sem me dar boa-noite, como se eu tivesse culpa pela partida de Yilal. Dois dias depois fui para

Londres, com um contrato de uma semana de trabalho. Quando me despedi dela, de manhã bem cedo, disse:

— Não precisamos nos casar se você não quiser, menina má. Não é necessário. Quero lhe dizer uma coisa antes de ir embora. Nos meus quarenta e sete anos de vida, nunca me senti tão feliz como nestes meses em que estamos juntos. Não sei como pagar toda a felicidade que você me deu.

— Depressa, que vai perder o avião, enjoadinho — e foi me empurrando para a porta.

Ainda estava de mau humor, fechada em si mesma dia e noite. Desde a viagem dos Gravoski eu quase não conseguia conversar com ela. Tanto a afetava a perda de Yilal?

Meu trabalho em Londres foi mais interessante que outros simpósios e congressos. Era um evento convocado com um desses títulos anódinos que se repetem o tempo todo com temas diferentes: "África: impulso para o desenvolvimento". Era patrocinado pelo Commonwealth, as Nações Unidas, a União de Países Africanos e várias instituições independentes. Mas, ao contrário de outros congressos, houve depoimentos muito sérios de dirigentes políticos, empresariais e acadêmicos de diversos países africanos sobre o estado calamitoso em que ficaram as antigas colônias francesas e inglesas quando conquistaram a independência, e os obstáculos que estavam encontrando agora para organizar a sociedade, estabilizar as instituições, eliminar o militarismo e o caudilhismo, integrar as diferentes etnias de cada país numa unidade harmoniosa e progredir economicamente. O estado de quase todas as nações ali representadas era crítico; mas a sinceridade e a lucidez com que esses africanos, a maioria deles muito jovem, tratavam sua realidade tinham uma dose de vibração que injetava um ímpeto de esperança nesse estado de coisas tão trágico. Embora também usasse às vezes o espanhol, tive de interpretar principalmente do francês para o inglês ou vice-versa. E fiz isso com interesse, curiosidade e desejo de viajar algum dia de férias pela África. Mesmo sem esquecer que, nesse continente, a menina má tinha feito suas proezas a serviço de Fukuda.

Sempre que eu viajava a trabalho para fora de Paris, falávamos pelo telefone a cada dois dias. Ela me ligava, porque era mais barato; os hotéis e pensões cobravam taxas espantosas pelos telefonemas internacionais. Mas, embora eu lhe tivesse dado o telefone do Hotel Shoreham, em Bayswater, nos meus dois primeiros dias em Londres a menina má não ligou. No terceiro, eu telefonei, cedo, antes de sair para o Instituto do Commonwealth, onde se realizava a reunião.

Parecia muito estranha. Lacônica, evasiva, irritada. Fiquei preocupado, pensando que talvez os antigos ataques de pânico tivessem voltado. Garantiu que não, que se sentia bem. Saudades de Yilal, então? Claro que sentia. E também estava com um pouquinho de saudade de mim?

— Não sei, deixe eu pensar — disse —, mas o tom de sua voz não era de uma mulher que está brincando. — Não, sinceramente, ainda não estou com muita saudade.

Fiquei com um gosto amargo na boca quando desliguei. Bem, todo mundo tem seus períodos de neurastenia, em que prefere ser antipático para deixar bem claro seu desgosto com o mundo. Ia passar. Como dois dias depois também não ligou, telefonei de novo, bem cedo. Não atendeu. Era impossível que saísse de casa às sete da manhã: jamais fazia isso. A única explicação era que continuava de mau humor — mas, por quê? — e que não queria me atender, pois sabia muito bem que era eu quem estava ligando. Tentei de novo à noite, e nada. Liguei quatro ou cinco vezes no transcurso de uma noite de insônia: silêncio total. Os chiados intermitentes do telefone me perseguiram durante as vinte e quatro horas seguintes até que, terminada a última sessão, corri até o aeroporto de Heathrow e tomei meu avião para Paris. Todo tipo de pensamentos tenebrosos fizeram a viagem parecer infinita e, depois, o percurso de táxi do Charles de Gaulle à rue Joseph Granier foi igual.

Eram duas e pouco da madrugada, quando, sob uma chuvinha persistente, abri a porta do apartamento. Estava escuro, vazio, e em cima da cama havia uma cartinha escrita a lápis naquele papel pautado amarelo que deixávamos na cozinha para anotar os assuntos do dia. Era um modelo de frieza e laconismo: "Cansei de brincar de dona de casa pequeno-burguesa como você gostaria que eu fosse. Não sou, nem serei isso. Agradeço muito tudo o que você fez por mim. Lamento. Cuide-se e não sofra muito, bom menino".

Desfiz a mala, escovei os dentes e me deitei. Fiquei o resto da noite pensando, divagando. Era isso o que você estava esperando, temendo, não é mesmo? Você sabia que mais cedo ou mais tarde ia acontecer, desde que instalou a menina má na rue Joseph Granier, sete meses atrás. Por covardia, você tentava não assumir, esquecer o assunto, enganando-se, dizendo que ela, por fim, depois daquelas experiências horríveis com Fukuda, tinha renunciado às aventuras, aos perigos, e estava decidida a viver com você. Mas sempre soube, no fundo, no fundo, que aquela miragem só duraria o tempo da sua convalescença. Que se cansaria da vida medíocre e enfadonha que levava com você e que, assim que recuperasse a saúde, a confiança em si mesma, e o remorso ou o medo de Fukuda se desvanecesse, daria um jeito de encontrar alguém mais interessante, mais rico e menos rotineiro que você, e começaria uma nova travessura.

Assim que entrou um pouco de luz pela claraboia, eu me levantei, preparei um café e abri o cofrinho onde guardava algum dinheiro em espécie para as despesas do mês. Ela tinha levado tudo, naturalmente. Bem, afinal não era grande coisa. Quem seria, dessa vez, o feliz mortal? Quando e como o teria conhecido? Durante alguma das minhas viagens de trabalho, sem dúvida. Talvez na academia da *avenue* Montaigne, enquanto fazia aeróbica e nadava. Talvez um desses *playboys* sem um pingo de gordura no corpo e com bons músculos, desses que tomam banhos de raios ultravioletas para se bronzear e fazem as unhas e massageiam o couro cabeludo nas barbearias. Será que já transaram, enquanto ela, ao mesmo tempo que fazia a encenação de continuar comigo, preparava a fuga em segredo? Certamente. E, sem dúvida, o novo galã teria menos considerações que você, Ricardito, com sua vagina machucada.

Revistei todo o apartamento e não havia rastros dela. Tinha levado até o último alfinete. Parecia que nunca estivera aqui. Tomei um banho, pus uma roupa e fui para a rua, fugindo daqueles dois aposentos e meio onde, como eu disse a ela ao me despedir, tinha sido mais feliz que em qualquer outro lugar, e onde a partir de agora seria — mais uma vez! — imensamente infeliz. Mas isso não era bem merecido, peruanito? Por acaso você já não sabia que se atendesse os telefonemas dela, e sucumbisse de novo a essa paixão insistente, tudo acabaria como agora? Não havia por que se surpreender: havia ocorrido o que você sempre soube que ia ocorrer.

Fazia um dia bonito, sem nuvens, com um sol um pouco frio, e a primavera tinha inundado de verde as ruas de Paris. Os parques ardiam de flores. Caminhei durante horas, pelos cais, pelas Tulleries, pelo jardim de Luxemburgo, entrando num café, quando sentia que ia desmaiar de cansaço, para tomar alguma coisa. Ao entardecer, comi um sanduíche com uma cerveja e depois entrei num cinema, sem saber que filme passavam. Adormeci assim que me sentei e só acordei quando acenderam as luzes. Não me lembrava de uma única imagem.

Na rua já era noite. Eu estava muito angustiado e com medo de que me brotassem lágrimas. Você não é capaz apenas de dizer breguices, Ricardito, mas também de vivê-las. Mas, na verdade, eu agora não ia ter as forças necessárias para me recompor como tinha feito das outras vezes, reagir e continuar brincando de esquecer a menina má.

Subi pelos cais do Sena até a longínqua Ponte Mirabeau, tentando me lembrar dos primeiros versos do poema de Apollinaire, repetindo-os entre dentes:

Sous le Pont Mirabeau
Coule la Seine
Faut-il qu'il m'en souvienne
de nos amours
Ou après la joie
Venait toujours la peine?

Eu tinha decidido, com frieza, sem dramatismo, que afinal de contas era uma maneira digna de morrer: pulando dessa ponte, dignificada pela boa poesia modernista e pela voz intensa de Juliette Gréco, para as águas sujas do Sena. Prendendo a respiração ou engolindo água aos borbotões, eu perderia rapidamente a consciência — talvez já perdesse com a pancada, no choque do meu corpo contra a água — e a morte viria imediatamente. Se eu não podia ter a única coisa que queria na vida, que era ela, seria melhor acabar de uma vez, e dessa maneira, seu coisinha à toa.

Cheguei à Ponte Mirabeau literalmente ensopado. Eu nem tinha notado que estava chovendo. Por ali não passavam pedestres nem carros. Avancei até o meio da ponte e sem hesitação me encarapitei na grade metálica, onde, já me preparando para pular — juro que ia fazê-lo —, senti um golpe de vento no rosto e, ao mesmo tempo, duas manzorras que abraçavam as minhas pernas, puxavam e me faziam cambalear e cair de costas, no asfalto da ponte:

— *Fais pas le con, imbécile!*

Era um *clochard* que cheirava a vinho e sujeira, meio perdido dentro de um grande impermeável de plástico que lhe cobria a cabeça. Tinha uma barba enorme, de uma cor entre cinza e esbranquiçada. Sem me ajudar a levantar, pôs a garrafa de vinho na minha boca e me fez tomar um gole: era uma coisa quente e forte, que me sacudiu as vísceras. Um vinho passado, quase vinagre. Tive ânsias de vômito mas não vomitei.

— *Fais pas le con, mon vieux* — repetiu. E, dando meia-volta, se afastou trôpego com sua garrafa de vinho azedo balançando na mão. Percebi que nunca mais esqueceria aquela sua cara amorfa, aqueles olhos arregalados e congestionados e sua voz rouca, humana.

Voltei caminhando para a rue Joseph Granier, rindo de mim mesmo, cheio de gratidão e admiração por aquele vagabundo bêbado da Ponte Mirabeau que tinha salvado a minha vida. Eu ia pular, certamente teria pulado se ele não me impedisse. Estava me sentindo estúpido, ridículo, envergonhado, e tinha começado a espirrar. Toda aquela palhaçada barata ainda ia terminar num resfriado. Os ossos das minhas costas doíam com a pancada no chão e eu só queria dormir, dormir o resto da noite e da vida.

Ao abrir a porta do apartamento vi um fiozinho de luz lá dentro. Atravessei a salinha de jantar em dois pulos. Da porta do quarto divisei a menina má, de costas diante do espelho da cômoda, experimentando o vestido de bailarina árabe que eu tinha comprado no Cairo e que ela certamente nunca usara. Deve ter me ouvido chegar, mas não se virou. Era como se um fantasma houvesse entrado no quarto.

— O que está fazendo aqui? — disse, gritei ou rugi, paralisado na entrada, sentindo que minha voz soava muito estranha, como a de um homem sendo estrangulado.

Com muita calma, como se nada estivesse acontecendo e toda aquela cena fosse a coisa mais corriqueira do mundo, a figurinha morena, seminua, envolta em véus, de cuja cintura caíam umas fitas que podiam ser de couro ou correntinhas, virou-se de lado e olhou para mim, sorrindo:

— Mudei de ideia e estou de volta. — Falava como se me contasse uma intriga de salão. E, passando para coisas mais importantes, apontou o vestido e explicou: — Estava um pouco grande, mas acho que agora ficou bem. Como cai em mim?

Não pôde dizer mais nada porque eu, não sei como, atravessei o quarto num pulo e a esbofeteei com todas as minhas forças. Vi um brilho de pavor nos seus olhos, vi que ela oscilava, tentava se apoiar na cômoda, caía no chão e depois dizia, ou talvez gritasse, sem perder totalmente a serenidade, aquela sua calma teatral:

— Você está aprendendo a tratar as mulheres, Ricardito.

Eu tinha caído no chão junto com ela e a sacudia pelos ombros, enlouquecido, vomitando meu despeito, minha fúria, minha estupidez, meus ciúmes:

— Eu só não estou agora no fundo do Sena por milagre, e a culpa é sua, só sua — as palavras se atropelavam na boca, minha língua travava. — Nestas últimas vinte e quatro horas horas você me fez morrer mil vezes. De que está brincando comigo?, diga. Foi para isso que me ligou, que me procurou, quando eu já tinha me libertado de você? Até quando acha que vou aguentar? Eu também tenho meus limites. Dá vontade de matar você.

Nesse momento percebi que, de fato, poderia matá-la se continuasse sacudindo a menina má daquele jeito. Assustado, soltei-a. Ela estava lívida e olhava para mim, de boca aberta, protegendo-se com os braços levantados.

— Não estou reconhecendo, este não é você — murmurou, e sua voz sumiu. Começou a massagear a bochecha e a têmpora direita que, à meia-luz, pareciam inchadas.

— Estive a um triz de me matar por sua causa — repeti, com a voz impregnada de rancor e de ódio. — Subi no parapeito da ponte para me jogar no rio e um *clochard* me salvou. Um suicida, era o que faltava no seu currículo. Você pensa que vai continuar brincando assim comigo? Parece que só matando um de nós dois vou conseguir me libertar para sempre.

— Mentira, você não quer se matar nem me matar — disse, arrastando-se na minha direção. — Você quer é trepar comigo. Não é mesmo? Eu também quero. Ou, se esse termo o incomoda, quero que faça amor comigo.

Era a primeira vez que ouvia esse palavrão na sua boca, um verbo que não escutava fazia séculos. Ela tinha se erguido um pouco para se acomodar nos meus braços e apalpava a minha roupa, escandalizada: "Você está todo encharcado, vai pegar um resfriado, tire logo essa roupa molhada, bobinho". "Se você quiser, me mata depois, mas faça amor comigo, agora mesmo." Tinha recuperado a serenidade e agora já era dona da situação. O coração quase me saía pela boca, eu mal podia respirar. Pensei que seria idiota ter um ataque justamente nesse momento. Ela me ajudou a tirar o paletó, a calça, os sapatos, a camisa — tudo parecia ter saído de dentro d'água — e, enquanto isso, passava a mão pelo meu cabelo na estranha, única carícia que às vezes se dignava a me fazer. "Como bate o seu coração, bobinho", disse, instantes depois, encostando a orelha no meu peito. "Fui eu que deixei você assim?" Eu também tinha começado a acariciá-la, antes mesmo de ter dominado a raiva. Mas esse sentimento se misturava agora com um desejo crescente que ela atiçava — tinha tirado o vestido de bailarina e me enxugava, deitada em cima de mim, movendo-se sobre o meu corpo — enfiando a língua na minha boca, fazendo-me engolir sua saliva, apanhando meu sexo, acariciando-o com as duas mãos e, por fim, encolhendo-se como uma enguia sobre si mesma, levando-o à boca. Eu a beijei, acariciei e abracei sem a delicadeza das outras vezes, mas com rudeza, ainda ferido, dolorido, e por fim obriguei-a a tirar o meu sexo da boca e ficar embaixo de mim. Abriu as pernas, docilmente, quando sentiu que meu membro rígido lutava para entrar nela. Penetrei-a com brutalidade e a ouvi uivar de dor. Mas não me rejeitou e, com o corpo tenso, esperou, soltando queixumes, gemendo baixinho, que eu ejaculasse. Suas lágrimas molhavam a minha cara e eu as lambia. Ela estava extenuada, com os olhos arregalados e o rosto transfigurado de dor.

— É melhor você ir embora, sumir de verdade — implorei, tremendo dos pés à cabeça. — Hoje estive a ponto de me matar, e depois quase matei você. Não quero isso. Vá, procure outro, alguém que faça você viver intensamente, como Fukuda. Alguém que chicoteie você, que a empreste para seus asseclas, que a faça engolir pós e depois soltar peidos no seu focinho imundo de porco. Você não foi feita para morar com um santarrão chato feito eu.

Ela havia passado os braços em volta do meu pescoço e me beijava na boca enquanto eu falava. Todo o seu corpo se movia para ajustar-se mais ao meu.

— Não vou embora, nem agora nem nunca — sussurrou no meu ouvido. — Não me pergunte por quê, não vou dizer nem morta. Jamais vou dizer que amo você, por mais que ame.

Nesse momento devo ter desmaiado, ou dormido de repente, mas já desde suas últimas palavras eu sentia que as forças me abandonavam e tudo começava a girar. Acordei muito depois, no quarto às escuras, sentindo uma forma morna metida dentro de mim. Estávamos deitados, debaixo dos lençóis e cobertores, e pela claraboia do teto vi umas estrelas cintilando. Havia parado de chover há muito tempo, sem dúvida, porque os vidros já não estavam embaçados. A menina má continuava grudada no meu corpo, com as pernas enredadas nas minhas e a boca encostada na minha bochecha. Senti seu coração; pulsava, compassado, dentro de mim. A cólera havia evaporado e eu agora estava cheio de arrependimento por tê-la agredido e magoado, apesar de amá-la. Beijei seu rosto com ternura, tentando não acordá-la e sussurrei bem baixinho em seu ouvido: "Amo você, amo você, amo você". Não estava dormindo. Apertou-se contra mim e disse, colocando os lábios sobre os meus, enquanto sua língua bicava a minha entre uma palavra e outra:

— Você nunca vai viver sossegado comigo, estou avisando. Porque não quero que você se canse de mim, que se acostume comigo. Vamos nos casar para arrumar meus papéis, mas nunca serei sua esposa. Quero ser sempre sua amante, sua cachorra, sua puta. Como esta noite. Porque assim vai ficar sempre louquinho por mim.

Falava essas coisas me beijando sem trégua e tentando se meter inteira dentro do meu corpo.

VI. Arquimedes, o construtor de quebra-mares

— Os quebra-mares são o maior mistério da engenharia — exagerou Alberto Lamiel, abrindo os braços. — Sim, tio Ricardo, a ciência e a técnica resolveram todos os mistérios do Universo, menos esse. Nunca ouviu falar?

Desde que o tio Ataúlfo me apresentou a esse sobrinho dele, engenheiro formado no MIT e considerado o ás da família Lamiel, um jovem triunfador que me chamava de tio apesar de não ser, pois era sobrinho de Ataúlfo pelo outro lado da família, o rapaz me pareceu um pouco antipático, porque falava muito e num tom insuportavelmente pontifical. Mas, evidentemente, a antipatia não era recíproca porque, desde que o conheci, ele multiplicava seus cuidados comigo e me demonstrava uma afeto tão efusivo quanto incompreensível. Que interesse podia ter, para aquele jovem brilhante e bem-sucedido que construía edifícios por todos os lados na expansiva cidade de Lima dos anos 1980, um obscuro tradutor expatriado que voltava ao Peru depois de tantos anos e observava tudo entre nostálgico e aturdido? Não sei por quê, mas Alberto perdia muito tempo comigo. Levou-me para conhecer os bairros novos — Las Casuarinas, La Planicie, Chacarilla, La Rinconada, Villa —, as urbanizações de veraneio que brotavam como cogumelos nas praias do sul, e me mostrou algumas casas cercadas de jardins, lagos e piscinas que pareciam ter saído de filmes de Hollywood. Um dia me ouviu dizendo que, na infância, uma das coisas que eu mais invejava nos meus amigos miraflorenses era que muitos deles fossem sócios do clube Regatas — eu tinha de entrar às escondidas, ou nadando da prainha adjacente de Pescadores —, e me convidou para almoçar na velha instituição chorrillense. Como ele já tinha anunciado, as instalações do Clube agora eram mesmo muito modernas, com suas quadras de tênis e frontão, suas piscinas olímpica e térmica e as duas novas praias conquistadas ao mar graças a dois longos quebra-mares. Também era verdade que o restaurante Alfresco, do Clube Regatas, preparava um arroz com frutos do mar que, com uma cerveja gelada, tinha sabor de glória. O panorama, naquele meio-dia cinzento e nublado de novembro, num inverno que resistia a terminar, e com as fantasmais encostas de Ravina e Miraflores meio apagadas pela neblina, evocava muitas imagens no fundo da minha memória. O que ele acabava de dizer sobre os quebra-mares me tirou do devaneio em que estava mergulhado.

— Sério? — perguntei, mordido pela curiosidade. — Francamente, não acredito, Alberto.

— Eu também não acreditava, tio Ricardo. Mas juro que é assim mesmo.

Ele era um rapaz alto e com jeito de gringo, atlético — vinha ao Regatas todos os dias às seis da manhã jogar frescobol e frontão —, bem moreno, com o cabelo cortado quase rente, que exalava presunção e otimismo. Nas suas frases misturava palavrinhas em inglês. Tinha uma noiva em Boston com quem ia se casar em poucos meses, assim que ela se formasse em engenharia química. Ele havia recusado várias ofertas de emprego nos Estados Unidos depois de se formar com louvor no MIT, para vir ao Peru "fazer a pátria", porque, se todos os peruanos privilegiados fossem morar no estrangeiro, "quem iria botar a mão na massa e levar nosso país para a frente?". Com aqueles bons sentimentos de patriota, ele estava me puxando as orelhas, mas não se dava conta. Alberto Lamiel era a única pessoa no seu meio social que demonstrava tanta confiança no futuro do Peru. Naqueles últimos meses do segundo governo de Fernando Belaunde Terry — final de 1984 —, com a inflação em disparada, o terrorismo do Sendero Luminoso, os apagões, os sequestros e a perspectiva de que o Apra, com Alan García, ganhasse as eleições do próximo ano, havia muita incerteza e pessimismo na classe média. Mas nada parecia desanimar Alberto. Levava uma pistola carregada na sua camionete, para o caso de ser assaltado, e o sorriso sempre no rosto. A possibilidade de que Alan García chegasse ao poder não o assustava. Havia estado numa reunião de empresários jovens com o candidato aprista e este pareceu "bastante pragmático, nada ideológico".

— Então um quebra-mar não fica bom ou ruim por motivos técnicos, cálculos corretos ou errados, acertos ou defeitos de construção, mas sim devido a estranhos feitiços, à magia branca ou negra — caçoei. — É isso o que você quer dizer, um engenheiro formado no MIT? A bruxaria chegou até Cambridge, Massachusetts?

— Isso mesmo, se prefere definir assim — riu ele. Mas voltou a ficar sério e a afirmar, fazendo movimentos categóricos com a cabeça: — Um quebra-mar funciona ou não funciona por razões que a ciência não tem condições de explicar. O assunto é tão fascinante que estou escrevendo um pequeno *report* para a revista da minha universidade. Você adoraria conhecer o meu informante. Chama-se Arquimedes, um nomezinho que lhe cai muito bem. Um personagem de cinema, tio Ricardo.

Depois de ouvir as histórias de Alberto, os quebra-mares do Clube Regatas que avistávamos da varanda do Alfresco adquiriram uma auréola legendária, de monumentos ancestrais, esporões de pedras que não só estavam ali, cortando o mar, para obrigá-lo a se retirar e entregar uma faixa de praia aos banhistas, mas também como reminiscências de uma velha estirpe, construções meio urbanas, meio religiosas, produtos ao mesmo tempo de perícia artesanal e de uma sabedoria secreta, sagrada e mítica, mais que prática e funcional. Segundo o meu suposto sobrinho, para se construir um quebra-mar, determinar exatamente o lugar onde deve ser erguida aquela estrutura de blocos de pedras superpostos ou unidos com massa, não era suficiente, nem mesmo necessário, o menor cálculo técnico. O indispensável era o "olho" do prático, uma espécie de bruxo, xamã, adivinho, à maneira do rabdomante que detecta poços de água ocultos sob a superfície da terra, ou do mestre chinês de Feng Shui que decide a direção em que uma casa e os móveis que a ocupam devem ser orientados para que seus futuros habitantes vivam em paz e aproveitem o lugar, ou, caso contrário, sintam-se hostilizados e expostos a desavenças e atritos, um homem capaz de detectar por palpite ou por ciência infusa — como o velho Arquimedes vinha fazendo há meio século na costa de Lima — onde construir um quebra-mar de maneira que as águas o aceitem, que não o destruam, esfarelando, escavando, conquistando pelos flancos, impedindo que cumpra o seu objetivo de deter o mar.

— Os surrealistas adorariam ouvir uma coisa dessas, sobrinho — disse eu, apontando para os quebra-mares do Regatas sobre os quais revoavam gaivotas brancas, patinhos pretos e um bando de alcatrazes de olhar filosófico e buchos que pareciam conchas de sopa. — Os quebra-mares, exemplo perfeito do maravilhoso-cotidiano.

— Depois tem de me explicar quem são os surrealistas, tio Ricardo — disse o engenheiro, chamando o garçom e indicando de maneira peremptória que pagaria a conta. — Estou vendo que, apesar do seu jeito cético, essa história dos quebra-mares deixou você *knocked out,* de tão impressionado.

Sim, eu estava intrigadíssimo. Será que ele falava sério? O que Alberto me contou ficou rondando no ar desde esse dia, indo e voltando à minha consciência de tanto em tanto, como se eu intuísse que, seguindo esse tênue rastro, de repente podia encontrar a caverna de um tesouro.

Eu tinha voltado a Lima por duas semanas, de maneira um tanto precipitada, com a intenção de me despedir e enterrar o tio Ataúlfo Lamiel, que após seu segundo ataque cardíaco, fora internado de emergência na Clínica Americana e submetido a uma cirurgia de coração aberto, sem muitas esperanças de sobreviver. Mas, surpreendentemente, sobreviveu, e parecia até em franco processo de recuperação apesar dos seus oitenta anos e suas quatro pontes de safena. "Seu tio tem mais vidas que um gato", disse o doutor Castañeda, o cardiologista de Lima que o operou. "Na verdade, pensei que desta ele não saía". Tio Ataúlfo declarou que tinha sido eu, com minha vinda a Lima, que lhe devolvera a vida, e não os médicos. Já havia saído da Clínica Americana e estava convalescendo em casa, aos cuidados de uma enfermeira permanente e de Anastasia, a empregada nonagenária que o acompanhara a vida inteira. Tia Dolores tinha falecido um par de anos antes. Eu tentei me hospedar num hotel, mas ele insistiu em me levar para a sua casinha de dois andares, não muito longe do Olivar de São Isidro, onde havia lugar de sobra.

Tio Ataúlfo tinha envelhecido muito e era agora um homenzinho frágil que arrastava os pés, e magrinho feito um varapau. Mas conservava a cordialidade transbordante de sempre e se mantinha alerta e curioso, lendo, com a ajuda de uma lupa de filatelista, três ou quatro jornais diários e ouvindo as notícias todas as noites, para saber como andava o mundo em que vivemos. Ao contrário de Alberto, tio Ataúlfo tinha previsões sombrias sobre o futuro imediato. Acreditava que o Sendero Luminoso e o MRTA (Movimento Revolucionário Túpac Amaru) ainda dariam muito trabalho e desconfiava da vitória do Apra nas próximas eleições, como as pesquisas indicavam. "Vai ser o golpe de misericórdia no pobre Peru, sobrinho", resmungava.

Eu estava de novo em Lima depois de quase vinte anos. E me sentia um estrangeiro total, numa cidade em que quase não restavam rastros das minhas recordações. A casa da minha tia Alberta tinha desaparecido e, no seu lugar, surgiu um feio edifício de quatro andares. O mesmo acontecia por toda parte em Miraflores, onde só uma ou outra daquelas casinhas com jardim da minha infância resistia à modernização. O bairro todo se despersonalizara com uma profusão de edifícios de alturas desiguais e a multiplicação de lojas e bosques aéreos de anúncios luminosos que competiam em vulgaridade e mau gosto. Graças ao engenheiro Alberto Lamiel, fui dar uma olhada nos bairros mileumanoitescos para onde se mudaram os ricos e acomodados. Estavam rodeados pela gigantesca periferia, agora chamada, eufemisticamente, de bairros novos, onde se haviam refugiado milhões de camponeses que desciam das serras, fugindo da fome e da violência — as ações armadas e o terrorismo se concentravam principalmente na região da serra central —, que sobreviviam em barracos feitos de madeira, lata, panos, esteiras ou o que fosse, em comunidades que, de modo geral, não tinham água, nem luz, nem esgoto, nem ruas, nem transporte. Essa coexistência entre a riqueza e a pobreza fazia, em Lima, os ricos parecerem mais ricos e os pobres, mais pobres. Muitas tardes, quando não ia encontrar os meus velhos amigos do Bairro Alegre ou o meu recente sobrinho Alberto Lamiel, ficava conversando com tio Ataúlfo e este assunto voltava obsessivamente à baila. Eu achava que as diferenças econômicas entre a minoria de peruanos que vivia bem, tinha acesso a educação, trabalho e lazer, e aqueles que sobreviviam a duras penas em condições pobres ou miseráveis se agravaram muito naquelas duas décadas. Ele dizia que era uma falsa impressão minha, devido à perspectiva que eu trazia da Europa, onde a existência de uma enorme classe média diluía e apagava esses contrastes entre os extremos. Mas no Peru, onde a classe média era muito pequena, aqueles enormes contrastes sempre haviam existido. Tio Ataúlfo vivia consternado com a violência que se abatia sobre a sociedade peruana. "Sempre suspeitei que isso iria acontecer. Pronto, agora aconteceu. Ainda bem que a pobre Dolores não chegou a ver". Os sequestros, as bombas dos terroristas, a destruição de pontes, estradas, centrais elétricas, o ambiente de insegurança e vandalismo — lamentava —, atrasariam por muitos anos a entrada do país na famosa modernidade em que o tio Ataúlfo não tinha deixado de acreditar. Por enquanto. "Eu já não verei essa modernidade, sobrinho. Espero que você, sim".

Nunca pude explicar a ele de maneira convincente por que a menina má não viera a Lima comigo, porque eu também não sabia. Encarou com um ceticismo disfarçado a história de que ela não podia deixar o trabalho porque nessa época do ano, justamente, a empresa tinha uma demanda enorme de convenções, congressos, casamentos, banquetes e festas de toda espécie, o que não lhe permitia tirar umas semanas de férias. Eu também não acreditei, em Paris, quando ela usou esse pretexto para não vir comigo, e disse o que pensava. A menina má acabou então reconhecendo que não era verdade, na realidade não queria vir para Lima. "Por quê, posso saber?", e a tentava: "Você não tem saudade da comida peruana? Pois então, vamos passar duas semanas com todas as delícias da gastronomia nacional, o *ceviche* de corvina, o *chupe* de camarão, o arroz com pato, o lombinho refogado, a *causa*, o *seco de chabelo* e tudo o mais que der vontade". Não houve jeito, nem a sério nem de brincadeira, de atraí-la com as minhas iscas. Não iria ao Peru, nem agora nem nunca. Não pisaria lá nem por algumas horas. E quando quis cancelar a viagem para não deixá-la sozinha, ela insistiu que eu viajasse lembrando que os Gravoski estariam em Paris justamente nessa época e podia recorrer a eles se precisasse de ajuda.

Conseguir esse trabalho tinha sido o melhor remédio para seu estado de ânimo. Também ajudou, creio, o fato de termos nos casado, depois de enfrentar mil dificuldades, e agora ela era, como às vezes gostava de me dizer na intimidade, "uma mulher que pela primeira vez na vida, perto de fazer quarenta e oito anos, estava com seus papéis em ordem". Pensei que, sendo a pessoa inquieta e liberada que sempre tinha sido, trabalhar numa empresa de "eventos sociais" a deixaria entediada em pouco tempo, e que uma funcionária tão pouco competente seria despedida logo. Não foi o que aconteceu. Pelo contrário, conquistou rapidamente a confiança da sua chefe. E se ocupar, fazer coisas, assumir obrigações, mesmo que fosse levantar preços de hotéis e restaurantes, compará-los e negociar descontos, descobrir o que as empresas, associações e famílias desejavam — que tipo de paisagens, hotéis, cardápios, espetáculos, orquestras — em seus congressos, banquetes, aniversários, tudo isso ela levava muito a sério. Não trabalhava só no escritório, mas também em casa. Eu a ouvia, de tarde e à noite, pendurada no telefone, discutindo detalhes desses contratos com uma paciência infinita ou informando a Martine, sua chefe, os fatos do dia. Às vezes, precisava viajar ao interior — geralmente para a Provença, a Côte d'Azur ou Biarritz — acompanhando Martine, ou enviada por ela. Durante essas viagens, telefonava todas as noites e me contava, com minúcias, seus afazeres do dia. Para ela foi muito bom ocupar o tempo, adquirir responsabilidades e ganhar dinheiro. Voltou a vestir-se com vaidade, ia a salões, massagistas, manicures e pedicures, e me surpreendia constantemente com alguma mudança na maquiagem, penteado ou na roupa. "Faz isso para ficar na moda ou para deixar seu marido sempre apaixonado?" "Faço porque os clientes adoram me ver bonita e elegante. Está com ciúmes?" Sim, estava. Eu continuava apaixonado feito um bezerro e creio que ela também o estava por mim, porque, exceto durante pequenas crises passageiras, desde aquela noite em que quase me joguei no Sena entendi certos detalhes na nossa relação antes impensáveis. "Esta separação de duas semanas vai ser uma prova", disse ela, na noite da minha partida. "Vamos ver se você se apaixona por mim ainda mais ou me troca por uma dessas peruanitas travessas, bom menino." "Chega de peruanitas travessas, você é mais do que suficiente para mim." Ela conservava uma silhueta esbelta — nos fins de semana continuava indo à academia da *avenue* Montaigne para fazer exercícios e nadar —, e seu rosto estava fresco e animado.

  Nosso casamento foi uma verdadeira aventura burocrática. Embora fosse tranquilizador para ela saber que sua situação finalmente estava resolvida, eu suspeitava que se algum dia, por alguma razão, as autoridades da França fossem fuçar seus papéis, descobririam que o nosso casamento tinha tantos vícios, de fundo e de forma, que era inválido. Mas não dizia nada, e muito menos agora que, ao completarmos dois anos de casados, o governo francês acabava de lhe conceder a nacionalidade, sem suspeitar que a recente madame Ricardo Somocurcio já se havia naturalizado francesa antes, por casamento, com o nome de madame Robert Arnoux.

Para casar-nos foi preciso conseguir documentos falsos para ela, com um nome diferente do que usava quando se casou com Robert Arnoux. Isso só foi possível com a ajuda do tio Ataúlfo. Quando lhe descrevi o problema em linhas gerais, sem outras explicações além das indispensáveis e evitando os detalhes acidentados da vida da menina má, ele me respondeu no ato que não precisava saber mais nada. O subdesenvolvimento tinha soluções prontas, embora um tanto onerosas, para casos como aquele. E, dito e feito, em poucas semanas me enviou uma certidão de nascimento e outra de batismo, em nome de Lucy Solórzano Cajahuaringa, emitidas pela prefeitura e pela paróquia de Huaura, munidos das quais, seguindo suas instruções, fomos nos apresentar ao cônsul do Peru em Bruxelas, que era amigo dele. Tio Ataúlfo já lhe havia explicado por carta que Lucy Solórzano, noiva do seu sobrinho Ricardo Somocurcio, tinha perdido todos os documentos, incluindo o passaporte, e precisava de um novo. O cônsul, uma relíquia humana de colete, correntinha e monóculo, veio nos receber com uma prudente mas educada frieza. Não fez uma única pergunta, o que me fez pensar que tinha sido informado pelo tio Ataúlfo de mais coisas do que aparentava saber. Foi amável, impessoal e seguiu todas as formalidades. Mandou ofícios ao Ministério de Relações Exteriores e, por intermédio deste, ao Ministério do Interior, e enviou cópias das certidões de nascimento e de batismo da minha noiva, pedindo autorização para emitir um novo documento. Dois meses depois, a menina má tinha um passaporte novinho em folha e uma outra identidade, com os quais pudemos solicitar, ainda na Bélgica, um visto de turista para a França, avalizado por mim, francês naturalizado residente em Paris. Apresentamos imediatamente a papelada no cartório do Vème, na Praça do Panteón. E afinal nos casamos lá mesmo, em outubro de 1982, num meio-dia de outono, na companhia exclusiva dos Gravoski, que serviram de testemunhas. Não houve festa de casamento nem qualquer outra comemoração, porque nessa mesma tarde viajei a Roma para um contrato de duas semanas na FAO.

A menina má estava muito melhor. Às vezes estranhava um pouco vê-la com uma vida tão normal, ocupada com seu trabalho e, creio, contente, ou pelo menos resignada com a vida pequeno-burguesa que levávamos, trabalhando muito a semana inteira, preparando a comida à noite, indo ao cinema, ao teatro, a uma exposição ou concerto, saindo para jantar nos fins de semana, quase sempre sozinhos, ou com os Gravoski quando estavam aqui, pois continuavam passando vários meses por ano em Princeton. Só víamos Yilal durante o verão, porque ele passava o resto do ano num colégio de Nova Jersey. Seus pais haviam decidido que iria se educar nos Estados Unidos. Não restava nenhum sinal do seu antigo problema. Ele falava e crescia com normalidade, e parecia bem integrado ao mundo americano. De tanto em tanto, mandava postais ou uma cartinha, e a menina má lhe escrevia todos os meses e sempre enviava alguma lembrança.

Embora digam que só os imbecis são felizes, confesso que eu me sentia feliz. Compartilhar meus dias e minhas noites com a menina má preenchia a minha vida. Apesar de carinhosa comigo, em comparação com o tratamento glacial que me dera no passado, ela de fato conseguia me fazer viver sempre intranquilo, apreensivo com a ideia de que, um belo dia, da maneira mais inesperada, voltaria a aprontar e desapareceria sem se despedir. Sempre dava um jeito de me fazer saber, ou melhor, adivinhar, que havia um ou vários segredos na sua vida diária, uma dimensão da sua existência a que eu não tinha acesso e a qualquer momento podia provocar um terremoto que arrasaria a nossa convivência. Não podia entrar na minha cabeça que Lily, a chilenita, aceitasse ser o que era agora pelo resto da vida: uma parisiense de classe média, sem surpresas nem mistérios, imersa numa rotina rígida e sem aventuras.

Nunca estivemos tão unidos como nos meses que se seguiram à nossa reconciliação, digamos assim, na noite em que o desconhecido *clochard* surgiu no meio da chuva e da escuridão, na Ponte Mirabeau, para salvar a minha vida. "Não seria o próprio Deus, em pessoa, que segurou suas pernas, bom menino?", caçoava ela. Nunca acreditou realmente que eu estivera mesmo para me matar. "Quando alguém quer se suicidar, se suicida e não há *clochard* que possa impedir, Ricardito", comentou mais de uma vez. Nessa época, seus ataques de pavor ainda voltavam de vez em quando. Nesses momentos, arrasada, com os lábios vermelhos, muito pálida e com olheiras enormes, não se separava de mim por um segundo. Ia me seguindo por toda a casa como um cachorrinho fraldiqueiro, segurando a minha mão, agarrada no meu cinto ou na minha camisa, porque esse contato físico lhe dava o mínimo de segurança sem a qual, dizia balbuciando, "eu me desintegraria". Ver a menina má sofrer daquela maneira me fazia sofrer também. E, por vezes, a insegurança que a dominava durante a crise era tamanha que nem ao banheiro podia ir sozinha; morta de vergonha, com os dentes batendo, pedia que eu entrasse com ela e segurasse sua mão enquanto fazia suas necessidades.

Nunca pude ter uma ideia precisa da natureza do medo que a invadia de repente, sem dúvida porque aquilo não tinha uma explicação racional. Imagens difusas, sensações, pressentimentos, a convicção de que uma coisa terrível estava prestes a se abater sobre ela e iria destroçá-la? "Tudo isso e muito mais". Quando tinha um desses ataques de medo, que geralmente duravam algumas horas, aquela mulherzinha tão audaz e de tanta personalidade ficava indefesa e vulnerável como uma garotinha de poucos anos. Eu a sentava no meu colo e a aconchegava. Sentia que tremia, suspirava, agarrada em mim com um desespero que nada podia atenuar. Após algum tempo, caía num sono profundo. Uma ou duas horas depois, acordava e estava bem, como se nada houvesse acontecido. Todos os meus pedidos de que aceitasse voltar à clínica de Petit Clamart foram inúteis. Afinal, deixei de insistir porque bastava mencionar o assunto para deixá-la enfurecida. Nesses meses, apesar de estarmos tão unidos fisicamente, quase não fazíamos amor, porque nem na intimidade da cama ela conseguia a tranquilidade mínima, o abandono momentâneo para se entregar ao prazer.

O trabalho ajudou-a a sair desse período difícil. As crises não desapareceram de repente, mas foram ficando menos frequentes e também menos intensas. Agora ela parecia muito melhor, quase uma mulher normal. Bem, no fundo eu sabia que nunca seria uma mulher normal. Nem queria que fosse, porque o que amava nela era também o indômito e imprevisível da sua personalidade.

Nas nossas conversas durante a sua convalescença, tio Ataúlfo nunca me fez perguntas sobre o passado da minha mulher. Mandava lembranças, estava feliz por tê-la na família, esperava que alguma vez ela decidisse vir a Lima para conhecê-la, caso contrário, ele, apesar dos seus achaques, não teria outro remédio senão ir nos visitar em Paris. Numa mesinha da sala estava a foto emoldurada que lhe enviamos, tirada no dia do nosso casamento, na saída do cartório, com o Panteón ao fundo.

Nessas conversas, geralmente à tarde, depois do almoço, que se prolongavam às vezes durante horas, falávamos muito sobre o Peru. Ele fora um belaundista ferrenho a vida inteira, mas agora, com tristeza, confessou que o segundo governo de Belaunde Terry o deixara decepcionado. Exceto devolver os jornais e os canais expropriados pela ditadura militar de Velasco Alvarado, ele não teve coragem de corrigir nenhuma das pseudorreformas desse general que havia empobrecido e tumultuado ainda mais o Peru, e ainda provocou uma inflação que nas próximas eleições daria o triunfo ao Apra. E, ao contrário do seu sobrinho Alberto Lamiel, meu tio não se iludia com Alan García. Eu pensava que, sem dúvida, no país em que nasci, e do qual me afastei de maneira cada dia mais irreversível, havia muitos homens e mulheres como ele, basicamente decentes, que ao longo de toda uma vida sonharam com um progresso econômico, social, cultural e político que fizesse do Peru uma sociedade moderna, próspera, democrática, com oportunidades abertas para todos, e agora se sentem cada vez mais frustrados, como o tio Ataúlfo, ao chegarem à velhice — à beira da morte — atônitos, perguntando-se por que nós retrocedíamos em vez de avançar, e agora estávamos pior — com mais contrastes, diferenças, violência e insegurança — do que quando começaram a viver.

— Como você fez bem em ir para a Europa, sobrinho — era o seu refrão, que repetia cofiando a barbicha grisalha que deixara crescer. — Imagine o que seria de você se ficasse trabalhando aqui, com todos estes apagões, bombas e sequestros. E a falta de empregos para os jovens.

— Não tenho tanta certeza, tio. Sim, é verdade, tenho uma profissão que me permite viver numa cidade magnífica. Mas, lá, acabei me tornando um ser sem raízes, um fantasma. Nunca vou ser um francês, embora meu passaporte diga que sou. Lá serei sempre um *mètèque*. E deixei de ser peruano, porque aqui me sinto ainda mais estrangeiro do que em Paris.

— Imagino que você sabe que sessenta por cento dos jovens, segundo uma pesquisa da Universidade de Lima, têm, como primeira aspiração na vida, ir para o estrangeiro; a imensa maioria, para os Estados Unidos, e o resto para a Europa, Japão, Austrália, onde for. Como poderíamos criticá-los, não é mesmo? Se o país não lhes pode dar trabalho, nem oportunidades, nem segurança, é lícito que queiram partir. Por isso tenho tanta admiração pelo Alberto. Poderia ter ficado nos Estados Unidos com um belo emprego, mas preferiu vir arregaçar as mangas no Peru. Espero que não se arrependa. Ele tem muito afeto por você, já notou, Ricardo?

— Sim, tio, e eu também por ele. Realmente, é muito simpático. Graças a ele conheci facetas diferentes de Lima. A dos milionários e a da periferia.

Nesse momento tocou o telefone e era Alberto Lamiel, que me chamava.

— Quer conhecer o velho Arquimedes, o construtor de quebra-mares de quem lhe falei?

— Claro que quero, rapaz — respondi, entusiasmado.

— Estão construindo um novo espigão em La Punta e o engenheiro da municipalidade é o meu amigo Chicho Cánepa. Amanhã de manhã, se você não tiver outro compromisso. Passo às oito. Não é muito cedo?

— Devo ter ficado velho, tio Ataúlfo, apesar de só ter cinquenta anos — comentei depois. — Porque Alberto, sendo seu sobrinho, é na realidade meu primo. Mas faz questão de me chamar de tio. Eu devo parecer pré-histórico.

— Não é bem isso — riu o tio Ataúlfo. — Como você mora em Paris, inspira um respeito todo especial. Morar nessa cidade é um grande mérito para ele, equivale a ter vencido na vida.

Na manhã seguinte, pontual como um relógio, Alberto chegou alguns minutos antes das oito, acompanhado do engenheiro Cánepa, responsável pelos trabalhos na praia de Cantolao e no cais de La Punta. Era um homem de certa idade, com óculos escuros e uma grande barriga de cerveja, que desceu da camionete Cherokee de Alberto e me cedeu o lugar dianteiro. Os dois engenheiros usavam calças jeans, camisas abertas e casacos de couro. Eu me senti ridículo com o meu terno, minha camisa de colarinho abotoado e minha gravata, ao lado daqueles homens de roupa esporte.

— O senhor vai ficar muito impressionado com o velho Arquimedes — afirmou o engenheiro amigo de Alberto, que ele chamava de Chicho. — É um maluco boa gente. Eu o conheço há vinte anos e ainda fico boquiaberto com as histórias que ele conta. É um mago, vai ver. E um grande contador de casos, interessantíssimo.

— Seria bom poder gravar, juro, tio Ricardo — continuou Alberto. — As histórias dos quebra-mares são maravilhosas, eu sempre fico puxando conversa para ele contar mais.

— Não consigo acreditar nisso, Alberto — disse eu. — Continuo pensando que deve ser brincadeira. Acho impossível que, para construir um espigão no mar, um bruxo seja mais necessário que um engenheiro.

— Pois é melhor o senhor acreditar — gargalhou Chicho Cánepa. — Porque, se há alguém que sabe disso, sou eu, e por amarga experiência.

Pedi que não me tratasse mais de senhor, afinal eu não era tão velho assim, e que a partir de então falássemos sem formalidades.

Avançamos pela estrada à beira-mar, rumo a Magdalena e San Miguel, ao pé das encostas nuas. À nossa esquerda, no mar agitado e quase oculto pela neblina, apesar de ainda ser inverno, alguns surfistas pegavam ondas com seus trajes de borracha. Silenciosos, borrosos, cavalgavam sobre o mar, alguns com os braços no alto e balançando o corpo para manter o equilíbrio. Chicho Cánepa contou o que lhe acontecera com um dos espigões da Costa Verde que acabávamos de deixar para trás, aquele inacabado que tinha um mastro na ponta. A municipalidade de Miraflores o contratara para prolongar a pista e fazer dois quebra-mares, a fim de criar uma praia. Não houve qualquer dificuldade com o primeiro, construído no ponto que Arquimedes indicou. Chicho queria que o segundo ficasse a uma distância simétrica do outro, entre os restaurantes Costa Verde e La Rosa Náutica. Arquimedes teimou: não ia aguentar, o mar engoliria.

— Não havia qualquer razão para não resistir — disse o engenheiro Cánepa, enfático. — Eu entendo dessas coisas, estudei para isso. As ondas e as correntezas eram as mesmas que batiam no primeiro. A linha de fuga, idêntica, assim como a profundidade da base marinha. Os peões me pediram que eu desse ouvidos a Arquimedes, mas pensei que era um capricho de um velho bêbado para justificar o seu salário. E construí onde achei que devia. Como me arrependo, amigo Ricardo! Usei o dobro de pedras e de cimento que no primeiro, mas o diabo do quebra-mar se esfarelava uma e outra vez. Fazia redemoinhos que alteravam todo o entorno e criava correntezas e marés que tornaram a praia perigosa para os banhistas. Em menos de seis meses, o mar despedaçou a desgraça do espigão e o transformou na ruína que você viu. Cada vez que passo por lá fico com o rosto vermelho. Um monumento à minha vergonha! A municipalidade me multou e acabei perdendo dinheiro.

— Qual era a explicação de Arquimedes? Por que o quebra-mar não podia ser construído ali?

— As explicações que ele dá não são explicações — disse Chicho. — São bobagens. Como: "O mar não vai aceitar aqui", "Lá não encaixa", "Ali vai balançar, e se balançar a água derruba". Bobagens assim, sem pé nem cabeça. Bruxarias, como você diz, ou seja lá o que for. Mas, depois do que me aconteceu na Costa Verde, eu faço o que o velho diz, de bico calado. Em matéria de quebra-mares, não há engenharia que preste: ele sabe mais.

Na verdade, eu estava impaciente para conhecer aquela maravilha de carne e osso. Alberto esperava encontrá-lo em plena observação do mar. Nesse momento, dizia, Arquimedes é um espetáculo: sentado na praia com as pernas cruzadas como um Buda, imóvel, petrificado, ele pode passar horas e horas esquadrinhando as águas, em estado de comunicação metafísica com as forças ocultas das marés e com os deuses das profundezas marinhas, interrogando-os, ouvindo o que diziam ou rezando para eles em silêncio. Até que, finalmente, parece ressuscitar. Levanta-se resmungando e, com um gesto enérgico, sentencia: "Pode" ou "Não pode", e neste último caso tenho de procurar outro lugar mais propício para fazer o quebra-mar.

E, então, de repente, na altura da pracinha de San Miguel, a essa altura totalmente molhada pela garoa, sem suspeitar da comoção que isso desencadearia na minha intimidade, o engenheiro Chicho Cánepa concluiu:

— É um velho lindo e fantasiador. Sempre está contando extravagâncias, porque também tem delírios de grandeza. Uma época, deu para dizer que tinha uma filha em Paris e que ia viver lá, com ela, na Cidade Luz!

Foi como se a manhã ficasse escura de repente. Senti a acidez que uma antiga úlcera no duodeno às vezes me provocava, um faiscar de fogos de artifício na cabeça, não sei exatamente o que mais senti, mas foram muitas coisas, e nesse momento descobri por que ficara em estado de ansiedade desde que Alberto Lamiel me contou, no Regatas, a história de Arquimedes e os quebra-mares de Lima. Foi uma estranha comichão, dessas que antecedem o inesperado, a premonição de um cataclismo ou de um milagre, como se aquela história tivesse alguma coisa que me envolvesse profundamente. Com muita dificuldade, consegui me conter e não acossar Chicho Cánepa com perguntas sobre o que ele tinha acabado de dizer.

Assim que descemos da camionete no Cais Figueredo de la Punta, em frente à praia de Cantolao, descobri quem era Arquimedes sem que ninguém precisasse apontar. Ele não parava quieto. Andava de mãos nos bolsos pela orla, onde vinham morrer as ondas suaves da prainha de pedras e calhaus pretos que eu não via desde a minha adolescência. Era um mestiço branquelo e miserável, mirrado, com o cabelo ralo e emaranhado, alguém que certamente havia ultrapassado há um bom tempo a idade em que a velhice começa, aquela estação anódina em que as distâncias cronológicas desaparecem e um homem pode ter setenta, oitenta ou talvez noventa anos sem que se note muito a diferença. Usava uma camisa azul, bastante puída, fechada com o único botão que lhe restava, que o vento da manhã fria e cinzenta inflava deixando visível o peito imberbe e ossudo do velho que, um pouco curvado sobre si mesmo e tropeçando nas pedras da praia, caminhava de um lado para o outro, dando uns passos de garça e ameaçando cair a cada movimento.

— É aquele, não é? — perguntei.

— Quem mais poderia ser — disse Chicho Cánepa. E, protegendo a boca com as mãos, gritou: — Arquimedes! Arquimedes! Venha, tem alguém aqui que quer conhecer você. Veio da Europa para ver a sua cara, imagine só.

O velho parou de repente e sua cabeça fez um movimento brusco. Olhou para nós, desconcertado. Depois, fez que sim e avançou em nossa direção, equilibrando-se nas pedras negras e cinza-chumbo da praia. Quando chegou mais perto, pude vê-lo melhor. Tinha os pômulos afundados, como se houvesse perdido toda a dentadura, e uma fenda que bem podia ser uma cicatriz lhe atravessava o queixo. A parte mais viva e poderosa de sua pessoa, porém, eram os olhos, pequenos e aquosos mas intensos e beligerantes, que observavam tudo sem pestanejar, com uma fixidez insolente. Devia ser bem velho, sim, pelas rugas na testa, pelas outras que rodeavam seus olhos e faziam seu pescoço parecer uma crista de galo, e pelas mãos ásperas com as unhas pretas que estendeu para nos cumprimentar.

— Você é tão famoso, Arquimedes, que, acredite, meu tio Ricardo veio da França para conhecer o grande construtor de quebra-mares de Lima — disse Alberto, dando-lhe uma palmada nas costas. — Quer que você explique como sabe onde se deve construir um quebra-mar e onde não.

— Isso não se explica — o velho me apertou a mão, expelindo uma chuvinha de saliva ao falar. — Isso se sente nas tripas. Muito prazer, moço. Então, você é um frança?

— Não, sou peruano. Mas moro lá há muitos anos.

Tinha uma vozinha rachada e aguda, e mal conseguia terminar as palavras, como se lhe faltasse fôlego para pronunciar todas as letras. Quase sem interrupção, depois de me cumprimentar, dirigiu-se a Chicho Cánepa:

— Sinto muito, mas acho que aqui não vai ser possível, engenheiro.

— Como assim, acha — perguntou furioso, levantando a voz. — Tem ou não tem certeza?

— Não tenho — reconheceu o velho, sem jeito, enrugando ainda mais o rosto. Fez uma pausa e, dando uma rápida espiada no oceano, acrescentou: — Ou melhor, nem sei se tenho certeza. Não se zangue, mas alguma coisa me diz que não.

— Não brinque comigo, Arquimedes — protestou o engenheiro Cánepa, gesticulando. — Preciso de uma conclusão. Ou então, cacete, não lhe pago nada.

— É que às vezes o mar é uma fêmea traiçoeira, dessas que dizem "sim, mas não", "não, mas sim" — o velho riu, abrindo uma bocarra em que só se viam dois ou três dentes. E então me dei conta de que seu hálito estava impregnado de um aroma ácido marcante, cheiro de alguma aguardente ou pisco muito forte.

— Você está perdendo seus poderes, Arquimedes — meu sobrinho Alberto deu-lhe outra palmada afetuosa. — Antes, nunca tinha dúvidas sobre essas coisas.

— Não é bem isso, engenheiro — disse Arquimedes, com uma expressão subitamente séria. Apontou para as águas verde-cinzentas. — São coisas do mar, que tem seus segredos, como todo mundo. Quase sempre eu percebo à primeira vista se é possível construir um quebra-mar ou não. Mas esta praia de Cantolao é muito complicada, tem seus truques e me desnorteia.

A ressaca e o ruído das ondas batendo nas pedras eram muito fortes e, vez por outra, a voz do velho se perdia. Descobri que ele tinha um tique: de vez em quando coçava o nariz, muito rápido, parecendo espantar um inseto.

Chegaram dois homens de botas e com uns casacos de lona estampados atrás, em letras amarelas, "Municipalidade do Callao". Alberto e Chicho Cánepa foram conversar com eles. Ouvi que este último lhes dizia, sem se importar que Arquimedes ouvisse: "Agora esse bocó não tem certeza se podemos construir ou não. De modo que somos nós que precisamos tomar a decisão".

O velho continuava ao meu lado, mas não me olhava. Estava novamente com a vista cravada no mar e mexia devagarzinho os lábios, como se estivesse rezando ou falando sozinho.

— Arquimedes, eu gostaria de convidar você para almoçar — disse, em voz baixa. — Para que me conte como é essa história dos quebra-mares. É um assunto que me interessa demais. Só nós dois. Aceita?

Ele girou a cabeça e me dirigiu um olhar quieto, agora grave. Meu convite o deixara desconcertado. Uma expressão de receio apareceu entre suas rugas, e então franziu o cenho:

— Almoçar? — repetiu, confuso. — Onde?

— Onde você quiser. Onde preferir. Você escolhe o lugar e eu pago. Aceita?

— Mas quando? — o velho ganhava tempo, sondando-me com uma desconfiança crescente.

— Agora. Hoje, por exemplo. Venho buscá-lo aqui mesmo, ao meio-dia, e almoçamos juntos onde você escolher. Aceita?

Logo depois concordou, mas sem deixar de me encarar, como se de repente eu tivesse me tornado uma ameaça para ele. "Que diabos este sujeito pode querer comigo?", diziam seus olhos quietos e líquidos, de uma cor parda amarelada.

Quando, meia hora depois, Arquimedes, Alberto, Chicho Cánepa e os homens da Municipalidade do Callao acabaram a sua conversa, e o meu sobrinho e seu amigo entraram na camionete estacionada no Cais Figueredo, eu lhes disse que ficaria por ali. Queria andar um pouco em La Punta, lembrando da minha juventude, quando às vezes vinha aos bailes do Regatas Unión com os meus amigos do Bairro Alegre para namorar umas gêmeas lourinhas, as Lecca, que moravam ali perto e participavam das competições de regatas no verão. Depois eu voltaria para Miraflores de táxi. Ficaram um pouco surpresos, mas afinal se despediram, não sem antes me recomendar que tivesse muito cuidado, porque Callao estava cheio de bandidos e de assaltos, e ultimamente os sequestros estavam na ordem do dia.

Dei um longo passeio, percorrendo os cais Figueredo, Pardo e Wiese. As casonas de quarenta ou cinquenta anos antes pareciam desbotadas, lascadas e encardidas pela umidade e pelo tempo, e os seus jardins, murchos. Mas, embora em franca decadência, o bairro conservava traços do seu antigo esplendor, como uma velha senhora que arrastasse atrás de si uma sombra da beleza que já teve. Fiquei bisbilhotando as instalações da Escola Naval, através das grades. Vi um grupo de cadetes desfilando com os uniformes brancos de uso diário, e outro grupo que, à beira do cais, amarrava uma lancha em terra firme. E enquanto isso, o tempo todo, repetia: "É impossível. É um absurdo. Um disparate sem pés nem cabeça. Esqueça essa fantasia, Ricardo Somocurcio". Era uma demência imaginar semelhante associação. Mas, ao mesmo tempo, reconsiderava: já tinha passado por suficientes coisas na vida para saber que nada é impossível, que as coincidências e fatos mais extravagantes e inverossímeis podiam ocorrer quando aquela mulherzinha que agora era a minha esposa estava envolvida na história. Apesar das dezenas de anos em que estive afastado daqui, La Punta não tinha mudado tanto como Miraflores, ainda conservava um jeito senhorial, fora de moda, uma pobreza elegante. Agora, entre as casas, também haviam surgido alguns edifícios impessoais e opressivos, como no meu antigo bairro, mas eram poucos e não chegavam a destruir totalmente a harmonia do conjunto. As ruas estavam quase desertas, exceto por alguma empregada que vinha das compras e alguma dona de casa empurrando um carrinho de bebê ou levando o cachorro para urinar à beira-mar.

Ao meio-dia já estava de volta à praia de Cantolao, agora quase inteiramente coberta pela neblina. Encontrei Arquimedes na posição que Alberto me descrevera: sentado como um Buda, imóvel, olhando fixamente para o mar. Estava tão quieto que um bando de gaivotas brancas caminhava à sua volta, indiferentes à sua presença, ciscando entre as pedras em busca do que comer. O rumor da maré era mais forte. Volta e meia, as gaivotas guinchavam ao mesmo tempo: um som entre rouco e agudo, às vezes estridente.

— Podem construir aqui o quebra-mar, sim — disse Arquimedes quando me viu, com um sorrisinho de triunfo. E estalou os dedos: — Vou dar uma grande alegria ao engenheiro Cánepa.

— Agora tem certeza?

— Absoluta, claro que sim — disse, num tom de bravata, balançando várias vezes a cabeça. Seus olhinhos brilhavam de satisfação.

Apontou para o mar com total convicção, parecendo indicar que a evidência estava ali, exposta a qualquer um que quisesse vê-la. Mas a única coisa que eu via era uma língua de água cinzenta e esverdeada, manchada de espuma, que investia contra as pedras, fazendo um ruído regular e por vezes estrondoso, e se retirava deixando uns novelos de algas marrons. A neblina avançava e em pouco tempo iria nos envolver.

— Você me deixa maravilhado, Arquimedes. Que capacidade! O que aconteceu entre esta manhã, quando tinha dúvidas, e agora, que tem certeza? Viu alguma coisa? Ouviu alguma coisa? Foi um palpite, uma adivinhação?

Quando percebi que o velho tinha dificuldade para se levantar, ajudei-o segurando seu braço. Era um braço magro, sem músculos, de ossos moles, parecia a extremidade de um batráquio.

— Senti que podiam construir aqui — explicou Arquimedes, calando-se a seguir, como se esse verbo pudesse esclarecer todo o mistério.

Subimos em silêncio a encosta empinada de areia pedregosa, em direção ao Cais Figueredo. Os tênis furados do velho se metiam entre as pedras e, como me pareceu que a qualquer momento iria cair, peguei outra vez no seu braço para firmá-lo, mas ele escapou com um gesto de desagrado.

— Onde quer almoçar, Arquimedes?

Pensou um segundo e depois apontou para o impreciso e fantasmal horizonte do Callao.

— Lá, em Chucuito, conheço um lugar — disse, hesitando. — O Chim Pum Callao. Eles fazem bons *ceviche*s, com peixe fresquinho. Às vezes, o engenheiro Chicho vai lá comer um sanduíche de porco.

— Ótimo, Arquimedes. Vamos. Gosto muito de *ceviche* e há séculos não como um sanduíche de carne de porco.

Enquanto caminhávamos até Chucuito, escoltados por uma brisa fria e ouvindo os guinchos das gaivotas e o estrépito do mar, disse a Arquimedes que o nome daquele restaurante me lembrava a torcida do Sport Boys, a famosíssima equipe de futebol do Callao que quando eu era criança, durante os jogos no Estádio Nacional, na rua José Díaz, balançava as arquibancadas com esse grito estentóreo: "Chim Pum! Callao! Chim Pum! Callao!". E também contei que, apesar de todos os anos que tinham passado, eu nunca esqueci daquela milagrosa dupla de atacantes do Sport Boys, Valeriano López e Jerónimo Barbadillo, terror de todos os zagueiros que enfrentavam a equipe de camisa rosada.

— Conheci Barbadillo e Valeriano López quando eram jovens — disse o velho; caminhava um pouco encolhido, olhando para o chão, com o vento agitando seus cabelos ralos e esbranquiçados. — Até jogamos bola algumas vezes, no estádio do Potao, onde o Boys treinava, ou nas várzeas do Callao. Antes de ficarem famosos, é claro. Naquela época se jogava apenas pela glória. No máximo, alguma gratificação, de vez em quando. Eu gostava muito de futebol. Mas nunca fui bom jogador, não tinha resistência. Cansava logo e chegava ao segundo tempo ofegando feito um cachorrinho.

— Bem, você tem outras habilidades, Arquimedes. Esse mistério que você domina, onde construir os quebra-mares, muito pouca gente sabe fazer isso no mundo. É uma genialidade só sua, acredite.

O Chim Pum Callao era uma espelunca de última categoria, numa das esquinas do Parque José Gálvez. A área estava cheia de vagabundos e meninos vendendo doces, bilhetes de loteria, amendoim e maçãs confeitadas, em carrocinhas de madeira ou em tábuas dispostas sobre cavaletes. Arquimedes devia frequentar a região, porque acenava para os passantes e alguns vira-latas vieram se esfregar nos seus pés. Quando entramos no Chim Pum Callao, a dona do local, uma negra gorda de bobes na cabeça que estava atrás do balcão, uma tábua comprida apoiada em dois barris, cumprimentou-o com afeto: "Olá, velho quebra-mares". Eram umas dez mesinhas rústicas com bancos, e só havia zinco em parte do teto; pela outra, aberta, via-se o céu nebuloso e triste de inverno. Um rádio tocava uma salsa de Rubén Blades a todo volume: *Pedro Navaja*. Nós nos sentamos perto da porta, pedimos *ceviche*, sanduíches de carne de porco e uma cerveja Pilsen bem gelada.

A negra de bobes era a única mulher no lugar. Quase todas as mesas estavam ocupadas, por dois, três ou quatro comensais, homens que deviam trabalhar por ali porque alguns estavam com o avental usado pelos operários de frigoríficos e, numa das mesas, havia capacetes e maletas de eletricistas embaixo dos bancos.

— O que é que você queria saber, moço? — abriu fogo Arquimedes. Olhava para mim cheio de curiosidade e, a intervalos sincronizados, coçava o nariz e afugentava o inseto inexistente. — Por que me fez este convite, quero dizer.

— Como descobriu que tem essa capacidade de adivinhar as intenções do mar? — perguntei. — Quando era criança? Jovem? Conte. Tudo o que puder dizer me interessa muito.

Encolheu os ombros, como se não lembrasse ou se a coisa não merecesse atenção. Contou que, certa vez, um jornalista de *La Crónica* tinha vindo entrevistá-lo sobre isso e ele ficou sem palavras. Afinal murmurou: "Essas coisas não passam pela minha cabeça, por isso mesmo não posso explicar. Sei onde se podem construir quebra-mares e onde não. Mas às vezes fico nas nuvens. Quer dizer, não sinto nada". Voltou a fazer silêncio por um bom tempo. Mas assim que trouxeram a cerveja, nós brindamos e tomamos o primeiro gole, começou a falar e a contar sua vida com bastante desenvoltura. Não havia nascido em Lima, e sim na serra, em Pallanca, mas sua família desceu para a costa quando ele estava começando a andar, de maneira que não tinha nenhuma lembrança das montanhas, era como se houvesse nascido no Callao. Sentia-se um perfeito *chalaco*, de coração. Havia aprendido a ler e escrever na Escola Fiscal Número 5, de Bellavista, mas nem chegou a terminar o primário porque, para "ajudar a botar comida na mesa", seu pai mandou-o trabalhar vendendo sorvete num triciclo de uma sorveteria muito famosa, que já não existe mais: La Deliciosa, que ficava na avenida Sáenz Peña. Na infância e na juventude tinha sido um pouco de tudo, ajudante de marceneiro, pedreiro, contínuo de um despachante de aduana, até que afinal foi trabalhar numa lancha de pesca cuja base era no Terminal Marítimo. Ali começou a descobrir, sem saber como nem por quê, que ele e o mar "se entendiam como uma junta de bois". Sabia adivinhar antes que ninguém onde jogar as redes, porque os bancos de anchovas viriam buscar comida naquele ponto, e também onde não, porque ali as águas-vivas iriam afugentar os peixes e nem um mísero bagre morderia o anzol. Lembrava muito bem da primeira vez que ajudou a construir um espigão no mar do Callao, à altura de La Perla, mais ou menos onde termina a avenida de las Palmeras. Todos os esforços dos mestres de obra para que a estrutura resistisse à correnteza foram em vão. "Que diabos está havendo, por que esta merda se esfarela o tempo todo?" O empreiteiro, um caboclo ranzinza de Chiclayo, puxava os cabelos e mandava o mar e o resto do mundo para a puta que pariu. Mas, por mais que ele xingasse e praguejasse, o mar dizia que não. E, quando o mar diz que não, é não, moço. Nessa época ele ainda não tinha vinte anos e andava meio escorregadio porque ainda podiam chamá-lo para o serviço militar.

Então Arquimedes começou a pensar, a refletir e, em vez de xingar, decidiu "conversar com o mar". E, mais que isso, "ouvi-lo como se ouve um amigo". Pôs a mão em volta da orelha e fez uma expressão atenta e submissa, como se estivesse recebendo naquele momento as confidências secretas do oceano. Uma vez o padre da igrejinha de Carmen de la Legua lhe disse: "Sabe quem você ouve, Arquimedes? Deus. Ele é que dita essas coisas sábias que você fala sobre o mar". Bem, quem sabe, talvez Deus morasse no mar. E, dito e feito. Começou a escutar com atenção, e então sim, moço, o mar lhe deu a entender que, se em vez de construírem um quebra-mar ali, onde ele não queria, fizessem cinquenta metros mais ao norte, na direção de La Punta, "as águas se resignariam ao quebra-mar". Foi e disse isso ao mestre de obras. O homem, primeiro, deu uma risada, como era de esperar. Mas depois, de puro desespero, decidiu: "Vamos experimentar, que droga". Experimentaram no lugar que Arquimedes sugeriu e o quebra-mar parou a correnteza. Ainda estava lá, inteiro, resistindo às ondas. A partir desse episódio a notícia se espalhou e Arquimedes foi ganhando fama de "bruxo", de "mago", de "homem das marés". Desde então, não se fazia um quebra-mar em toda a baía de Lima sem que os mestres de obra ou engenheiros o consultassem. E não só em Lima. Foi levado a Cañete, a Pisco, a Supe, a Chincha, um bocado de lugares, para assessorar na construção de espigões. Tinha orgulho de dizer que poucas vezes errou em toda sua longa vida profissional. Algumas, sim, porque só quem não erra nunca é Deus, e talvez o diabo, moço.

O *ceviche* queimava como se tivesse pimenta de Arequipa. Quando a garrafa de cerveja se esvaziou, pedi outra, que tomamos devagar, saboreando uns excelentes sanduíches de carne de porco em pão francês, bem acompanhados por um molho de alface, cebola e pimentão. Animado pelos copos de cerveja, num dos silêncios de Arquimedes tive coragem afinal de fazer a pergunta que estava presa na minha garganta há três horas:

— Disseram que você tem uma filha em Paris. É verdade, Arquimedes?

Ele me encarou, intrigado por eu estar a par dessas intimidades de família. E, paulatinamente, sua expressão relaxada foi se azedando. Antes de responder, coçou o nariz com fúria e, dando uma chicotada com a mão, enxotou o inseto invisível.

— Daquela ingrata, não quero nem saber — rosnou. — E muito menos falar, moço. Juro que se algum dia ela vier me procurar, arrependida, eu bato a porta no seu nariz.

Ao vê-lo tão exaltado, pedi desculpas pela minha impertinência. Eu tinha ouvido um dos engenheiros falar esta manhã sobre sua filha e, como eu também moro em Paris, fiquei curioso, pensando que talvez a conheça. Nem mencionaria o assunto se desconfiasse que lhe desagradava.

Sem parecer ouvir minhas explicações, Arquimedes continuou dando cabo do seu sanduíche e tomando golinhos de cerveja. Como lhe restavam poucos dentes, mastigava com dificuldade, fazendo ruídos com a língua, e demorava a engolir cada pedaço. Incomodado com o longo silêncio, e convencido de que tinha sido um erro perguntar pela filha — o que você esperava ouvir, Ricardito? —, levantei a mão para chamar a negra de bobes e pedir a conta. Nesse mesmo instante, Arquimedes começou a falar outra vez:

— Ela é uma ingrata, acredite — afirmou, com a cara contraída numa expressão muito severa. — Nem para o enterro da mãe mandou dinheiro. Uma egoísta, isso é o que ela é. Foi embora e virou as costas para nós. Deve se achar muito superior, e pensa que agora isso lhe dá o direito de nos desprezar. Como se não tivesse nas veias o mesmo sangue que o pai e a mãe.

Estava em estado de fúria. Quando falava, fazia umas caretas que enrugavam ainda mais a sua cara. Murmurei de novo que lamentava ter tocado no assunto, eu não tinha a intenção de constrangê-lo, era melhor falarmos de outra coisa. Mas ele não me ouvia. Em seus olhos fixos, as pupilas brilhavam, líquidas e incandescentes.

— Eu me rebaixei pedindo que ela me levasse para lá, quando poderia simplesmente ter mandado. Afinal, sou o pai dela — disse, batendo na mesa. Seus lábios tremiam. — Eu me rebaixei, me humilhei. E ela não precisava me sustentar, nada disso. Eu trabalharia onde fosse. Por exemplo, ajudando a construir quebra-mares. Não se fazem quebra-mares, lá em Paris? Bem, então eu podia trabalhar nisso. Se sou bom aqui, também seria lá. A única coisa que mendiguei a ela foi uma passagem. Não era com a mãe, nem com os irmãos. Era só para mim. Eu me esforçaria, ganharia dinheiro, economizaria e iria levando o resto da família pouco a pouco. Isso era pedir muito? Era pouco, quase nada. E qual foi a reação dela? Não respondeu mais a nenhuma carta. Nem umazinha, nunca mais, como se estivesse apavorada com a ideia de me ver por lá. É isso o que uma filha faz? Sei muito bem por que digo que é uma ingrata, moço.

Quando a negra de bobes se aproximou da mesa rebolando como uma pantera, em vez de pedir a conta pedi outra cerveja bem gelada. O velho Arquimedes estava falando tão alto que pessoas de várias mesas se viraram para olhar. Quando ele se deu conta, disfarçou, tossindo, e baixou a voz.

— No princípio, até que ela se lembrava da família, não posso negar. Bem, muito de vez em quando, mas é sempre melhor que nada — continuou, mais calmo. — Não quando estava em Cuba; lá, parece, por essas coisas da política, não podia escrever cartas. Pelo menos foi o que disse depois, quando morava na França, já casada. Nessa época sim, de vez em quando, nas festas pátrias, ou no meu aniversário, ou no Natal, mandava uma carta e um chequinho. Que trabalheira para receber. Era preciso ir ao banco com todos os documentos de identidade, e eles ficavam com não sei quanto de comissão. Mas, enfim, nessa época, se bem que muito de quando em quando, ela se lembrava que tinha família. Até eu lhe pedir a passagem para a França. Então, cortou. Nunca mais. Até hoje. Como se toda a sua família tivesse morrido. Ela nos enterrou. Quer dizer, nem mesmo quando um dos irmãos lhe escreveu pedindo ajuda para colocar uma lápide de mármore no túmulo da mãe, ela se dignou a responder.

Servi a Arquimedes um copo da espumosa cerveja que a negra dos bobes acabava de trazer e me servi outro. Cuba, casada em Paris: que dúvida podia restar. Quem, a não ser ela? Agora eu começava a tremer. Estava inquieto, como se a qualquer momento uma revelação terrível fosse sair da boca do velho. Disse "Saúde, Arquimedes" e tomamos um longo gole. De onde eu estava podia ver seu tênis furado, expondo um tornozelo nodoso, com crostas ou sujeiras, onde caminhava uma formiguinha que ele parecia não sentir. Era possível tanta coincidência? Era. Agora eu não tinha a menor dúvida.

— Acho que a conheci, uma vez — disse, simulando falar por falar, sem nenhum interesse pessoal. — Sua filha teve uma bolsa em Cuba por um tempo, não é? E depois se casou com um diplomata francês, certo? Um senhor chamado Arnoux, se não me engano.

— Não sei se era diplomata ou não era, ela não nos mandou nem uma fotografia — reclamou Arquimedes, esfregando o nariz. — Mas era um francês importante e ganhava um dinheirão, foi o que me disseram. Uma filha não tem suas obrigações com a família, num caso desses? Ainda mais se a família for pobre e passar dificuldades?

Tomou outro golinho de cerveja e ficou ensimesmado, por algum tempo. Uma música indefinida, desafinada e monótona, cantada pelos Shapis, substituiu a salsa. Na mesa ao lado, os eletricistas falavam das corridas de cavalos no domingo e um deles jurou: "No terceiro, Cleópatra é uma barbada". De repente, parecendo lembrar de alguma coisa, Arquimedes levantou a cabeça e fixou seus olhinhos febris em mim:

— Você a conheceu?

— Acho que sim, vagamente.

— Aquele sujeito, o francês, tinha mesmo muito dinheiro?

— Não sei. Se estamos falando da mesma pessoa, era um funcionário da Unesco. Uma boa posição, sem dúvida. Sua filha, nas vezes que a vi, estava sempre muito bem-vestida. Uma mulher bonita e elegante.

— Otilita sempre sonhou com o que não tinha, desde criança — disse de repente Arquimedes, adoçando a voz e esboçando um inesperado sorriso cheio de indulgência. — Era muito esperta, no colégio sempre ganhava prêmios. Mas tinha delírios de grandeza, desde que nasceu. Não se conformava com a própria sorte.

Não pude conter uma gargalhada e o velho ficou me olhando, desconcertado. Lily, a chilenita, a camarada Arlette, madame Robert Arnoux, Mrs. Richardson, Kuriko e madame Ricardo Somocurcio se chamava, na realidade, Otilia. Otilita. Que gozado.

— Nunca imaginei que se chamava Otilia — expliquei. — Eu a conheci com outro nome, o do marido. Madame Robert Arnoux. Na França se faz assim, quando uma mulher se casa, adota o nome e o sobrenome do marido.

— Que costumes — comentou Arquimedes, sorrindo e levantando os ombros. — Faz muito tempo que não a vê?

— Muito, sim. Nem sei se ainda está em Paris. Desde que seja a mesma pessoa, é claro. A peruana que conheci esteve em Cuba e se casou, em Havana, com um diplomata francês. Mais tarde ele a levou para viver em Paris, nos anos 1960. Lá nos encontramos pela última vez, há quatro ou cinco anos. Lembro que falava muito de Miraflores, dizia que tinha passado a infância no bairro.

O velho fez que sim. Em seu olhar aquoso, a nostalgia tomava o lugar da fúria. Segurava no ar o copo de cerveja e soprava a espuma da beirada, devagarzinho, igualando-a.

— É ela mesmo — afirmou várias vezes com a cabeça enquanto coçava o nariz. — Otilita morou em Miraflores ainda criança, porque a mãe trabalhava como cozinheira de uma família que vivia lá. A família Arenas.

— Na rua La Esperanza? — perguntei.

O velho confirmou, cravando os olhos em mim, surpreso.

— Também sabe isso? Como é que sabe tantas coisas da Otilita?

Pensei: "Como reagiria se eu lhe dissesse: 'Porque ela é minha mulher'?".

— Bem, já disse. Sua filha sempre se lembrava de Miraflores e da casa na rua La Esperanza. É um bairro onde eu também morei, quando menino.

Atrás do balcão, a negra de bobes acompanhava os compassos incertos dos Shapis balançando a cabeça de um lado para o outro. Arquimedes tomou um longo gole, e um círculo de espuma se desenhou ao redor dos seus lábios afundados.

— Desde miudinha Otilita se envergonhava de nós — disse, enfurecendo-se outra vez. — Ela queria ser como os brancos e os ricos. Era uma menina arrogante, cheia de manhas. Bastante esperta, mas muito atrevida. Não é qualquer um que se muda para o estrangeiro sem um tostão, como ela fez. Uma vez ganhou um concurso, na Rádio América. Imitando os mexicanos, os chilenos, os argentinos. E só tinha uns nove ou dez anos, acho. Como prêmio, ganhou um par de patins. Depois conquistou a tal família onde a mãe trabalhava como cozinheira. Os Arenas. Ganhou o coração deles, acredite. Era tratada como uma menina da casa. Deixavam que fosse amiga da filha. Acabaram por estragá-la, ficou com vergonha de ser filha da própria mãe e do próprio pai. Quer dizer, desde então já se via que ia ser ingrata quando crescesse.

De repente, a essa altura da conversa, comecei a me cansar. O que estava fazendo aqui, metendo o nariz nessas intimidades sórdidas? O que mais você queria saber, Ricardito? Para quê? Comecei a buscar um pretexto para me despedir, porque, de repente, o Chim Pum Callao se transformara numa prisão. Arquimedes continuava falando da sua família. Tudo o que ele contava me deprimia e entristecia ainda mais. Pelo visto, tinha um monte de filhos, de três mulheres diferentes, "todos reconhecidos". Otilita era a filha primogênita de sua primeira mulher, já falecida. "Dar de comer a doze bocas é de matar", repetia, com uma expressão resignada. "Eu vivia moído. Não sei como ainda tenho forças para continuar ganhando o meu pão, moço." De fato, parecia acabado e frágil. Só os olhos, vivos e bem-dispostos, demonstravam vontade de continuar; o resto do seu corpo parecia vencido e acovardado.

Deviam ter transcorrido pelo menos duas horas desde que entramos no Chim Pum Callao. Todas as mesas, exceto a nossa, estavam vazias. A proprietária desligou o rádio, insinuando que era hora de fechar. Pedi a conta, paguei e, ao sair à rua, pedi a Arquimedes que aceitasse de presente uma nota de cem dólares.

— Se alguma vez você tornar a ver a Otilita lá em Paris, diga a ela que se lembre do pai e que não seja uma filha tão má, porque na outra vida pode receber um castigo — o velho estendeu a mão.

Ficou olhando para a nota de cem dólares como se fosse um objeto caído do céu. Achei que ia chorar de emoção. Balbuciou: "Cem dólares! Deus lhe pague, moço". Pensei: "E se eu dissesse: 'Você é meu sogro, Arquimedes, imagine'?".

Quando, depois de algum tempo, apareceu na própria praça José Gálvez um táxi meio desmantelado que parei com um gesto, uma nuvem de moleques esfarrapados me rodeava, com as mãos esticadas, pedindo esmola. Pedi ao motorista que me levasse à rua La Esperanza, em Miraflores.

Durante o longo trajeto naquela lata-velha fumegante e sacolejante, lamentei ter começado aquela conversa com Arquimedes. Fiquei acabrunhado até os ossos pensando no que devia ter sido a infância de Otilita naquela periferia do Callao. Mesmo sabendo que seria impossível captar uma realidade tão distante da vida miraflorense que me coube viver, eu a imaginava ainda criança, na promiscuidade e na imundície daqueles barracões improvisados às margens do Rímac — passando por lá, o táxi se encheu de moscas — onde as moradias se confundiam com pirâmides de lixo acumulado sabe-se lá desde quando, e na escassez, na precariedade, na insegurança de cada dia, até que, sorte providencial, a mãe conseguiu aquele emprego de cozinheira numa família de classe média, num bairro residencial, para onde conseguira arrastar sua filha mais velha. Imaginava todas as manhãs, os dengos, as gracinhas que Otilita, menina dotada de um instinto excepcionalmente desenvolvido para a sobrevivência e a adaptação, foi usando até conquistar os donos da casa. Primeiro, devem ter rido dela; depois, ficaram encantados com a vivacidade da filha da cozinheira. Davam a ela os sapatinhos e vestidinhos que iam ficando pequenos na verdadeira menina da casa, Lucy, a outra chilenita. Dessa maneira, a filhinha de Arquimedes deve ter subido, conseguido um lugarzinho na família Arenas. Até conquistar, afinal, o direito de poder brincar e sair, de igual para igual, como uma amiga, como uma irmã, com a menina da casa, embora esta frequentasse um colégio particular e ela, uma escolinha pública. Agora, sim, ficava claro, depois de trinta anos, por que a chilenita Lily da minha infância não queria ter namorado nem levava ninguém à sua casa na rua La Esperanza. E, principalmente, ficava claríssimo por que decidira fazer aquela encenação, desperuanizar-se, transubstanciar-se numa chilenita para ser admitida em Miraflores. Fiquei enternecido, com os olhos rasos de lágrimas. Estava louco de impaciência para ter a minha mulher nos braços de novo, queria acariciá-la, mimá-la, pedir desculpas pela infância que passara, fazer-lhe cócegas, contar piadas, bancar o palhaço para ouvi-la rir, prometer que nunca mais voltaria a sofrer.

 A rua La Esperanza não tinha mudado tanto. Percorri-a duas vezes, da avenida Larco até o Zanjón, ida e volta. A livraria Minerva continuava na esquina em frente ao Parque Central, mas atrás do balcão já não estava, atendendo aos clientes, aquela senhora italiana de cabelos brancos, sempre muito séria, viúva de José Carlos Mariátegui. Não existiam mais o Gambrinus, o restaurante alemão, nem a loja de fitas e botões onde eu às vezes ia fazer compras com minha tia Alberta. Mas o edifício de três andares em que as chilenitas moravam continuava lá. Estreito, apertado entre uma casa e um outro edifício, desbotado, suas varandinhas com balaustradas de madeira, parecia pobre e antiquado. Nesse apartamento de quartos estreitos e escuros, naquele vão ao lado da cozinha que devia ser o quarto de serviço onde sua mãe abria um colchão toda noite no chão, Otilita devia ser imensamente menos infeliz que na casa de Arquimedes. E talvez tenha sido aqui mesmo, quando ainda era uma molequinha impúbere, que tomou a temerária decisão de fazer o que fosse necessário para deixar de ser Otilita, a filha da cozinheira e do construtor de quebra-mares, fugir para sempre daquela armadilha, cárcere e maldição que o Peru representava para ela, partir para longe e ser rica — principalmente isso: rica, riquíssima —, mesmo que tivesse de fazer as piores travessuras, correr os riscos mais temíveis, qualquer coisa, até mesmo se transformar numa mulherzinha fria, insensível, calculista, cruel. Só atingira esse objetivo durante breves períodos, e pagou muito caro por isso, deixando pedaços da sua pele e da sua alma pelo caminho. Quando pensei nela, no pior período de suas crises, sentada na privada, tremendo de medo, segurando a minha mão, tive de fazer um esforço para não chorar. É claro que você tinha razão, menina má, em não querer voltar ao Peru, em odiar o país que evocava tudo aquilo que você tinha aguentado, sofrido e feito para escapar de lá. Você fez muito bem em não me acompanhar nesta viagem, meu amor.

Dei um longo passeio pelas ruas de Miraflores seguindo os itinerários da minha juventude: o Parque Central, a avenida Larco, o Parque Salazar, os cais. Meu peito parecia apertado devido à urgência de vê-la, de ouvir sua voz. Naturalmente, nunca diria a ela que conheci seu pai. Naturalmente, jamais lhe confessaria que sabia seu nome verdadeiro. Otilia, Otilita, que gozado, não combinava de jeito nenhum. Naturalmente, eu me esqueceria de Arquimedes e de tudo o que tinha ouvido naquela manhã.

Quando cheguei à sua casa, tio Ataúlfo já estava deitado. A velhinha Anastasia me deixara comida servida na mesa, com um guardanapo em cima para manter o calor. Provei uma garfada, e quando me levantei fui me isolar na sala. Eu relutava em fazer um telefonema internacional, porque sabia que o tio Ataúlfo não me deixaria pagar, mas tinha tanta necessidade de falar com a menina má, de ouvir sua voz, de dizer que sentia saudades, que já estava decidido. Sentado na poltrona em que o tio Ataúlfo lia seus jornais, no canto ao lado da mesinha do telefone, com a sala às escuras, fiz a ligação. O aparelho tocou várias vezes e ninguém atendeu. A diferença de horas, é claro! Em Paris eram quatro da madrugada. Mas, justamente, era impossível que a chilenita — Otilia, Otilita, que gozado — não ouvisse o telefone tocar. Ficava na mesinha de cabeceira, ao lado da sua orelha. E ela tinha um sono muito leve. A única explicação seria que estivesse numa daquelas viagens de trabalho que Martine lhe arranjava. Fui para o meu quarto arrastando os pés, frustrado e entristecido. Naturalmente, não consegui fechar os olhos, porque cada vez que sentia o sono chegar, acordava, sobressaltado e lúcido, vendo o rosto de Arquimedes desenhar-se nas sombras, olhando debochado para mim e repetindo o nome de sua filha mais velha: Otilita, Otilia. Seria possível que... Não, que ideia idiota, um ataque ridículo de ciúmes num cinquentão. Outra brincadeira, para deixar você nervoso, Ricardito? Impossível, como ela poderia suspeitar que você ia telefonar logo hoje, a esta hora da noite. A explicação lógica era que não estava em casa porque tinha viajado a trabalho, para Biarritz, Nice, Cannes, uma dessas cidades-balneário em que se realizavam convenções, reuniões, encontros, casamentos e todos os outros pretextos que os franceses arranjam para comer e beber como glutões.

Continuei telefonando nos três dias seguintes e ela não atendeu. Consumido de ciúmes, não vi mais nada, nem ninguém, só contava os dias eternos que faltavam para tomar meu avião de volta para a Europa. Tio Ataúlfo notou meu nervosismo, por mais que eu exagerasse nos esforços para parecer normal, ou talvez justamente por isso. Ele se limitou a perguntar duas ou três vezes se eu não me sentia bem, porque quase não comi nada nem aceitei um convite do gentil Alberto Lamiel para jantar e depois ouvir minha cantora preferida, Cecília Barraza, num bar de música folclórica.

No quarto dia retornei a Paris. Tio Ataúlfo escreveu uma carta de próprio punho para a menina má, pedindo desculpas por ter roubado seu marido durante duas semanas, mas, acrescentava, essa visita do sobrinho tinha sido milagrosa, porque o ajudara a atravessar um período difícil e lhe trouxera uma vasta longevidade. Não dormi, não comi durante as quase dezoito horas que durou o voo, por causa de uma longuíssima escala do avião da Air France em Pointe-à-Pitre, para consertar um defeito. O que me esperaria dessa vez, ao abrir a porta do apartamento na École Militaire? Outra cartinha da menina má, dizendo, com a frieza de antigamente, que decidiu ir embora porque já estava farta daquela vida enfadonha de dona de casa pequeno-burguesa, cansada de preparar cafés da manhã e arrumar camas? Será que poderia continuar com essas gracinhas, na sua idade?

Não. Quando abri a porta do apartamento na rue Joseph Granier — minha mão tremia, quase não consegui encaixar a chave na fechadura —, lá estava ela, à minha espera. Abriu os braços com um amplo sorriso:

— Finalmente! Já estava me cansando de ficar tão sozinha e abandonada.

Estava vestida para ir a uma festa, com um modelo muito decotado e ombros nus. Quando perguntei a que se devia tanta elegância, disse, mordiscando meus lábios:

— Por sua causa, bobinho. Estou esperando você desde a manhãzinha, ligando para a Air France o tempo todo. Disseram que seu avião ficou várias horas em Guadalupe. Quero ver como foi tratado em Lima. Parece que voltou com mais fios brancos. De tantas saudades de mim, imagino.

Estava contente por me ver, e eu me senti aliviado e envergonhado. Perguntou se queria beber, comer alguma coisa e, como me viu bocejar, empurrou-me para o quarto: "Vá, durma um pouco, eu cuido da sua mala". Tirei os sapatos, a calça e a camisa e, fingindo dormir, observei-a com os olhos entrecerrados. Ia retirando as coisas da mala devagar, concentrada no que fazia, com muita ordem. Separava a roupa suja numa sacola para depois levar à lavanderia. Arrumava cuidadosamente a roupa limpa no armário. As meias, os lenços, o terno, a gravata. De vez em quando dava uma espiada na cama e me parecia que sua expressão se tranquilizava quando me via. Tinha quarenta e oito anos, e ninguém diria, vendo sua silhueta de modelo. Estava muito bonita com aquele vestido verde-claro, que mostrava seus ombros e parte das costas, e maquiada com muito esmero. Movia-se devagar, com graça. Em dado momento se aproximou de mim — fechei totalmente os olhos e entreabri a boca, fingindo dormir — e senti que me cobria com a colcha. Podia ser uma farsa tudo aquilo? Nunca na vida. Mas por que não? Com ela, a vida podia a qualquer momento tornar-se teatro, ficção. Será que eu devia perguntar por que não tinha atendido o telefone nesses últimos dias? Averiguar se fizera alguma viagem de trabalho? Ou seria melhor esquecer o assunto e mergulhar naquela terna mentira da felicidade doméstica? Eu sentia um cansaço infinito. Mais tarde, quando estava começando a cair no sono de verdade, senti que se deitava ao meu lado. "Que boba, acordei você". Estava virada para mim, e com a mão acariciava meu cabelo. "Você está ficando cheio de cabelos brancos, velhinho", riu. Havia tirado o vestido e os sapatos, e a anágua que usava era de um tom trigueiro claro, parecido com o da sua pele.

— Senti saudades — disse de repente, ficando séria. Cravou em mim seus olhos cor de mel de um modo que me lembrou, subitamente, o olhar fixo do construtor de quebra-mares. — Não conseguia dormir de noite, pensando em você. Quase todas as noites me masturbei, imaginando que você me fazia gozar com a boca. Uma noite chorei, pensando que alguma coisa ruim podia acontecer com você, uma doença, um acidente. Que iria me ligar para dizer que decidira ficar em Lima com uma peruanita e que eu não o veria nunca mais.

Nossos corpos não se tocavam. Ela ainda estava com a mão na minha cabeça, mas agora passava as pontas dos dedos nas sobrancelhas, na boca, para comprovar que estavam mesmo ali. Seus olhos continuavam muito sérios. Havia no fundo das pupilas um brilho aquoso, como se estivesse reprimindo a vontade de chorar.

— Uma vez, há muitos anos, neste mesmo quarto, você me perguntou o que era a felicidade para mim, lembra, bom menino? E eu disse que era o dinheiro, encontrar um homem poderoso e muito rico. Estava errada. Agora sei que, para mim, a felicidade é você.

E nesse momento, quando eu ia abraçá-la porque seus olhos estavam cheios de lágrimas, soou a campainha do telefone, sobressaltando-nos.

— Ah, por fim! — exclamou a menina má, levantando o fone. — O maldito telefone. Consertaram. *Oui, oui, monsieur. Ça marche très bien, maintenant! Merci.*

Antes que desligasse, eu havia pulado sobre ela e a abraçava, apertando-a com todas as minhas forças. Beijava-a com fúria, com ternura, minha voz se atropelava quando disse:

— Sabe o que é o mais bonito, o que mais me alegrou de todas essas coisas que você disse, chilenita? *"Oui, oui, monsieur. Ça marche très bien, maintenant"*.

Ela deu uma risada e murmurou que era a breguice menos romântica de todas as que eu já lhe dissera. Enquanto a despia e me despia, disse no seu ouvido, sem parar de beijá-la um instante: "Telefonei para você durante quatro dias seguidos, todas as horas, de noite, ao amanhecer, e como você não atendia fiquei louco de desespero. Não comi, não vivi, até ver que você não tinha ido embora, que não estava com um amante. A vida voltou ao meu corpo, menina má". Senti que ela se contorcia de gargalhadas. Quando me forçou com as duas mãos a afastar o rosto para olhar nos meus olhos, o riso ainda a impedia de falar. "Estava mesmo louco de ciúmes? Que grande notícia, ainda está apaixonado por mim feito um bezerro, bom menino". Foi a primeira vez que fizemos amor sem parar de rir.

Afinal, adormecemos, amalgamados e felizes. No meio do sono, de vez em quando eu abria os olhos para vê-la. Nunca mais seria tão feliz como agora, jamais voltaria a me sentir tão pleno. Acordamos já de noite e, depois de tomar um banho e vestir-nos, levei a menina má para jantar no La Closerie de Lilas, onde, como dois amantes em lua de mel, conversamos baixinho, olhando-nos nos olhos, de mãos dadas, sorrindo, beijando-nos, enquanto tomamos uma garrafa de champanhe. "Diga alguma coisa bonita", pedia ela, de vez em quando.

Saindo do La Closerie de Lilas, na pracinha onde a estátua do Marechal Ney ameaça as estrelas com seu sabre, à beira da *avenue* de l'Observatoire, vimos dois *clochards* sentados num banco. A menina má parou e apontou:

— É esse, o da direita, o *clochard* que salvou a sua vida naquela noite, na Ponte Mirabeau, certo?

— Não, acho que não foi esse.

— Foi, sim — sapateou ela, zangada, ansiosa. — É ele, diga que é ele, Ricardo.

— É sim, sim, foi ele, tem razão.

— Então me dê todo o dinheiro que tem na carteira — ordenou. — As notas e as moedas também.

Fiz o que pedia. Ela, então, dirigiu-se aos dois *clochards* com o dinheiro na mão. Eles a fitaram como se fosse um bicho estranho, imagino, porque estava muito escuro para ver suas caras. Vi como, inclinada sobre um deles, a menina má lhe dirigiu a palavra, entregou o dinheiro e finalmente, para minha surpresa, beijou o *clochard* nas bochechas. Depois veio em minha direção, sorrindo como uma criança que acaba de fazer uma boa ação. Apertou meu braço e recomeçamos a andar pelo Boulevard de Montparnasse. Até a École Militaire seria meia hora de caminhada. Mas não fazia frio e não ia chover.

— Esse *clochard* vai pensar que teve um sonho, que caiu uma fada do céu. O que você lhe disse?

— Muito obrigado, senhor *clochard*, por ter salvado a vida da minha felicidade.

— Está virando breguinha você também, menina má — beijei seus lábios. — Diga outra, outra, por favor.

VII. Marcella em Lavapiés

Há cinquenta anos, o bairro madrileno de Lavapiés, antigo enclave de judeus e mouriscos, ainda era considerado um dos mais autênticos de Madri, onde ainda se viam, como curiosidades arqueológicas, o *chulapo,* a *chulapa* e outros personagens das zarzuelas, valentões de colete, boina, lenço no pescoço e calças justas, e as manolas com seus vestidos de bolinhas, brincos grandes, sombrinhas e lenços prendendo suas cabeleiras em coques esculturais.

Quando vim morar em Lavapiés, em 1987, o bairro havia mudado de tal maneira que às vezes eu me perguntava se naquela Babel ainda restava algum madrileno de raiz ou todos os moradores, como Marcella e eu, eram madrilenos importados. Os espanhóis do bairro eram provenientes de todos os cantos da Espanha e com seus sotaques e sua variedade de tipos físicos contribuíam para dar à miscelânea de raças, línguas, sotaques, costumes, trajes e nostalgias de Lavapiés o aspecto de um microcosmo. Toda a geografia humana do planeta parecia representada no seu punhado de quadras.

Ao descer à rua da Ave María, onde morávamos no terceiro andar de um edifício descolorido e deteriorado, já se estava numa Babilônia em que conviviam mercadores chineses e paquistaneses, lavanderias e lojas indianas, salões de chá marroquinos, bares cheios de sul-americanos, narcotraficantes colombianos e africanos e, por toda parte, em grupos nos saguões e nas esquinas, uma grande quantidade de romenos, iugoslavos, moldávios, dominicanos, equatorianos, russos e asiáticos. As famílias espanholas do bairro se opunham às transformações mantendo os velhos costumes, como as conversas entre duas varandas, roupas penduradas em cordas esticadas nos beirais e nas janelas, e, aos domingos, a ida dos casais, eles de gravata e elas de preto, à missa da igreja de San Lorenzo, na esquina das ruas Dr. Piga e Salitre.

Nosso apartamento era menor que o meu antigo, na rue Joseph Granier, ou assim me parecia, porque vivia entupido com os modelos em papelão, papel e madeira balsa dos cenários de Marcella que, como os soldadinhos de chumbo de Salomón Toledano, invadiam os dois quartinhos e até a cozinha e o banheiro da casa. Apesar de tão diminuto, e de estar repleto de livros e discos, não provocava claustrofobia graças às janelas que davam para a rua e nos traziam a vivíssima luz branca de Castela, tão diferente da parisiense, e uma varandinha, onde podíamos, de noite, puxar uma mesa e jantar sob as estrelas de Madri, que existem, apesar de borradas pelo reflexo das luzes da cidade.

Marcella conseguia trabalhar no chão, deitada na cama quando desenhava, ou sentada no tapete afegão da sala de jantar, quando armava os seus modelos com pedaços de papelão, tabuinhas, borracha, cola, cartolina e lápis de cor. Eu preferia trabalhar nas traduções encomendadas pelo editor Mario Muchnik num barzinho ao lado, o Bar Barbieri, onde passava várias horas por dia traduzindo, lendo e observando a fauna que frequentava o bar e que nunca me aborrecia, porque encarnava todo o multicolorido desta Arca de Noé no coração da velha Madri.

O Bar Barbieri ficava na própria rua da Ave María e parecia — como disse Marcella na primeira vez que me levou lá, e ela entendia dessas coisas — um cenário expressionista de Berlim dos anos 1920, ou uma gravura de Grosz ou de Otto Dix, com suas paredes lascadas, seus cantos escuros, seus medalhões de damas romanas no forro do teto e seus cubículos misteriosos onde, pelo aspecto, seria possível cometer crimes sem que os outros fregueses soubessem, apostar quantias enlouquecidas em jogos de pôquer cheios de ameaças e brilhos de faca, ou celebrar missas negras. Era enorme, anguloso, com cantos escuros, tetos sombrios com teias de aranha prateadas, mesinhas raquíticas e cadeiras bambas, bancos e estantes a ponto de desmoronar, de tão gastos. Um lugar escuro, fumacento, sempre cheio de gente que parecia fantasiada, uma massa de extras de comédia bufa esperando, nos bastidores, a hora de entrar em cena. Eu gostava de me sentar numa mesinha ao fundo que recebia um pouco mais de luz e que, em vez de cadeiras, tinha uma poltrona bastante cômoda, forrada de um veludo que algum dia foi avermelhado e agora estava se desintegrando com os buracos das queimaduras de cigarro e o roçar de tantos traseiros. Uma das minhas distrações, toda vez que entrava no Bar Barbieri, era identificar os idiomas que ouvia desde a porta até a mesa do fundo, e um dia contei meia dúzia nessa brevíssima trajetória de uns trinta metros.

As garçonetes e garçons também representavam a diversidade do bairro: suecos, belgas, americanos, marroquinos, equatorianos, peruanos etc. Eram sempre diferentes, porque deviam ser mal pagos e os clientes os mantinham o tempo todo, durante as oito horas que trabalhavam, em dois turnos, trazendo e levando cervejas, cafés, chás, chocolates, taças de vinho e sanduíches. Assim que me viam sentado à mesa habitual, com meus cadernos, canetas e o livro que estava traduzindo, vinham trazer meu cafezinho pingado e uma garrafa de água mineral sem gás.

Nessa mesinha folheava os jornais da manhã e, à tarde, quando me cansava de traduzir, ficava lendo, não mais por trabalho e sim por prazer. Os três livros que tinha traduzido, de Doris Lessing, Paul Auster e Michel Tournier, não exigiram grande esforço, mas também não me diverti muito vertendo-os para o espanhol. Esses autores estavam na moda, mas os romances que me deram para traduzir não eram os melhores que tinham escrito. Como sempre suspeitei, as traduções literárias são pessimamente remuneradas, muito pior que as comerciais. Mas eu não tinha mais condições de fazer estas últimas porque, devido ao meu cansaço mental, quando fazia um esforço maior de concentração progredia muito lentamente. De qualquer maneira, aqueles parcos rendimentos me permitiam ajudar Marcella nas despesas da casa e não me sentir dependente. Meu amigo Muchnik tentara me ajudar a conseguir alguma tradução do russo — era o que mais me interessava —, e estivemos a ponto de convencer um editor a publicar *Pais e Filhos* de Turguêniev, ou o estremecedor *Réquiem* de Anna Ajmátova, mas não fomos bem-sucedidos, porque a literatura russa ainda interessava pouco aos leitores espanhóis e hispano-americanos, e a poesia ainda menos.

Não sei dizer se gostava ou não de Madri. Conhecia pouco os outros bairros da cidade, e só me aventurava neles quando ia a um museu ou a espetáculos com Marcella. Mas me sentia à vontade em Lavapiés, apesar de ter sido assaltado nestas ruas, pela primeira vez na vida, por dois árabes que roubaram meu relógio, um moedeiro com trocados e minha caneta Mont Blanc, meu último luxo. Na verdade, aqui eu me sentia em casa, imerso numa vida fervilhante. Às vezes, de tarde, Marcella vinha me buscar no Barbieri e íamos dar uma volta pelo bairro, que cheguei a conhecer como a palma da minha mão. Sempre descobria alguma curiosidade ou extravagância. Por exemplo, a loja telefônica do boliviano Alcérreca que, para atender melhor aos seus clientes africanos, tinha aprendido a falar *swahili*. Quando passavam algo interessante, íamos à Filmoteca ver um filme clássico.

Nesses passeios, Marcella falava sem parar e eu ouvia. Só intervinha muito de vez em quando, para deixá-la respirar e, com alguma pergunta ou observação, incentivá-la a continuar me contando em que projeto gostaria de estar. Às vezes eu não prestava muita atenção no que ela me dizia, concentrado em como o dizia: com paixão, fantasia, convicção e alegria. Nunca conheci ninguém que se entregasse à sua vocação de forma tão total — tão fanática, diria, se a palavra não tivesse reminiscências tenebrosas —, nem que soubesse de maneira tão excludente o que queria fazer na vida.

Tínhamos nos conhecido três anos antes, em Paris, numa clínica de Passy onde eu fora fazer uns exames e ela visitar uma amiga recém-operada. Na meia hora que conversamos na sala de espera, falou com tanto entusiasmo de uma peça de Molière, *O Burguês Fidalgo*, cujo cenário ela tinha feito num teatrinho de Nanterre, que fui assistir. Encontrei Marcella no teatro e, no final da sessão, convidei-a para tomar alguma coisa num bistrô ao lado da estação do metrô.

Agora fazia dois anos e meio que vivíamos juntos, o primeiro em Paris e depois em Madri. Marcella era italiana, vinte anos mais jovem que eu. Estudou arquitetura em Roma para agradar seus pais, ambos arquitetos, e desde estudante começou a trabalhar com cenografia teatral. Seus pais ficaram ressentidos por ela não exercer a arquitetura e passaram alguns anos distanciados. Afinal se reconciliaram, quando entenderam que não se tratava de um capricho da filha e sim de uma verdadeira vocação. Às vezes ela ficava uma temporada com os pais, em Roma, e, como ganhava pouco — era a pessoa mais trabalhadora do mundo, mas os cenários que lhe encomendavam eram pequenos, quase sempre em teatros marginais, e lhe rendiam muito pouco, às vezes nada —, seus pais, que estavam bem de vida, vez por outra lhe mandavam uns vales-postais que lhe permitiam dedicar seu tempo e sua energia ao teatro. Não fizera sucesso na carreira, mas isso não lhe importava muito, porque tinha — e eu também — certeza absoluta de que mais cedo ou mais tarde o mundo do teatro da Espanha, da Itália e de toda a Europa terminaria reconhecendo o seu talento. Falava muitíssimo, gesticulando como uma italiana de caricatura, mas nunca me aborrecia. Eu ficava embevecido ouvindo-a descrever as ideias que esvoaçavam em sua cabeça para revolucionar os cenários de *O Jardim das Cerejeiras, Esperando Godot, Arlequim, Servidor de Dois Patrões* ou *A Celestina*. Mais de uma vez foi contratada para fazer cinema, como assistente de cenografia, e poderia conquistar seu espaço nesse meio, mas gostava de teatro e não estava disposta a sacrificar sua vocação, embora fosse mais difícil conseguir alguma coisa trabalhando em peças de teatro que em filmes ou programas de televisão. Graças a Marcella, aprendi a ver os espetáculos com outros olhos, a prestar uma atenção cuidadosa não só nas histórias e nos personagens, mas também nos lugares, na luz que os banhava e nas coisas que os rodeavam.

Ela era miúda e tinha cabelo claro, olhos verdes, um sorriso alegre e uma pele muito branca e tersa. Exalava dinamismo. Estava sempre vestida de qualquer maneira, a maior parte do tempo de sandálias, jeans e uma túnica gasta, e usava óculos para ler e ir ao cinema, umas lentes minúsculas, sem armação, que davam um jeito meio de palhaço à sua expressão. Era dada, espontânea, generosa, capaz de dedicar muito tempo a trabalhos sem importância, como uma representação única de uma comédia de Lope de Vega pelos alunos de um colégio, a cujo cenário de quatro cacarecos e duas lonas pintadas ela se dedicava com a mesma obstinação de um cenógrafo que fosse trabalhar pela primeira vez na Ópera de Paris. A satisfação recompensava com juros o pouco ou quase nada que aquela aventura lhe rendia. Se a definição "trabalhar por amor à arte" cabia em alguém, esse alguém era Marcella.

Menos de um décimo das maquetes que entulhavam o nosso apartamento havia subido algum dia num palco. A maioria delas se frustrou por falta de financiamento, ideias que teve ao ler uma peça que lhe agradou e para a qual concebeu um cenário que não passou do desenho e da maquete. Nunca discutia os honorários quando a contratavam, e era capaz de rejeitar um projeto importante se o diretor ou o produtor parecessem meio fariseus, pouco interessados no aspecto estético e só atentos ao mercantil. Em compensação, quando aceitava uma encomenda — geralmente de grupos de vanguarda, sem acesso aos teatros tradicionais —, ela se entregava de corpo e alma. Não se esforçava apenas para fazer bem o seu trabalho, colaborava em todo o resto, ajudando os colegas a conseguir patrocínio, encontrar local, pedir doações e empréstimos de móveis e vestuário, e trabalhava ombro a ombro com carpinteiros e eletricistas, ou, se fosse preciso, até mesmo varrendo o palco, vendendo entradas e recebendo o público. Eu sempre ficava maravilhado ao vê-la tão dedicada ao seu trabalho, a tal ponto que precisava lembrar a ela, nesses períodos de febre, que um ser humano não vive só de cenários teatrais, mas também de comer, dormir e se interessar um pouco pelas outras coisas da vida.

Nunca entendi por que Marcella estava comigo, o que eu acrescentava em sua vida. Podia ajudá-la muito pouco naquilo que mais lhe interessava no mundo, o seu trabalho. Eu tinha aprendido com ela tudo o que sabia de cenografia teatral, e as opiniões que podia dar eram supérfluas porque, como todo autêntico criador, ela sabia muito bem o que queria fazer sem necessidade de assessoria. Eu apenas podia ser um ouvido atento toda vez que ela precisasse derramar em voz alta o jorro de imagens, possibilidades, alternativas e dúvidas que a assaltavam quando embarcava num projeto. Eu a ouvia com inveja, durante o tempo que fosse preciso. Ia com ela consultar gravuras e livros na Biblioteca Nacional, visitávamos artesãos e antiquários, dávamos o tradicional passeio dominical pelo Rastro. E não fazia isso só por carinho, mas porque o que ela dizia era sempre inovador, surpreendente, às vezes genial. Ao seu lado, eu aprendia alguma coisa nova todo dia. Nunca iria imaginar, antes de conhecê-la, que, embora sempre discretos, o cenário, a iluminação, a presença ou a ausência do objeto mais comum, uma vassoura, um simples vaso de flores, podem influir de maneira tão determinante numa história teatral.

A diferença de vinte anos entre nós não parecia preocupá-la. A mim, sim. Sempre pensava que a nossa boa relação se empobreceria quando eu chegasse aos sessenta e ela ainda fosse uma mulher jovem. Então se apaixonaria por alguém da sua idade. E iria embora. Era atraente. Apesar de cuidar pouco do seu físico, na rua os homens a seguiam com os olhos. Um dia me perguntou enquanto estávamos fazendo amor: "Você se importaria de ter um filho?". Não. Se ela quisesse, eu adoraria. Mas logo me veio a angústia. Por que tive essa reação? Talvez porque, dadas as minhas aventuras e desventuras de tantos anos com a menina má, aos cinquenta e poucos anos eu não conseguia acreditar na perenidade de um casal, mesmo nós dois, que funcionávamos sem altos e baixos. Não era absurda essa dúvida? Nós nos dávamos tão bem que, durante os dois anos e meio que estivemos juntos, não tivemos uma briga. Pequenas discussões e zangas passageiras, no máximo. Mas nada que pudesse se assemelhar a uma ruptura. "Que bom que você não se importa", disse Marcella nesse dia. "Não perguntei isso para termos um *bambino* agora, só depois de fazer algumas coisas importantes." Falava de si mesma que, sem dúvida, no futuro faria coisas dignas desse qualificativo. Eu me daria por satisfeito se Mario Muchnik me conseguisse, nos anos seguintes, algum livro russo para traduzir que me exigisse muito esforço e entusiasmo, algo mais criativo que aqueles romances *light* que se apagavam da minha memória na mesma velocidade em que os reescrevia em espanhol.

 Sem a menor dúvida, ela estava comigo porque me amava; não havia nenhuma outra razão. Eu, aliás, era em certa medida um peso econômico para ela. Como pôde se apaixonar por mim, sendo eu um sujeito mais velho que ela, nada bonito, sem vocação, um pouco diminuído nas minhas faculdades intelectuais e cuja única finalidade na vida tinha sido, desde criança, passar a vida em Paris? Quando contei a Marcella que essa era a minha única vocação, deu uma risada: "Bem, *caro*, você conseguiu. Deve estar contente, porque morou em Paris a vida toda". Dizia isso com carinho, mas suas palavras me soaram um pouco sinistras.

 Marcella se preocupava comigo mais do que eu mesmo: que tomasse os comprimidos para a pressão, que caminhasse pelo menos meia hora por dia, que não excedesse as duas ou três taças diárias de vinho. E sempre repetia que, quando ela conseguisse um bom projeto, gastaríamos o dinheiro fazendo uma viagem ao Peru. Ela, antes que Cuzco e Machu Picchu, queria conhecer o bairro limenho de Miraflores de que eu tanto falava. Eu dava corda, mas, no fundo, sabia que nunca iríamos fazer essa viagem, pois me encarregaria de adiá-la até o infinito. Não queria voltar ao Peru. Desde a morte do tio Ataúlfo, meu país estava esmaecido para mim como uma miragem nas areias do deserto. Não tinha mais parentes nem amigos por lá, e até as lembranças da minha juventude estavam se esfumando.

Soube da morte do tio Ataúlfo várias semanas depois de acontecer, quando já estava morando em Madri há uns seis meses, por uma carta de Alberto Lamiel. Marcella trouxe o envelope ao Barbieri e, mesmo esperando receber essa notícia a qualquer hora, fiquei extremamente abalado. Parei de trabalhar e fui andar feito um sonâmbulo pelas ruas do Retiro. Desde a minha última viagem ao Peru, no final de 1984, nós nos escrevíamos todos os meses, e acompanhei passo a passo, na sua letra tremida, que eu precisava decifrar como um paleógrafo, os desastres econômicos que a política de Alan García provocava no Peru, a inflação, as nacionalizações, a ruptura com os organismos de crédito, o controle de preços e do câmbio, a queda da taxa de emprego e do nível de vida. As cartas do tio Ataúlfo revelavam sua amargura enquanto esperava a morte. Tinha morrido durante o sono. Alberto Lamiel também contava que estava tentando ir para Boston onde, graças aos pais de sua mulher americana, tinha oportunidades de trabalho. Dizia que se sentia um imbecil por ter acreditado nas promessas de Alan García, em quem votara nas eleições de 1985, como fizeram tantos profissionais liberais incautos. Acreditando na palavra do presidente de que não mexeria com isso, conservou os certificados em dólares onde depositara todas as suas economias. Quando o novo mandatário decretou a conversão obrigatória dos certificados em divisas por sóis peruanos, o patrimônio de Alberto se dissolveu. Foi o começo de uma sucessão de reveses. A melhor coisa que podia fazer era "seguir o seu exemplo, tio Ricardo, e partir em busca de melhores horizontes, porque neste país não é mais possível trabalhar sem estar conchavado com o governo".

Esta foi a última notícia que tive das coisas do Peru. Depois disso, como não via praticamente nenhum peruano em Madri, só ficava sabendo do que acontecia por lá nas pouquíssimas vezes que alguma notícia se infiltrava nos jornais madrilenos, geralmente o nascimento de quíntuplos, algum terremoto ou a queda de um ônibus na Cordilheira dos Andes com trinta mortos.

Nunca contei ao tio Ataúlfo que o meu casamento tinha naufragado, de maneira que ele continuou até o fim, nas suas cartas, mandando saudações para a "minha sobrinha" e eu, nas minhas, devolvendo as dela. Não sei por que lhe ocultei o fato. Talvez porque tivesse de explicar o que havia acontecido, e qualquer explicação lhe pareceria absurda e incompreensível, como também parecia a mim.

Nossa separação aconteceu de maneira inesperada e brutal, como sempre foram os desaparecimentos da menina má. Mas dessa vez não se tratou propriamente de uma fuga, e sim de uma separação polida, conversada. Por isso mesmo entendi que, ao contrário das outras, aquela sim, era definitiva.

A lua de mel que tivemos em Paris, quando voltei de Lima, temeroso de que ela tivesse ido embora porque não atendeu minhas ligações durante três ou quatro dias, durou poucas semanas. No começo, estava carinhosa como na tarde em que me recebeu com aquelas demonstrações de amor. Consegui um contrato na Unesco por um mês, e de tarde, quando voltava para casa, ela já havia chegado do escritório e preparado o jantar. Uma noite me esperou com a luz apagada e a mesa iluminada por umas velas românticas. Depois, teve de fazer duas viagens de dois dias à Côte d'Azur, enviada por Martine, e de lá me ligava todas as noites. Que mais eu podia desejar? Tive a impressão de que a menina má chegara à idade da razão e que o nosso casamento era indestrutível.

Então, em algum momento que minha memória não consegue determinar, seu humor e suas maneiras começaram a sofrer transformações. Foi uma mudança discreta, que ela disfarçava, talvez porque ainda tivesse dúvidas, e da qual só tomei consciência retroativamente. Não me inquietei por ver que a atitude tão apaixonada das primeiras semanas ia se tornando pouco a pouco mais distante, ela sempre fora assim e o surpreendente era ter se mostrado tão efusiva. Percebi que ficava distraída durante longos períodos, perdida em reflexões que pareciam levá-la para longe do meu alcance, com o rosto tenso. Voltava assustada dessas fugas, com um sobressalto, quando eu a trazia à realidade com uma brincadeira: "*O que há com a princesa da boca de morango? Por que está tão pensativa? Estará apaixonada a princesa?*". Ela ficava vermelha e me respondia com um risinho forçado.

Uma tarde, ao voltar do antigo escritório do senhor Charnés — ele estava aposentado e decidira passar a velhice no sul da Espanha —, onde me disseram pela terceira ou quarta vez que no momento não havia trabalho para mim, quando abri a porta do apartamento da rue Joseph Granier e a vi sentada na sala, com o terninho marrom e a maleta que sempre levava nas suas viagens, entendi que estava acontecendo algo grave. Parecia alterada.

— O que há com você?

Suspirou, tomando forças — estava com olheiras azuis, seus olhos brilhavam — e, sem preâmbulos, soltou a frase que certamente tinha preparado com muita antecedência:

— Não queria ir embora sem falar com você, para que não pense que estou fugindo. — Disse de supetão, com a voz gélida que costumava usar para as execuções sentimentais. — Pelo amor de Deus, não faça uma cena nem ameace suicídio. Nenhum de nós dois está mais em idade para essas coisas. Desculpe que eu fale com tanta crueza, mas acho que é o melhor.

Caí na poltrona, em frente a ela. Senti um cansaço infinito. Tive a sensação de estar ouvindo um disco que repetia, cada vez mais deformada, a mesma frase musical.

Ela ainda estava muito pálida, mas agora sua expressão era irritada, como se o fato de estar ali dando explicações lhe provocasse um grande ressentimento contra mim.

— Você sabe que tentei me adaptar a esse estilo de vida, para fazer a sua vontade e recompensar a ajuda que me deu quando fiquei doente. — Sua frieza agora parecia estar fervendo de fúria. — Mas não aguento mais. Não é vida para mim. Se continuar com você só por compaixão, isso termina em ódio. E não quero odiar você. Tente me entender, se puder.

Ficou em silêncio, esperando que eu lhe dissesse alguma coisa, mas eu estava tão cansado que não tinha forças nem vontade de dizer nada.

— Aqui eu me sinto sufocada — acrescentou, dando uma olhada em volta. — Este quarto e sala é uma prisão, eu não suporto mais. Sei qual é o meu limite. Esta rotina, esta mediocridade estão me matando. Não quero que o resto da minha vida seja assim. Você não se importa, está contente com isso, melhor para você. Mas eu não sou assim, não sei me conformar. Eu tentei, você viu que tentei. Mas não consigo. Não vou passar o resto da vida ao seu lado só por compaixão. Desculpe eu falar com tanta franqueza. É melhor você saber a verdade e aceitá-la de uma vez, Ricardo.

— Quem é ele? — perguntei, vendo que se calava outra vez. — Pelo menos posso saber com quem você está indo embora?

— Vai fazer uma cena de ciúmes? — reagiu, indignada. E, com sarcasmo, lembrou: — Sou uma mulher livre, Ricardito. Nosso casamento foi só para tirar os documentos. Não venha me cobrar nada.

Ela me desafiava, ouriçada como um galo de briga. Agora, ao meu cansaço se somava uma sensação de ridículo. Tinha razão: já estávamos velhos demais para essas cenas.

— Vejo que está tudo decidido e não há mais nada a dizer — interrompi, levantando-me. — Vou dar uma volta, para você fazer suas malas com calma.

— Já estão prontas — respondeu, no mesmo tom exasperado.

Lamentei que ela não tivesse ido embora como das outras vezes, deixando um bilhete. Enquanto caminhava para a porta ainda ouvi às minhas costas, num tom que queria ser apaziguador:

— Não vou pedir nada do que tenho direito por ser sua mulher. Nem um centavo.

"Muita gentileza sua", pensei, fechando lentamente a porta da rua. "Mas, as únicas coisas que poderia me pedir seriam as dívidas e a hipoteca deste apartamento que, do jeito que as coisas estão, muito em breve vão executar". Quando saí, começou a chover. Não tinha levado guarda-chuva, de maneira que fui me refugiar no bar da esquina, onde fiquei um bom tempo, bebendo devagarzinho uma xícara de chá que foi esfriando até ficar insípida. Na verdade, havia nela algo que era impossível não admirar, pelos mesmos motivos que nos fazem apreciar as obras bem-feitas, mesmo que sejam perversas. Mais uma vez, ela fizera uma conquista, com todo cálculo, para obter um *status* social e econômico que lhe desse mais segurança, que a tirasse do quarto e sala carcerário da rue Joseph Granier. E agora, sem pestanejar, caía fora e me jogava na lixeira. Quem seria o galã dessa vez? Na certa alguém que conheceu graças ao seu trabalho com Martine, num daqueles congressos, reuniões e comemorações que organizavam juntas. Um bom trabalho de sedução, sem dúvida. Ela estava bem conservada, mas, de todo modo, já tinha mais de cinquenta anos. *Chapeau!* Um velhote, sem dúvida, que mataria de prazer, talvez, para herdar sua fortuna, como a heroína de *La Rabouilleuse*, de Balzac? Quando a chuva amainou, fui dar uma caminhada pelos arredores da École Militaire, para matar o tempo.

Voltei para casa em torno das onze da noite, e ela já havia saído, deixando as chaves na sala. Levou toda a sua roupa nas duas malas que tínhamos e deixou o que estava velho ou sobrando acondicionado em sacos de lixo: um tênis, uma anágua, um roupão e algumas meias e blusas, assim como muitos vidros de cremes e de maquiagem. Não mexeu nos francos que guardávamos num pequeno cofre, no armário da sala.

Alguém que ela tinha conhecido na academia da *avenue* Montaigne, talvez? Era um lugar caro, onde iam perder a barriga muitos velhinhos prósperos que podiam lhe proporcionar uma vida mais divertida e confortável. Eu sabia que o pior para mim era continuar inventando hipóteses como esta, e que, em benefício de minha saúde mental, precisava esquecê-la o mais cedo possível. Porque, dessa vez sim, a separação era definitiva, era o fim daquela história de amor. Podia-se mesmo chamar de história de amor essa palhaçada de trinta e tantos anos, Ricardito?

Consegui não pensar demais nela nos dias e semanas seguintes e, sentindo-me como um saco de ossos, pele e músculos desprovido de alma, passava o dia todo procurando trabalho. Era urgente, porque precisava enfrentar as dívidas e as despesas cotidianas, e porque sabia que a melhor maneira de superar aquele momento era me entregando com afinco a uma obrigação.

Durante dois meses só consegui traduções mal remuneradas. Por fim, um dia me chamaram para fazer uma substituição numa reunião internacional sobre direitos autorais patrocinada pela Unesco. Eu vinha sentindo nevralgias contínuas há alguns dias, que atribuí ao meu péssimo estado de ânimo e ao fato de dormir pouco. Combatia o mal-estar com analgésicos que o farmacêutico da esquina me receitava. Minha substituição do intérprete da Unesco foi um desastre. As nevralgias não me deixavam fazer o trabalho direito e, dois dias depois, tive de me render e explicar ao chefe de intérpretes o que estava ocorrendo. O médico da Previdência Social diagnosticou uma otite e me mandou consultar um especialista. Tive de ficar numa fila de várias horas no Hospital de la Salpêtrière, e voltar várias vezes, até conseguir entrar no consultório do doutor Pennau, um otorrinolaringologista que confirmou que eu estava com uma pequena infecção no ouvido e me curou em uma semana. Mas, como as nevralgias e as tonturas não passaram, decidiu me encaminhar para outro médico do mesmo hospital. Depois de me examinar, este me mandou fazer todo tipo de exames, entre os quais uma ressonância magnética. Ainda tenho uma péssima lembrança dos trinta ou quarenta minutos que passei dentro daquele tubo metálico, enterrado vivo, imóvel feito uma múmia, com os ouvidos atormentados por rajadas de ruídos ensurdecedores.

A ressonância mostrou que eu tivera um pequeno derrame cerebral. Era esta a verdadeira razão das nevralgias e das tonturas. Nada muito grave; o perigo já havia passado. Daí em diante, precisava me cuidar, fazer exercícios, alimentação equilibrada, controlar a pressão, pouco álcool e uma vida tranquila. "De aposentado", prescreveu o doutor. Meu trabalho poderia ser prejudicado por uma redução na capacidade de concentração e de memória.

Felizmente para mim, nessa época os Gravoski vieram passar um mês em Paris, dessa vez com Yilal. Ele havia crescido muito, e por sua maneira de falar e de se vestir tornara-se um verdadeiro gringo. Quando lhe contei que a menina má e eu tínhamos nos separado, fez cara de tristeza: "Por isso ela não responde às minhas cartas há tanto tempo", sussurrou.

A companhia desses amigos foi muito oportuna. Falar com eles, brincar, sair para jantar, ir ao cinema, tudo isso me devolveu um pouco de gosto pela vida. Certa noite, tomando uma cerveja na varanda de um bistrô no Boulevard Raspail, Elena disse de repente:

— Essa doida esteve por um triz de matar você, Ricardo. E ela parecia tão simpática, com todas as suas loucuras. Mas essa eu não vou perdoar. E proíbo você de aceitá-la de volta outra vez.

— Nunca mais — prometi. — Aprendi a lição. Além do mais, como agora sou um trapo em forma de gente, não há o menor risco de que ela volte a se meter na minha vida.

— Então quer dizer que os males de amor provocam derrame? — disse Simon. — É o romantismo, outra vez?

— Neste caso, sim, belga sem alma — replicou Elena. — Ricardo não é como você. Ele é romântico, um homem sensível. Essa mulher podia tê-lo matado com essa última gracinha. Eu não vou perdoá-la, juro. E espero que você, Ricardo, não seja panaca a ponto de ir atrás dela feito um cachorrinho quando aparecer de novo pedindo sua ajuda para sair de alguma encrenca.

— É evidente que você gosta mais de mim que a menina má, amiga — beijei sua mão. — Panaca, aliás, é uma palavra que combina comigo.

— Quanto a isto, estamos todos de acordo — sentenciou Simon.

— O que é panaca? — perguntou o gringuinho.

Por insistência dos Gravoski fui consultar um neurocirurgião, numa clínica particular em Passy. Meus amigos me disseram que um derrame cerebral, por menor que tenha sido, pode ter consequências sérias e eu precisava saber em que situação me encontrava. Sem grandes esperanças, pedi um novo empréstimo ao banco, para pagar os juros da hipoteca e dos dois empréstimos anteriores, e, para minha surpresa, a operação foi autorizada. Coloquei-me nas mãos do doutor Pierre Joudret, um homem encantador e, até onde eu podia julgar, profissional competente. Tornou a me submeter a todo tipo de exames e me prescreveu um tratamento para controlar a pressão e manter uma boa circulação. No seu consultório, nessa época, uma tarde conheci Marcella.

Nessa noite, em Nanterre, quando fomos tomar uma taça de vinho num bistrô, depois da sessão de *O Burguês Fidalgo*, achei a cenógrafa italiana muito simpática, e fascinantes o ardor e a convicção com que falava do seu trabalho. Contou sua vida, as brigas e reconciliações com os pais, as cenografias que tinha criado em pequenos teatros da Espanha e da Itália. A de Nanterre era uma das primeiras que fazia na França. A certa altura, entre mil outras coisas, afirmou que os melhores cenários teatrais que tinha visto em Paris não estavam nos palcos e sim nas vitrines das lojas. Eu não gostaria de dar um passeio, para tirar as dúvidas que pairavam na minha cara de cético?

Mais tarde nos despedimos na estação de metrô com beijos no rosto e ficamos de nos encontrar no sábado seguinte. O passeio foi muito divertido, nem tanto pelas vitrines que vimos mas por suas explicações e interpretações. Mostrou-me, por exemplo, que aquele areal com palmeiras na La Samaritaine, cheio de luz branca, serviria maravilhosamente para *Oh, Les Beaux Jours!* de Beckett, e a marquise pintada de vermelho brilhante de um restaurante árabe em Montparnasse como pano de fundo para *Orfeu nos Infernos*, e a vitrine de uma sapataria popular perto da igreja de Saint-Paul, no Marais, como a casa de Gepetto, numa adaptação teatral de *Pinóquio*. Tudo o que ela dizia era engenhoso, inesperado, e seu entusiasmo e sua alegria me deixaram absorvido e contente. Durante o jantar, no La Petite Périgourdine, um restaurante da rue des Écoles, eu lhe disse que gostava dela e a beijei. Ela me confessou que, desde o dia que conversamos na sala de espera da clínica de Passy, sentia que "alguma coisa rolava entre nós". Contou também que tinha morado quase dois anos com um ator e que se separaram fazia pouco, mas continuavam amigos.

Fomos para o apartamento da rue Joseph Granier e fizemos amor. Tinha um corpo miúdo, peitinhos delicados, e era terna, ardente e sem complicações. Examinou os meus livros e reclamou por só haver poesia, romances e alguns ensaios, mas nem um único livro de teatro. Ela se encarregaria de me ajudar a preencher esse vazio. "Você chegou na hora certa na minha vida, *caro*", acrescentou. Tinha um sorriso amplo, que parecia sair não só dos seus olhos e da boca, mas também da testa, do nariz e das orelhas.

Marcella precisava voltar para a Itália dois dias depois, para tratar de um possível trabalho em Milão, e eu a acompanhei à estação ferroviária, porque só viajava de trem (tinha pavor de avião). Falamos várias vezes pelo telefone e, quando ela voltou a Paris, foi direto para a minha casa, em vez de se hospedar no hotel do Quartier Latin onde costumava ficar. Trouxe uma sacola com um punhado de calças, blusas, pulôveres e casacos amassados, e um baú com livros, revistas, figurinos e maquetes das suas montagens.

A entrada de Marcella na minha vida foi tão rápida que quase não tive tempo de pensar, de me perguntar se não estava dando um passo precipitado. Não seria mais sensato esperar mais um pouco, conhecer-nos melhor, ver se a relação ia funcionar? Afinal de contas, ela era uma menina, e eu podia ser seu pai. Mas a relação funcionou, graças à sua maneira de ser, tão adaptável, tão simples em seus gostos, tão disposta a sorrir diante das dificuldades. Não posso dizer que a amava, pelo menos não como tinha amado a menina má, mas me sentia bem ao seu lado, grato por ela estar comigo e até apaixonada por mim. Isso me rejuvenescia e me ajudava a enterrar as lembranças.

De vez em quando Marcella tinha alguns serviços, em montagens financiadas pela prefeitura em teatros de bairro. Nesses períodos, ela se dedicava com tanto fanatismo ao trabalho que esquecia da minha existência. Eu, por meu lado, tinha cada vez mais dificuldades para conseguir traduções. Havia desistido da interpretação simultânea, porque não me sentia em condições de fazer esse trabalho com a segurança de antes. E, talvez porque a notícia dos meus problemas de saúde tenha se espalhado, cada vez me davam menos textos para traduzir. E os que mal ou bem eu conseguia, acabavam levando muito tempo, porque depois de uma hora ou hora e meia de trabalho as tonturas e dores de cabeça recomeçavam. Nos primeiros meses de vida em comum com Marcella, meus proventos se reduziram a quase nada e voltei a ficar angustiado com os pagamentos da hipoteca e dos juros.

O gerente da agência da Société Générale, a quem expliquei o problema, disse que a solução seria vender o apartamento. Estava bastante valorizado, e ele podia conseguir um preço que, depois de saldadas a hipoteca e as dívidas, proporcionaria uma quantia que me podia dar um alívio por um bom tempo, se administrada com prudência. Conversei com Marcella e ela também me aconselhou a vender. Para tirar da cabeça de uma vez essa preocupação com os pagamentos, que todo mês me dava insônia. "Não se preocupe com o futuro, *caro*. Em breve vou começar a ter bons projetos. Se ficarmos sem um centavo, vamos para a casa dos meus pais, em Roma. Lá nos instalamos no sótão, onde eu fazia números de ilusionismo e mágica para os meus amigos, quando era criança, e hoje guardo um monte de trastes velhos. Você vai se dar muito bem com o meu pai, ele é quase da sua idade." Bela perspectiva, Ricardito.

Vender o apartamento levou algum tempo. Era verdade, o preço havia triplicado, mas os interessados que as agências imobiliárias traziam para ver o imóvel viam empecilhos, pediam descontos ou reformas, e as coisas se prolongaram por quase três meses. Por fim, cheguei a um acordo com um funcionário do Ministério das Forças Armadas, um senhor elegante que usava monóculo. Começaram então as desagradáveis providências com cartórios e advogados e com a venda dos móveis. No dia que assinamos o compromisso de compra e venda e fizemos a transferência da propriedade, uma senhora se deteve numa transversal da *avenue* de Suffren, quando saí do cartório, e ficou olhando para mim. Não a reconheci, mas cumprimentei-a com uma inclinação de cabeça.

— Sou Martine — disse ela, secamente, sem estender a mão. — Não se lembra de mim?

— Estava distraído — desculpei-me. — É claro que lembro muito bem de você. Como vai, Martine?

— Bastante mal, de que outro jeito posso estar — retrucou. O rancor lhe azedava a cara. Não tirava os olhos de mim. — Mas fique sabendo que não deixo ninguém me pisotear. Sei me defender muito bem. Garanto que esta história não vai ficar assim.

Era uma mulher alta e ressequida, de cabelo grisalho. Vestia uma capa, e me observava como se quisesse quebrar na minha cabeça o guarda-chuva que tinha na mão.

— Não sei do que está falando, Martine. Teve problemas com a minha esposa? Nós nos separamos há algum tempo, ela não contou?

Ficou calada e me examinou, desconcertada. Seu olhar dizia que eu devia lhe parecer um ser muito estranho.

— Não sabe de nada, então? — murmurou. — Vive nas nuvens? Com quem você acha que aquela mosquinha-morta fugiu? Não sabe que foi com o meu marido?

Eu não tinha o que responder. Só me sentia estúpido, um ser muito estranho, sim. Fazendo um esforço, murmurei:

— Não, não sabia. Ela só me disse que ia embora, e foi. Nunca mais tive notícias. Sinto muito, Martine.

— E eu que dei tudo a ela, trabalho, amizade, minha confiança, passando por cima da questão dos seus documentos, que nunca foram muito claros. Abri minha casa para ela. E depois me paga assim, tirando o meu marido. Não porque tenha se apaixonado por ele, nada disso. Foi por cobiça. Por puro interesse. Não se importou em destruir uma família.

Pensei que se eu não saísse rapidamente dali Martine me esbofetearia, como responsável pela sua desgraça familiar. Tinha a voz embargada de indignação.

— Pois estou avisando que não vai ficar assim — repetiu, acionando o guarda-chuva a alguns centímetros da minha cara. — Meus filhos não vão permitir. Ela só quer tirar tudo dele, porque é uma espertalhona, uma caçadora de fortunas. Meus filhos já abriram os processos e vão botá-la na cadeia. E, você, deveria ter vigiado um pouco mais a sua mulher.

— Sinto muito, preciso ir, esta conversa não tem sentido — disse, saindo dali a passos rápidos.

Em vez de voltar para casa e ir buscar Marcella, que estava despachando para um depósito as coisas que não tínhamos conseguido vender, fui me sentar num café da École Militaire. Tentei pôr a cabeça no lugar. Minha pressão deve ter subido um pouco, porque me sentia enraivecido e aturdido. Não conhecia o marido de Martine, mas sim um dos seus filhos, um homem feito que vi de passagem, só uma vez. A nova conquista da menina má devia ser, portanto, bem mais velho, um velhote como eu imaginei. É obvio que não se apaixonou por ele. Nunca tinha se apaixonado por ninguém, exceto, talvez, Fukuda. Agiu assim para escapar do tédio e da mediocridade no apartamentinho na École Militaire, e em busca daquilo que sempre foi a sua primeira prioridade, desde que, ainda garotinha, descobriu como era infeliz a vida dos pobres e como os ricos viviam bem: uma segurança que só o dinheiro proporcionava. Mais uma vez tinha se enganado com a miragem do homem rico; depois de ouvir Martine dizer, com uma entonação de tragédia grega, que "meus filhos já iniciaram as ações legais", era evidente que, dessa vez também, as coisas não iriam acabar como ela imaginava. Eu sentia raiva, mas agora, imaginando-a com aquele velhote, também um pouco de pena.

Encontrei Marcella extenuada. Já havia mandado para o depósito um caminhão com tudo o que não pudemos vender e algumas caixas de livros. Sentado no chão da sala, olhei as paredes e o espaço vazio com nostalgia. Fomos morar num hotel da rue de Cherche Midi. Ali passamos vários meses, até a nossa partida para a Espanha. O quarto era pequeno e claro, com uma janela bastante ampla da qual se divisavam os telhados vizinhos e em cujo batente os pombos vinham comer os grãos de milho que Marcella lhes deixava (eu tinha que limpar as granitas). Logo se encheu de livros, discos e, principalmente, desenhos e maquetes de Marcella. Havia uma mesa comprida, que na teoria compartilhávamos, mas na verdade era usada por Marcella a maior parte do tempo. Nesse ano tive ainda mais dificuldades para conseguir traduções, de maneira que a venda do apartamento foi muito oportuna. Pus o dinheiro restante numa conta a prazo fixo, e esse pequeno rendimento nos obrigava a viver com grande modéstia. Tivemos que abrir mão de restaurantes caros e concertos, ir ao cinema não mais que uma vez por semana e só assistir aos espetáculos para os quais Marcella conseguia ingressos. Mas era um alívio viver sem dívidas.

A ideia de mudar para a Espanha nasceu depois que um grupo italiano de dança moderna, de Bari, com que Marcella tinha trabalhado, foi convidado para apresentar um espetáculo num festival em Granada e pediu que ela se encarregasse da iluminação e do cenário. Viajou com eles, e duas semanas depois voltou encantada. O espetáculo tinha sido um sucesso, ela conheceu gente de teatro e se abriram algumas possibilidades. Nos meses seguintes fez cenografias para dois grupos jovens, um em Madri e outro em Barcelona, e voltou eufórica a Paris de ambas as viagens. Dizia que na Espanha havia uma vitalidade cultural extraordinária e o país inteiro estava cheio de festivais e de diretores, atores, bailarinos e músicos ansiosos para atualizar a sociedade espanhola, fazer coisas novas. Lá havia mais espaço para os jovens do que na França, onde o ambiente estava saturado de gente. Além disso, em Madri podia-se viver com muito menos dinheiro que em Paris.

Não me entristeceu deixar a cidade que, desde menino, eu associava à ideia de paraíso. Nos anos que passei em Paris tive experiências maravilhosas, dessas que parecem justificar uma vida, mas todas elas vinculadas à menina má, de quem eu já me lembrava nessa época, creio, sem amargura, nem ódio, até mesmo com certa ternura, sabendo muito bem que meus infortúnios sentimentais se deviam mais a mim que a ela, por tê-la amado de um jeito que ela nunca poderia me amar, embora, algumas poucas vezes, tenha tentado: eram as minhas lembranças mais gloriosas de Paris. Agora que essa história estava definitivamente encerrada, minha vida futura nesta cidade seria uma decadência paulatina, agravada pela falta de trabalho. Ou seja, uma velhice desamparada e muito solitária, quando a *cara* Marcella percebesse que tinha coisas melhores a fazer do que carregar nas costas um homem de idade, bastante fraco da cabeça e que podia ficar gagá — maneira educada de dizer imbecil — se o derrame se repetisse. Era melhor ir embora e recomeçar em outro lugar.

Marcella encontrou o apartamentinho em Lavapiés e, como estava mobiliado, acabei doando os móveis guardados no depósito, assim como os livros da minha biblioteca, a instituições de caridade. Só levei para Madri um punhado dos meus títulos preferidos, quase todos russos e franceses, assim como minhas gramáticas e dicionários.

Após um ano e meio morando em Madri, tive o palpite de que, dessa vez, Marcella ia acertar em cheio. Uma tarde chegou muito agitada ao Bar Barbieri contando que tinha conhecido um bailarino e coreógrafo formidável e que iam trabalhar juntos num projeto fantástico: *Metamorfose*, um balé moderno inspirado num dos textos reunidos por Borges no seu *Manual de Zoologia Fantástica*: *A Bao A Qu*, uma lenda registrada por um dos tradutores ingleses de *As Mil e Uma Noites*. O rapaz era de Alicante, formado na Alemanha, onde trabalhara profissionalmente até pouco antes. Agora havia reunido um grupo de dez bailarinos, cinco mulheres e cinco homens, e criado a coreografia de *Metamorfose*. O conto em questão, traduzido e talvez enriquecido por Borges, relatava o caso de um animalzinho maravilhoso que vivia no alto de uma torre, em estado letárgico, e só despertava para a vida ativa quando alguém subia a escada. Dotado da propriedade de se transformar, quando alguém subia ou descia os degraus o bichinho começava a se mexer, a se iluminar, a mudar de forma e de cor. Víctor Almeda, o alicantino, havia concebido um espetáculo no qual, evocando aquele prodígio, os bailarinos e bailarinas, subindo e descendo aquelas escadas mágicas que Marcella projetaria, iriam mudando de personalidade, de movimento, de expressões, graças aos efeitos de luzes também criados por ela, até transformar o palco num pequeno universo em que cada dançarino seria muitos, em que cada homem e cada mulher conteria incontáveis seres humanos. A sala Olimpia, um velho cinema transformado em teatro na Praça de Lavapiés, onde agora funcionava o Centro Nacional de Novas Tendências Cênicas, aceitara a proposta de Víctor Almeda e ia financiar o espetáculo.

Nunca vi Marcella trabalhar com tanta felicidade numa cenografia, nem fazer tantos esboços e maquetes. Diariamente me contava com júbilo a torrente de ideias que agitava a sua cabeça e os progressos que o elenco fazia. Fui com ela uma ou duas vezes ao ruinoso Olimpia e, uma tarde, tomamos um café na praça com Víctor Almeda, um rapaz bem moreno, com o cabelo amarrado num rabo de cavalo e um corpo atlético que denunciava muitas horas de academia e de ensaios. Ao contrário de Marcella, ele não era exuberante nem extrovertido, parecia antes reservado, mas sabia perfeitamente o que queria na vida. E o que queria é que *Metamorfose* fosse um sucesso. Tinha cultura literária e paixão por Borges. Para aquele espetáculo, havia lido e visto mil coisas sobre a questão da metamorfose, a começar por Ovídio, e a verdade é que, embora falasse pouco, o que dizia era inteligente e, para mim, novo: nunca tinha ouvido antes um coreógrafo e bailarino falar sobre sua vocação. Nessa noite, em casa, depois de comentar com Marcella a boa impressão que Víctor Almeda me dera, perguntei se era *gay*. Ela reagiu indignada. Não era. Que preconceito bobo, pensar que todos os bailarinos são *gays*. Ela tinha certeza, por exemplo, de que no ofício dos intérpretes e tradutores havia uma porcentagem de *gays* tão grande como entre os bailarinos. Pedi desculpas, garanti que não tinha o menor preconceito, que minha pergunta era por pura curiosidade, sem qualquer outra intenção.

O sucesso de *Metamorfose* foi total e merecido. Víctor Almeda conseguiu muita publicidade antecipada, e na noite da estreia o Olimpia explodia de público, com muita gente em pé e um predomínio de jovens. As escadarias em que os cinco casais evoluíam se metamorfoseavam tanto quanto os artistas e eram, junto com as luzes, os verdadeiros protagonistas do espetáculo. Não havia música. O ritmo era marcado pelos próprios bailarinos com as mãos ou os pés, e emitindo sons agudos, guturais, roucos ou sibilantes à medida que trocavam de identidade. Os próprios bailarinos se encarregavam de pôr umas telas diante dos refletores que alteravam a intensidade e o colorido da luz, e com isso os personagens pareciam realmente trocar de pele, ou ter pele furta-cor. Era bonito, surpreendente, imaginativo, um espetáculo de uma hora a que o público assistia imóvel, concentrado, sem que se ouvisse o zumbido de uma mosca. O grupo ia fazer cinco apresentações, terminou fazendo dez. Saíram artigos elogiosos na imprensa e em todos eles se mencionava, com elogios, a cenografia de Marcella. A televisão filmou um trecho para passar num programa dedicado às artes.

Fui ver o espetáculo três vezes. Estava sempre lotado e o entusiasmo era idêntico ao do dia da estreia. Na terceira vez, após a apresentação, quando subia a sinuosa escadinha que levava aos camarins do Olimpia, em busca de Marcella, dei quase que de cara com ela nos braços do bonito e transpirado Víctor Almeda. Os dois se beijavam com certa fúria e, quando me ouviram chegar, soltaram-se, muito confusos. Fiz de conta que não havia notado nada de estranho e dei os meus parabéns, garantindo que tinha gostado daquela apresentação ainda mais que das duas vezes anteriores.

Mais tarde, a caminho de casa, Marcella, que parecia muito constrangida, olhou para mim:

— Bem, imagino que lhe devo uma explicação.

— Não me deve explicação nenhuma, Marcella. Você é uma pessoa livre e eu também sou. Vivemos juntos e nos damos muito bem. Mas isso não deve limitar de nenhum modo a nossa liberdade. Não falemos mais do assunto.

— Só quero que saiba que eu lamento muito — disse. — Por mais que pareça o contrário, não aconteceu absolutamente nada entre mim e Víctor. A cena desta noite foi uma bobagem sem nenhuma importância. E não vai se repetir.

— Acredito em você — respondi, segurando sua mão, porque me dava pena ver como estava sem jeito. — Vamos esquecer tudo isso. E não faça essa cara, por favor. Você fica mais bonita quando sorri.

De fato, nos dias seguintes não voltamos a tocar no assunto, e ela fez grandes esforços para se mostrar carinhosa. Na verdade, não me abalou muito saber que provavelmente estava começando um romance com o coreógrafo alicantino. Nunca tive muitas ilusões quanto à duração da nossa relação. E agora, além do mais, sabia que meu amor por ela, se aquilo fosse amor, era um sentimento bastante superficial. Não me sentia magoado nem humilhado; só curioso para saber quando teria que me mudar e ir morar sozinho de novo. E então comecei a me perguntar se ficaria em Madri ou voltaria a Paris. Duas ou três semanas depois, Marcella me disse que tinham convidado Víctor Almeda para apresentar *Metamorfose* em Frankfurt, num festival de dança moderna. Era uma oportunidade importante para ela mostrar seu trabalho na Alemanha. O que eu achava?

— Excelente — disse. — Tenho certeza de que *Metamorfose* vai fazer tanto sucesso lá como fez em Madri.

— Naturalmente você vem comigo — apressou-se a dizer. — Lá, pode continuar com as traduções e...

Mas eu a acariciei e disse que não fosse boba nem fizesse aquela cara de angústia. Eu não iria para a Alemanha, não tínhamos dinheiro para isso. Ficaria em Madri trabalhando na minha tradução. Eu tinha confiança nela. Que preparasse sua viagem e se esquecesse do resto, porque aquilo podia ser decisivo para a sua carreira. Umas lágrimas gordas escorriam de seus olhos quando me abraçou e me disse no ouvido: "Juro que aquela bobagem nunca mais vai se repetir, *caro*".

"Claro, claro, *bambina*", beijei-a.

No mesmo dia que Marcella partiu de trem para Frankfurt — fui me despedir dela na estação de Atocha —, Víctor Almeda, que viajaria dois dias depois, de avião, com o resto da companhia, bateu na porta do nosso apartamentinho da rua da Ave María. Estava com uma expressão séria, parecia devorado por questões muito profundas. Como imaginei que vinha me dar alguma explicação sobre o episódio do Olimpia, propus que fôssemos tomar um café no Bar Barbieri.

Na realidade, vinha me dizer que ele e Marcella estavam apaixonados e que considerava sua obrigação moral vir contar-me. Marcella não queria me fazer sofrer, e por isso se sacrificava ficando ao meu lado apesar de amá-lo. Esse sacrifício, além de deixá-la infeliz, iria prejudicar a sua carreira.

Agradeci a franqueza e perguntei se, ao me contar aquilo, ele esperava que eu resolvesse o problema.

— Bem — hesitou um momento —, de certa forma, sim. Se o senhor não tomar a iniciativa, ela nunca tomará.

— E por que eu tomaria a iniciativa de romper com uma moça por quem sinto tanto carinho?

— Por generosidade, por altruísmo — respondeu no ato, com uma solenidade tão teatral que me deu vontade de rir. — Porque o senhor é um cavalheiro. E porque agora já sabe que ela me ama.

Nesse momento reparei que o coreógrafo estava me tratando de senhor. Nos encontros anteriores, sempre nos chamávamos de você. Será que desse modo ele pretendia lembrar os vinte anos que me separavam de Marcella?

— Você não está sendo franco comigo, Víctor — disse. — Confesse a verdade. Marcella e você planejaram esta visita? Ela pediu para vir falar comigo porque não tinha coragem?

Vi que se mexia no assento e negava com a cabeça. Mas, quando abriu a boca, admitiu:

— Decidimos juntos — reconheceu. — Ela não quer que você sofra. Sente muito remorso. Mas eu a convenci de que a primeira lealdade não é com o que vão dizer, e sim com os sentimentos.

Tive vontade de responder que o que acabava de ouvir era uma breguice, e explicar esse termo pouco usado na Espanha, mas não o fiz porque já estava cansado dele e queria que fosse embora. De maneira que pedi que me deixasse sozinho, pensando no que me havia dito. Mais tarde eu tomaria uma decisão a respeito. Desejei-lhe muito sucesso em Frankfurt e apertei sua mão. Na verdade, eu já tinha decidido deixar Marcella com o seu bailarino e voltar para Paris. Então, aconteceu o que tinha de acontecer.

Dois dias depois, quando estava trabalhando à tarde no meu cantinho no fundo do Bar Barbieri, uma elegante silhueta feminina sentou-se de repente à mesa, na minha frente:

— Não vou perguntar se você continua apaixonado por mim, porque já sei que não — disse a menina má. — Infanticida.

A surpresa foi tão grande que, não sei como, soltei da mão uma garrafa de água mineral semivazia, que se espatifou no chão e molhou um rapaz com cabelo de porco-espinho e tatuagens, sentado na mesa ao lado. Enquanto a garçonete andaluza se esforçava para juntar os pedaços de vidro, eu observava aquela senhora que, da maneira mais inesperada, depois de três anos, ressuscitava bruscamente na hora e no lugar mais inesperados do mundo: o Bar Barbieri de Lavapiés.

Era final de maio e fazia calor, mas mesmo assim ela estava com um casaquinho de meia-estação azul-claro, uma blusa branca aberta e uma correntinha de ouro bailando em torno do pescoço. A cuidadosa maquiagem não ocultava um rosto abatido, com os ossos sobressaindo nos pômulos e pequenas bolsas ao redor dos olhos. Só haviam transcorrido três anos, mas para ela pareciam dez. Estava como uma velha. Enquanto a garota andaluza limpava o assoalho, ela tamborilava na mesa com sua mão de unhas cuidadosamente cortadas e pintadas, como se tivessem saído da manicure. Seus dedos pareciam mais finos e compridos. Olhava para mim sem piscar, sem humor e — cúmulo dos cúmulos! — me pedia satisfações pelo meu mau comportamento:

— Nunca imaginaria que você fosse morar com uma moleca que pode ser sua filha — repetiu, indignada. — E, ainda por cima, uma *hippie* que na certa nunca toma banho. A que ponto você chegou, Ricardo Somocurcio.

Tive vontade de apertar seu pescoço e rir às gargalhadas. Não, não era brincadeira: ela estava me fazendo uma cena de ciúmes! Logo quem!

— Você já está com cinquenta e três ou cinquenta e quatro anos, não é? — prosseguiu, ainda tamborilando na mesa. — E quantos tem essa lolita? Vinte?

— Trinta e três — respondi. — Parece menos, é verdade. Porque é uma garota feliz e a felicidade rejuvenesce as pessoas. Você, em compensação, não parece muito feliz.

— Ela toma banho às vezes? — exasperou-se ela. — Ou na velhice você deu para isso, gostar de sujeira?

— Aprendi com o yakuza Fukuda — disse eu. — Descobri que as porcarias também têm a sua graça, na cama.

— Pois fique sabendo que neste momento odeio você com toda a minha alma, queria que morresse — disse ela, surdamente. Não tirou os olhos de mim nem piscou uma única vez.

— Quem não a conhecesse diria que você está com ciúmes.

— Pois fique sabendo que estou sim. Mas, principalmente, decepcionada com você.

Puxei sua mão e obriguei-a a se aproximar de mim para lhe dizer, sem que o nosso vizinho, o porco-espinho tatuado, ouvisse:

— O que significa esta palhaçada? O que está fazendo aqui?

Ela fincou as unhas na minha mão antes de responder. Falou também em voz baixa:

— Agora me arrependo de ter procurado por você durante tanto tempo. Mas já sei que essa *hippie* vai fazer gato e sapato de você, vai botar chifres na sua cabeça e depois abandoná-lo feito um trapo sujo. E isso me enche de alegria.

— Estou perfeitamente treinado para essas coisas, menina má. Em matéria de chifres e abandonos, já sei tudo o que há para saber, e muito mais.

Soltei a sua mão mas, no ato, ela tornou a pegar a minha.

— Eu tinha jurado que não ia falar nada sobre essa *hippie* — disse, suavizando a voz e a expressão. — Mas, assim que vi você, não consegui me controlar. Ainda estou com vontade de arranhar a sua cara. Mas, vamos, seja um pouco mais galante e peça uma xícara de chá.

Chamei a garçonete andaluza e tentei largar sua mão, mas ela não se desprendia da minha.

— Você gosta mesmo dessa *hippie* nojenta? — perguntou. — Gosta dela mais que de mim?

— Não creio que eu tenha gostado realmente de você — disse. — Você foi para mim o que Fukuda era para você: uma doença. Agora estou curado, graças a Marcella.

Ela me examinou por um momento e, sem soltar minha mão, sorriu com sarcasmo pela primeira vez, dizendo:

— Se você não gostasse de mim, não teria ficado pálido nem com a voz tão embargada. Não vai chorar, Ricardito? Você é bastante chorão, pelo que me lembro.

— Garanto que não. Você tem o péssimo costume de aparecer de repente, feito um pesadelo, nas horas menos esperadas. Mas eu não acho mais graça. Na verdade, não esperava rever você nunca mais. O que quer de mim? O que está fazendo aqui em Madri?

Quando trouxeram o chá, fiquei olhando como jogava na xícara um torrão de açúcar, mexia o líquido e analisava a colherzinha, o pires e a xícara, fazendo uma careta de nojo. Estava com uma saia branca e sapatos também brancos, com aberturas, que mostravam seus pequenos pés, com unhas pintadas de esmalte transparente. Seus tornozelos pareciam novamente duas varas de bambu. Estaria doente outra vez? Eu só a vira tão magra na época da Clínica de Petit Clamart. Tinha o cabelo penteado para trás, em duas bandas presas com pregadores na altura das orelhas, que pareciam graciosas como sempre. Pensei que, sem a tinta que provavelmente mantinha o seu negror, já devia ser grisalho, talvez branco como o meu.

— Tudo aqui parece sujo — disse de repente, olhando em torno e exagerando a expressão de desagrado. — As pessoas, o lugar, teias de aranha e poeira em toda parte. Até você parece sujo.

— Esta manhã tomei banho e me ensaboei de cima a baixo, juro.

— Mas está vestido feito um mendigo — disse ela, segurando outra vez a minha mão.

— E você como uma rainha — disse eu. — Não tem medo de ser assaltada e roubada num lugar de mortos de fome como este?

— Nesta nova etapa da minha vida, estou disposta a correr qualquer risco por você — brincou. — Além do mais, você, que é um cavalheiro, me defenderia até a morte, certo? Ou será que deixou de ser um cavalheiro miraflorense, agora que vive com os *hippies*?

A fúria de pouco antes havia amainado e agora, apertando minha mão com firmeza, ela estava rindo. Em seus olhos havia uma longínqua reminiscência daquele mel escuro, uma luzinha que ainda acendia sua cara emaciada e envelhecida.

— Como me encontrou?

— Deu muito trabalho. Meses. Mil pesquisas, em toda parte. E um monte de dinheiro. Estava morta de medo, cheguei a pensar que você tinha se suicidado. Desta vez, de verdade.

— Essas idiotices só se fazem uma vez, quando você está imbecilizado de amor por alguma mulher. Não é mais o meu caso, felizmente.

— Tentando encontrar você, acabei brigando com os Gravoski — disse de repente, enfurecendo-se de novo. — Elena me tratou muito mal. Não quis me dar seu endereço nem informar nada sobre você. E ficou me acusando, dizendo que eu maltratei você, que quase o matei, que tive culpa pelo seu derrame, que fui a tragédia da sua vida.

— Pois Elena disse a pura verdade. Você foi a desgraça da minha vida.

— Eu a mandei à merda. Não quero vê-la nem falar com ela, nunca mais. Só lamento por Yilal, porque não creio que possa revê-lo, também. Quem essa idiota pensa que é, para vir me fazer acusações. Não estará apaixonada por você?

Ajeitou-se na cadeira e, de repente, pareceu empalidecer.

— Posso saber por que me procurou?

— Queria ver você e conversar um pouco — disse, sorrindo outra vez. — Estava com saudades. Você também estava, pelo menos um pouquinho?

— Você sempre reaparece e me procura no intervalo entre dois amantes — respondi, ainda tentando me livrar da sua mão. Dessa vez consegui. — O marido de Martine largou você? Veio descansar nos meus braços até que o próximo velhote caia na sua rede?

— Não — interrompeu, segurando de novo a minha mão e falando no tom zombeteiro de antes. — Resolvi acabar com as minhas loucuras. Vou passar meus últimos anos com o meu marido. Sendo uma esposa modelo.

Comecei a rir, e ela também. Arranhava a minha mão com seus dedinhos e eu sentia cada vez mais vontade de arrancar-lhe os olhos.

— Você tem um marido? Posso saber quem é?

— Ainda sou sua mulher e posso provar, tenho as certidões — disse, com o rosto sério. — Você é o meu marido. Não lembra mais que nos casamos na *mairie* do *cinquième*?

— Foi uma farsa, só para conseguir os documentos — recordei. — Você nunca foi realmente minha mulher. Ficou comigo umas temporadas, quando estava com problemas, enquanto não conseguia coisa melhor. E quer me dizer de uma vez por todas para que me procurou agora? Porque, se estiver com problemas, eu não poderia ajudá-la nem se quisesse. Mas não quero. Não tenho um tostão, e moro com uma moça que amo e que me ama.

— Uma *hippie* imunda que vai largar você a qualquer momento — disse, irritada outra vez. — Que não cuida de você, a julgar pela maneira como está vestido. Mas de agora em diante eu mesma vou me encarregar disso. Vou me dedicar a você durante as vinte e quatro horas do dia. Como uma esposa modelo. Vim para isso, fique sabendo.

Falava com a carinha de gozação de outros tempos, desmentindo as palavras que dizia com o brilho irônico dos olhos. De vez em quando tomava um gole de chá. Esse joguinho estúpido conseguiu me irritar.

— Sabe de uma coisa, menina má? — disse atraindo-a um pouco para poder falar em voz bem baixa, com toda a cólera que tinha acumulado. — Lembra daquela noite, no apartamento, quando estive a ponto de apertar o seu pescoço? Lamentei mil vezes não tê-lo feito.

— Ainda guardo aquele vestido de bailarina árabe — sussurrou, com toda a malícia que ainda tinha. — Lembro muito bem daquela noite. Você bateu em mim e depois fizemos amor bem gostoso. Você falou umas coisinhas muito bonitas. Hoje ainda não me disse nenhuma. Estou quase acreditando que realmente não me ama mais.

Tive vontade de esbofeteá-la, de expulsá-la do Bar Barbieri aos pontapés, de causar-lhe todos os danos físicos e morais que um ser humano pode causar em outro, e ao mesmo tempo, grande imbecil, tive vontade de abraçá-la, perguntar por que estava tão magrinha e abatida, acariciá-la e beijá-la. Ficava de cabelo em pé só de imaginar que pudesse ler meus pensamentos.

— Se quiser que eu reconheça que agi mal com você e fui muito egoísta, reconheço — sussurrou, aproximando o rosto, mas eu afastei o meu. — Se quiser que passe o resto da vida dizendo que Elena tem razão, que maltratei você e não soube valorizar o seu amor e todas essas bobagens, está bem, faço isso. É o que você quer para esquecer as mágoas, Ricardito?

— Quero que vá embora. Que desapareça da minha vida de uma vez por todas, para sempre.

— Puxa, uma breguice. Já era hora, bom menino.

— Não acredito numa palavra do que está dizendo. Sei muito bem que você só me procurou para ajudar a sair de uma das suas encrencas, agora que esse pobre velhote mandou você passear.

— Não foi ele, fui eu que o mandei passear — corrigiu, com muita calma. — Ou melhor, devolvi-o de mão beijada para os filhotes, que estavam com tanta saudade do papaizinho. Você devia ficar grato, bom menino. Se soubesse as dores de cabeça e o dinheiro que economizou quando eu fui embora com ele, beijaria as minhas mãos. Não sabe como essa aventura custou caro ao coitado.

Deu uma risadinha penetrante, zombeteira, malvada até o fim.

— Eles chegaram a me acusar de tê-lo sequestrado — acrescentou, em tom de piada. — Mostraram atestados médicos falsos ao juiz, dizendo que o pai tinha demência senil, que não sabia o que estava fazendo quando fugiu comigo. Na verdade, não valia a pena perder meu tempo brigando por ele. E o devolvi feliz da vida. Que eles e Martine limpem as melecas e tirem a pressão arterial do papai duas vezes por dia.

— Você é a pessoa mais perversa que já conheci, menina má. Um monstro de egoísmo e de insensibilidade. É capaz de apunhalar com frieza as pessoas que melhor a trataram.

— Bem, talvez seja mesmo — admitiu. — Mas também levei muitas punhaladas na vida, acredite. Não me arrependo de nada. Bem, exceto ter feito você sofrer. Agora resolvi mudar. Por isso estou aqui.

Ficou me olhando com uma cara de mosquinha-morta que me irritou ainda mais.

— Eu sou gato escaldado. Acha que vou levar a sério esse teatrinho de esposa arrependida? Logo você, menina má?

— É, sim, logo eu. Vim porque amo você. Porque preciso de você. Porque não posso viver com ninguém que não seja você. É um pouco tarde, mas agora sei. Por isso, de hoje em diante, mesmo que passe fome e tenha de viver feito uma *hippie*, vou viver com você. E com ninguém mais. Gostaria que eu virasse uma *hippie* e deixasse de tomar banho? Ou que me vestisse como aquele espantalho com quem mora? O que você quiser, eu faço.

Teve um súbito ataque de tosse e seus olhos se avermelharam com um forte espasmo. Bebeu um gole de água do meu copo.

— Podemos sair daqui? — disse, tossindo de novo. — Com toda essa fumaça e essa poeira, não consigo respirar direito. Todo mundo fuma aqui na Espanha. É uma das coisas que me desagradam neste país. Por onde você anda, sempre tem gente soltando baforadas no ar em toda parte.

Pedi a conta, paguei e saímos. Na rua, quando pude vê-la à luz do dia, fiquei espantado com sua magreza. Sentada, só tinha notado um rosto mais fino. Mas agora, em pé, sem a penumbra, era um trapo. Caminhava um pouco curvada e de maneira insegura, parecendo temer algum obstáculo. Seus seios haviam diminuído até quase desaparecer e os ossinhos dos ombros sobressaíam, nítidos, por baixo da blusa. Além de uma bolsa, trazia consigo uma pasta volumosa.

— Se você acha que estou magra, feia e velha, não me diga, por favor. Aonde podemos ir?

— A lugar nenhum. Aqui, em Lavapiés, todos os cafés são velhos e poeirentos como este. E todos estão cheios de fumantes. É melhor nos despedirmos aqui.

— Preciso falar com você. Não vai levar muito tempo, prometo.

Apertava o meu braço, e seus dedos, tão fininhos, tão ossudos, pareciam ser de uma menina.

— Quer ir para a minha casa? — perguntei, me arrependendo no mesmo instante. — Moro aqui perto. Mas, é bom saber, você vai achar o lugar mais imundo que este bar.

— Vamos a qualquer lugar — respondeu. — Mas se essa *hippie* fedorenta aparecer, eu arranco seus olhos.

— Ela está na Alemanha, não se preocupe.

A subida dos quatro andares foi lenta e complicada. Ela subia os degraus com muita lentidão e parando em cada patamar, para descansar. Em momento algum soltou meu braço. Quando chegamos ao último andar, havia empalidecido ainda mais e tinha brilhos de suor na testa.

Assim que entramos, ela se jogou na poltrona da sala e respirou fundo. Depois, sem dizer uma palavra, sem sair do lugar, começou a examinar tudo o que havia em torno, com os olhos graves, o cenho e a testa franzidos: os modelos e desenhos e panos de Marcella esparramados por toda parte, as revistas e livros empilhados nos cantos e nas prateleiras, a desordem generalizada. Quando chegou à cama desarrumada, vi sua expressão mudar. Fui à cozinha buscar uma garrafa de água mineral. Encontrei-a no mesmo lugar, olhando fixamente para a cama.

— Você tinha mania de arrumação e de limpeza, Ricardito — murmurou. — Parece incrível que more numa pocilga destas.

Sentei ao seu lado, e uma grande tristeza me invadiu. O que ela dizia era verdade. Meu apartamentinho na École Militaire, pequeno e modesto, estava sempre impecavelmente limpo e arrumado. Esta bagunça, em contraste, refletia muito bem a sua irreversível decadência, Ricardito.

— Preciso que você assine alguns papéis — disse a menina má, apontando para a pasta que tinha deixado no chão.

— O único papel que eu assinaria seria de divórcio, se esse casamento ainda valesse — respondi. — Conhecendo você, não me surpreenderia se me fizesse assinar alguma embrulhada e eu acabasse na cadeia. E conheço você há quarenta anos, chilenita.

— Conhece mal — disse ela, muito tranquila. — Talvez eu até possa fazer maldades com outros. Mas com você, não.

— Pois fez as piores maldades que uma mulher pode fazer com um homem. Porque me fez acreditar que me amava, enquanto seduzia outros homens com a maior tranquilidade do mundo, só porque tinham mais dinheiro, e me largava sem o menor peso na consciência. Não foi uma vez, foram duas ou três. E sempre me deixava destroçado, atônito, sem ânimo para fazer nada. E ainda tem o atrevimento de voltar, mais uma vez, para dizer com a cara mais cínica do mundo que quer morar comigo de novo. Para ser sincero, parece um número de circo.

— Estou arrependida. Nunca mais vou fazer nenhuma maldade com você.

— Não vai ter oportunidade, porque nunca mais vamos morar juntos. Ninguém a amou tanto como eu amei, ninguém fez tudo o que eu... Bem, estou me sentindo um idiota falando estas coisas. O que quer de mim?

— Duas coisas — disse ela. — Que largue essa *hippie* suja e venha morar comigo. E que assine estes papéis. Não há nenhum truque. Passei para você tudo o que tenho. Uma casinha no sul da França, perto de Sète, e umas ações da Companhia de Eletricidade da França. Tudo está no seu nome. Mas você precisa assinar estes papéis para que a transferência tenha valor legal. Leia, consulte um advogado. Não faço por mim, faço por você. Para lhe deixar tudo o que tenho.

— Muito obrigado, mas não posso aceitar este presente tão generoso. Porque, provavelmente, essa casinha e essas ações são roubadas de mafiosos e não tenho a menor intenção de ser seu testa de ferro, nem do gângster para quem estiver trabalhando agora. Não será o famoso Fukuda de novo, espero?

Então, antes que eu pudesse impedir, enlaçou meu pescoço com os braços e se prendeu em mim com todas as forças.

— Pare de brigar comigo e de me dizer maldades — protestou, enquanto me beijava no pescoço. — Diga que está contente de me ver. Diga que sentiu saudades de mim e que me ama, não a essa *hippie* com quem mora neste chiqueiro.

Eu não tinha como afastá-la, aterrorizado ao sentir o esqueleto que era o seu corpo, sua cintura, suas costas, seus braços, em que todos os músculos pareciam ter desaparecido, um corpo só de pele e ossos. A frágil, delicada pessoinha que se apertava contra mim exalava uma fragrância que me fazia pensar num jardim cheio de flores. Não pude continuar disfarçando.

— Por que está tão magrinha? — perguntei no seu ouvido.

— Diga primeiro que me ama. Que não ama essa *hippie*, que foi morar com ela só por despeito, porque larguei você. Diga. Desde que soube que estava com ela, fiquei morrendo de ciúmes.

Eu sentia agora seu pequeno coração, pulsando contra o meu. Busquei sua boca e a beijei, longamente. Senti sua linguinha enredada na minha e engoli sua saliva. Quando pus a mão por baixo da blusa e acariciei suas costas, senti todas as costelas e a coluna vertebral como se nem uma ínfima película de carne as separasse dos meus dedos. Não tinha seios; seus mamilos, diminutos, ficavam no nível da pele.

— Por que está tão magrinha? — tornei a perguntar. — Esteve doente? O que houve?

— Não posso fazer amor com você, não toque aí. Fui operada, tiraram tudo. Não quero que me veja nua. Estou com o corpo cheio de cicatrizes. Não quero que tenha nojo de mim.

Estava chorando de desespero e eu não conseguia acalmá-la. Então sentei-a no meu colo e a acariciei por muito tempo, como costumava fazer em Paris, durante seus ataques de medo. Sua bundinha também havia encolhido, como os peitos, e suas coxas eram tão finas quanto os braços. Parecia um daqueles cadáveres vivos que aparecem nas fotografias de campos de concentração. Eu a acariciava, beijava, dizia que a amava, que cuidaria dela e, ao mesmo tempo, sentia um terror indescritível, porque tinha certeza absoluta de que ela não *havia* estado grave, sabia que estava grave agora, e que muito em breve iria morrer. Ninguém podia emagrecer daquele jeito e depois se recuperar.

— Ainda não me disse que me ama mais que a essa *hippie*, bom menino.

— É claro que amo você mais que a ela ou qualquer outra pessoa, menina má. Você é a única mulher no mundo que amei e que amo. E, embora tenha feito maldades comigo, também me deu uma felicidade maravilhosa. Vamos, quero sentir você nua nos meus braços e fazer amor.

Levei-a para a cama, deitei-a e tirei sua roupa. Ela, de olhos fechados, deixou-se despir, inclinando-se um pouco para me expor seu corpo o menos possível. Mas eu, acariciando, beijando, consegui fazê-la se abrir e se mostrar. Não a tinham operado, e sim destroçado. Haviam retirado seus seios e reconstruído os mamilos com boçalidade, deixando grossas cicatrizes circulares, como duas corolas avermelhadas. Mas a pior cicatriz partia da sua vagina e subia até o umbigo, serpenteando, uma crosta entre marrom e rosada que parecia recente. Fiquei tão impressionado que, sem me dar conta do que fazia, cobri-a com o lençol. E soube que nunca mais poderia fazer amor com ela.

— Eu não queria que me visse assim nem que sentisse nojo da sua mulher — disse ela. — Mas...

— Mas eu a amo e agora vou cuidar de você até ficar completamente curada. Por que não me chamou, para fazer companhia?

— Não encontrava você em lugar nenhum. Estou procurando há meses. Era isso o que mais me desesperava: morrer sem tornar a vê-lo.

Tinha sido operada pela segunda vez havia apenas três semanas, num hospital de Montpellier. Os médicos foram muito sinceros. O tumor na vagina foi detectado muito tarde e, apesar de ter sido extraído, o exame pós-operatório indicou que havia metástase e que virtualmente não restava nada a fazer. A quimioterapia apenas retardaria o inevitável e, além disso, no estado de fraqueza extrema em que se encontrava, a paciente provavelmente não resistiria. A primeira cirurgia tinha sido um ano antes, em Marselha. Por causa de sua fraqueza, não puderam operar outra vez, para reconstruir o seio. Ela e o marido de Martine, desde que fugiram juntos, moravam na costa mediterrânea, em Frontignan, perto de Sète, onde ele tinha propriedades. Foi muito correto com ela quando detectaram o câncer. Mostrou-se generoso e gentil, e a cercou de cuidados, sem deixar transparecer, quando lhe extraíram os seios, que estava decepcionado. Ao contrário, foi ela quem pouco a pouco convenceu-o de que, já que sua sorte estava decidida, o melhor a fazer era reconciliar-se com Martine e esquecer a disputa com os filhos, da qual só os advogados tirariam proveito. O homem voltou para a família, despedindo-se da menina má com generosidade: comprou-lhe a casinha em Sète que ela agora pretendia me doar e depositou no banco umas ações da Companhia de Eletricidade da França que lhe permitiriam financiar sem dificuldades o que lhe restasse de vida. Ela me estava procurando fazia pelo menos um ano, até dar comigo em Madri, graças a uma agência de detetives "que me custou os olhos da cara". Quando lhe informaram o meu paradeiro, estava no meio dos exames, no hospital de Montpellier. Como sentia dores na vagina desde os tempos de Fukuda, dessa vez não dera muita importância ao fato.

    Contou-me tudo isso numa longa conversa que durou toda a tarde e boa parte da noite, deitados na cama, ela apertada contra mim. Tinha se vestido novamente. Às vezes ficava em silêncio por alguns momentos, para que eu pudesse beijá-la e dizer que a amava. Contou essa história — verdadeira? muito enfeitada? totalmente falsa? — sem dramaticidade, com uma aparente objetividade, sem autocompaixão, mas sim aliviada, contente, como se, depois de contá-la, pudesse morrer em paz.

    Durou mais trinta e sete dias, durante os quais se comportou, como tinha jurado no Bar Barbieri, como uma esposa modelo. Pelo menos, enquanto as dores terríveis não a mantinham na cama, sedada com morfina. Fui morar com ela no apart-hotel de Los Jerónimos onde estava hospedada, levando apenas uma mala com alguma coisa de vestir e uns livros, e deixei uma carta bem hipócrita e digna para Marcella, dizendo que ia embora, que devolvia a sua liberdade, porque não queria ser obstáculo para uma felicidade que, entendia perfeitamente, eu não lhe podia dar, devido às nossas diferenças de idade e de vocações, mas sim um jovem da sua idade e com vocação afim, como Víctor Almeda. Três dias depois partimos, a menina má e eu, de trem, para a sua casinha nos arredores de Sète, no alto de uma colina, de onde se via o formoso mar cantado por Valéry em "O Cemitério Marinho". Era uma casinha pequena, austera, bonita, bem ajeitada, com um jardinzinho. Durante duas semanas ela passou tão bem, parecia tão contente que, contrariando toda lógica, pensei que podia se recuperar. Uma tarde, sentados no jardim, ao crepúsculo, ela me disse que se algum dia eu pensasse em escrever a nossa história de amor, não a deixasse muito mal, senão o seu fantasma viria me puxar os pés todas as noites.

— E por que pensou isso?

— Porque você sempre quis ser escritor, e nunca teve coragem. Agora que vai ficar sozinho, pode aproveitar, assim esquece a saudade. Pelo menos, confesse que lhe dei um bom material para escrever um romance. Não foi, bom menino?

***

1ª EDIÇÃO [2006] 22 reimpressões

ESTA OBRA FOI COMPOSTA EM ADOBE GARAMOND PELA ABREU'S SYSTEM
E IMPRESSA EM OFSETE PELA GRÁFICA SANTA MARTA SOBRE PAPEL PÓLEN
DA SUZANO S.A. PARA A EDITORA SCHWARCZ EM JULHO DE 2024.

A marca FSC é a garantia de que a madeira utilizada na fabricação do papel deste livro provém de florestas que foram gerenciadas de maneira ambientalmente correta, socialmente justa e economicamente viável, além de outras fontes de origem controlada.